胡楚生　著

中國目錄學研究

臺灣學生書局印行

新版自敘

「中國目錄學研究」一書，收錄論文九篇，民國六十九年，由華正書局出版，民國七十五年，初版售罄，乃續印二版，並增加新撰之論文三篇。稍加分別，則前撰九篇，偏重理論之探究，新增三稿，則偏重實務之應用，前者闡體，後者明用，一以溯古，一以通今，則亦可以相輔相成，互為表裏者也。

近年以來，華正書局結束營業，承蒙學生書局惠允，繼續印行，以供學界參考，茲謹略記始末，兼亦誌其感謝之忱云爾。

民國一〇七年四月二十日　胡楚生謹識

自敍

目錄之作，所以綱紀群籍，簿屬甲乙，欲人卽類求書，因書以究其學者也，是以承學之士，莫不先窺書目以涉藩籬，善假簿錄以為津筏，然後逢源之樂，乃可得而致焉。

比年以來，以目錄之學，承乏上庠，課讀之暇，輒有論述，經營數載，稿成九篇，茲將綜為一編，鋟版梓行，謹略陳其梗概於次，俾就正於世之博雅君子。

目錄家之言「互著」者，肇始於章氏學誠，而孫氏德謙、張氏舜徽，亦繼其後，唯章氏依「七略」以立說，孫氏張氏附「漢志」以為據耳，然而「互著」之義，以實考之，不唯「漢志」之內，絕無其證，卽「七略」之中，亦罕見其例，章氏以為向歆父子已知「互著」之法者，此殆章氏一己之理想而已，因撰「目錄家互著說平議」一文，以考論之。

「別裁」之說，亦創自章氏，而七略漢志之中，經章學誠、孫德謙、張舜徽舉以為證者，不過小爾雅、三朝記、弟子職等數種而已，然則考覈之餘，不唯劉班二書之中，不見別裁之例，卽孫張二氏，似亦未能眞知章氏別裁之意義者，雖然，「別裁」之事，亦自有其適用之價值，唯不得如章氏等所說，於七略漢志中覓例證耳，乃著「目錄家別裁說平議」一文，以辨析之。

孫氏德謙，嘗著「漢書藝文志舉例」一篇，分析漢志條理，而張氏舜徽，病其雜沓繁冗，故乃重爲釐定，更撰「釋例」，以闡劉班之微意，然而所纂條例，孫氏固未必無失，張氏亦有所欠當，以此譏彼，亦五十步與百步之間耳，因是掎摭利病，論而議之，以爲「張氏漢書藝文志釋例商榷」。

向歆父子，始剏七略，班固承之，以制漢志，馴至李唐，四部方得確立，然而漢隋之間，書目競出，類例分合，實甚繁蕪，隋志總序一篇，頗能絜其綱領，益以箋證，蒐羅亦漸完備，其於章明史實，殆或不無小補，此「隋書經籍志總序箋證」一文之所以作也。

史志目錄，自漢志以後，唯隋志之作，體制淵懿，足相竝轡，然而漢志之例，述者多人，隋志條理，尚付闕如，拙稿「隋書經籍志述例」之纂，或亦稍可彌補此一缺憾者歟！

世之言校讎者，必首推向歆班固，千載以下，能心知其意者，則必推鄭樵漁仲，然而鄭氏之於七略漢志之書，輒過爲貶駁呵斥之辭，不唯迷於本源，蓋亦有失公允者也，玆就鄭氏所譏劉班諸語，彙而斷之，俾還古人之眞相，因草「鄭樵論七略漢志語評議」。

章氏學誠，嘗撰校讎通義一書，辨章學術，考鏡源流，固其命義之所在，道器合一，卽器明道，亦其纂述之微旨，然而章氏必欲就七略漢志之中，廣爲推闡，則不無過當之嫌焉，集而論之，此「校讎通義道器說述評」一文之所由作也。

重複互著，裁篇別出，乃章學誠氏討論校讐之義例，然而，別裁互著，或言廸緒於鄭氏漁仲或言暗襲自祁氏承㸁，夷考其實，則鄭祁之書，似皆不得爲章說之淵源者，故撰「論章實齋互著別裁之來源」一文，以辨正之。

考作者之行事，明著述之宗旨，辨學術之升降，書目之用，無踰於四庫總目之提要，然而提要之撰，時値盛清，文網方熾，禁書猶烈，故其內容，不能無所偏宕，降及近世，胡氏玉縉，別爲「補正」，余氏嘉錫，重加「辨證」，皆所以爲提要而補闕糾繆者也，因著「四庫提要補正與四庫提要辨證」一文，以論述之。

凡上拙稿九篇，均草於星洲南洋大學，而屈先生翼鵬、李先生陸琦、王先生叔岷、翁先生同文、皮學長述民、謝學長雲飛，竝曾惠閱部分初稿，有所賜正，至於輯理成書，商洽印行，則友人沈謙先生實任其辛勞，是皆感激良深者也，茲併附記於此，用申謝忱，亦兼誌其鴻爪云爾。

民國六十九年一月三十一日胡楚生於國立中興大學中文系

目次

目錄家「互著說」平議

—關於七略漢志中有無「互著」一例之探討—

一、緒　言

簿錄家言「互著」者，肇始於會稽章氏學誠，而元和孫氏德謙，沅江張氏舜徽，亦繼其後；唯章氏以之說七略，孫氏張氏以之例漢志耳，此其所以爲異。考章氏所言「互著」之意，蓋將藉之以「辨章學術，考鏡源流」，以求能推闡校讎之義也，章氏校讎通義（註一）互著第三云：

> 古人著錄，不徒爲甲乙部次計，如徒爲甲乙部次計，則一掌故令史足矣，何用父子世業，閱年二紀，僅乃卒業乎，蓋部次流別，申明大道，叙列九流百氏之學，使之繩貫珠聯，無少缺逸，欲人卽類求書，因書究學。至理有互通，書有兩用者，未嘗不兼收並載，初不以重複爲嫌，其於甲乙部次之下，但加互注，以便稽檢而已。

又云：

> 劉歆七略亡矣，其義例之可見者，班固藝文志注而已（班固自注，非顏注也），七略於兵書權謀家有伊尹、太公、管子、荀卿子、鶡冠子、蘇子、蒯通、陸賈、淮南王九家之書；而儒

家復有荀卿子、陸賈二家之書；道家復有伊尹、太公、管子、鶡冠子四家之書；縱橫家復有蘇子、蒯通二家之書；雜家復有淮南王一家之書；兵書技巧家有墨子，而墨家復有墨子之書。惜此外之重複互見者，不盡見於著錄，容有散逸失傳之文，然即此十家一書兩載，則古人之申明流別，獨重家學，而不避重複著錄明矣。自班固併省部次，而後人不復知有家法，乃始以著錄之業，專爲甲乙部次之需爾。

今考漢書藝文志序嘗謂「成帝時，以書頗散亡，使謁者陳農求遺書於天下，詔光祿大夫劉向，校經傳諸子詩賦。」又謂「會向卒，哀帝復使向子侍中奉車都尉歆卒父業。歆於是總群書而奏其七略，故有輯略、六藝略、諸子略、詩賦略、兵書略、數術略、方技略。今刪其要，以備篇籍。」是班固漢志，實刪取七略而成，今七略已佚，唯於漢志，猶可窺其義例，故章氏於漢志班氏注中，發明七略「互著」之例（註二），而孫氏張氏，又持之以說漢志。

孫德謙漢書藝文志舉例（註三）「互著例」云：

> 漢志兵書略云，省十家二百七十一篇，重，蓋如伊尹、太公諸書，本重列兵家，今爲班氏省去之。或謂自班氏刪併劉略，後人遂不知有互著之法，其說是矣，要亦不盡然也，今考之班志，儒家有景子、公孫尼子、孟子，而雜家亦有公孫尼，兵家亦有景子、孟子；道家有伊尹、鬻子、力牧、孫子，而小說家亦有伊尹、鬻子，兵家亦有力牧、孫子；法家有李子、商君，

而兵家亦有李子、公孫鞅；縱橫家有龐煖，而兵家亦有龐煖；雜家有伍子胥、尉繚、吳起，而兵家亦有伍子胥、尉繚、吳起；小說家有師曠，而兵家亦有師曠；此其重複互見，班氏雖於六略中，以其分析太甚，或有稱省者，然於諸家之學術兼通，仍不廢互著之例。……書之貴互著，猶列傳之貴互見也，史記以子貢入仲尼弟子，於貨殖傳中，則又列其名，不可心知其意乎？

張舜徽漢書藝文志釋例（註四）「彼此互著例」云：

> 先民道術，所該彌溥，初未可以一方體論，著錄家取後世部類強分析之，每但得其一偏而遺於全體，非所以辨章學術也。於是而互著之例起焉。蓋一書而數類複見，亦猶韻書收字分隸四聲，一篇之中，不嫌並出，書之體用既明，學之原流自顯，法至善也。今考之漢志，儒家有景子、公孫尼子，而雜家亦有公孫尼，兵家亦有景子；道家有伊尹、鬻子、力牧、孫子，而小說家亦有伊尹說、鬻子說，兵家亦有力牧、孫子；法家有李子、商君，而兵家亦有李氏、公孫鞅；縱橫家有龐煖，而兵家亦有龐煖；雜家有伍子胥、尉繚、吳子，而兵家亦有伍子胥、尉繚、吳起；小說家有師曠，而兵家亦有師曠。其複見如此，要必有故。唐初諸儒修隋書經籍志，循用斯例，最爲能見其大。（如京相璠春秋土地名三卷，分載春秋、地理二類，李概戰國春秋二十卷，古史、霸史二類亦分載之。）而鄭樵校讎略譏之於前，錢大昕廿二史考異

糾之於後。馬端臨經籍考亦能遵漢志遺規，數類並載，（如陸德明經典釋文分載經解、小學二類，宋敏求春明退朝錄分載故事、小說二類之屬。）錢氏養新錄又深斥之。失昔人互著之旨矣。大抵一書而兩類分收，與夫一字複見於平上去入，其例正同。簿錄家於彼此互著之際，實隱然示人以辨章學術之意，爲用甚宏，學者所宜究心焉。

是「互著」之法，孫氏張氏實承章氏以爲說，唯章氏已主張班固併省部次，不復知有家法，卽漢志已無「互著」，而孫氏張氏纂輯漢志條例，必欲推崇漢志，由是不信章氏之說，遂至所著之書，百密一疏，所在不免矣；實則，自今觀之，不唯孫氏張氏之說，錯謬殊甚；卽章氏之說，亦大有可疑；玆抉其根源，先論章氏之例，而後及孫氏張氏之說。

今案「互著」之說，旣由章氏提出，則「互著」之意義，自亦當以章氏所說，爲其依據。考章氏屢言「部次流別，申明大道」，「卽類求書，因書究學」，「理有互通，書有兩用」，「兼收並載」，「不以重複爲嫌」，「一書兩載」，「不避重複著錄」。則推尋章氏之意，凡能稱之爲「互著」者，必須具備下列條件：

①分類編目者，主動而積極，擇取某一書籍，分別著錄於兩種不同門類之中，或自某一門類之中，擇取某一書籍，更行著錄於別一門類之中。

②兩種不同門類中所著錄之同一書籍，不僅名稱必須相同，且其內容，篇章目次，亦必須完

全相同。

③某一書籍，既已兼載於兩種不同門類之中，則此某書之內容意義，又必兼與此兩種不同門類之學術，皆有關涉者。

似此，方得視之爲「互著」，反之：

①如某一書籍，性質較爲複雜，置之此類既可，置之他類，亦且相宜，而編目者又非一人，遂各取此書所重之一偏，而著錄於所編之目錄之中，則此某書，雖曾兩見於不同門類之中，要非由同一編目者積極而主動之分載，則不可謂之「互著」矣。

②如兩種不同門類之中，雖已著錄同名之某書，而考此同名之某書，分載兩類，除書名雷同之外，或其篇章目次，有所不同，或其內容，全然相異，則亦不得謂之爲「互著」矣。

③如某一書籍，重複兩見，著錄於同一門類之中，此自不必論矣，卽屬著錄於兩種不同門類之中，而查考此某一書籍之內容，有與其中某一門類之學術源流，毫不相涉者，則此亦不能有當於「理有互通」，「書有兩用」，則亦不得謂之爲「互著」矣。

凡上所舉，皆本於章氏之意，略加推論者，今卽就章氏之意，以考章氏之說，而孫氏張氏所論「互著」之事，既皆係規撫於章氏之說者，則亦自宜確守章說之範疇，此當無可致疑者也（註五）。茲所欲考察者，乃在七略、漢志之中，是否已有「互著」一例之存在，亦卽章氏孫氏張氏等所舉之書籍，是否果屬劉歆班固等有意之主動積極爲之重複著錄者，亦卽是否與上述所論章氏「互著」之標準，完全符合者。

二、疑七略中並無「互助」之例

章學誠氏撰校讎通義，以爲「劉歆七略亡矣，其義例之可見者，班固藝文志注而已（班固自注，非顏注也）」，故章氏探討七略「互著」之例，乃全憑漢志以爲之說。然班固漢志，雖係删自七略，而七略今不可見，至於全據班志，以論七略，是否妥當，此則首須澄清者也。余嘉錫先生謂章氏，「其書雖號宗劉（章氏書第二篇名宗劉），其實只能論班」（註六），言雖稍過，蓋亦屬實，唯今存七略佚文，經馬國翰（玉函山房輯佚書）、洪頤煊（經典集林）、嚴可均（全漢文）、姚振宗（快閣師石山房）諸家所輯者，已殘缺過甚，其於「互著」方面，無以鈎稽義例矣。是則章氏據漢志以論七略者，亦不得不然也。

今案章氏立論，旣依附漢志班注，以說七略之「互著」，則此下亦據漢志班注，以論七略「互著」之有無，其他有關七略、漢志異同之事，則暫不涉及（註七）。

1.就書籍篇目異同上考察

章氏既據漢志班氏自注言省之例，以爲伊尹、太公、管子、荀卿子、鶡冠子、蘇子、蒯通、陸賈、淮南王、墨子等十書之重出兩見，乃卽劉略「重複互著」之例。今卽就此十家之書，於其著錄之篇數上，先作省察。漢書藝文志兵書略技巧類末班氏注云：

省墨子，重。

又於權謀類末「右兵權謀十三家，二百五十九篇」下注云：

省伊尹、太公、管子、孫卿子、鶡冠子、蘇子、蒯通、陸賈、淮南王，二百五十九種。出司馬法入禮也。

錢大昭漢書辨疑（註八）於藝文志此條末注云：

案二百五十九種，種字疑誤，卽上文十三家之篇數也。

姚振宗漢書藝文志條理（註九）於此條注云：

劉奉世曰：「種當作重，九下又脫一篇字，注二百五十九，恐合作五百二十一篇，數已在前。」今按二百五十九種，實因上文大字二百五十九篇之寫誤，班氏既云省云出，不復言重，前後比例可知也，此當如劉氏說，作五百二十一篇，出司馬法入禮也，劉云種當作重，似不然。

案劉氏謂「種」當作「重」，甚是，證以技巧類末班注云：「省墨子，重」，兵書略末班注云：「省十家，二百七十一篇，重」，知所謂「省」者，乃班氏以為七略中重複之書，是因「重」而省者也，所以稱「省」者，正以其與「重」有關也，姚氏謂班氏既云省云出，即「不復言重」，自是失察。

至姚氏與劉氏所謂注「二百五十九」，當作「五百二十一」，驟視之，亦以為然，細案之，又知其實不然矣。

今檢漢志諸子略，儒家荀子三十三篇，陸賈二十三篇，道家伊尹五十一篇，太公二百三十七篇，管子八十六篇，鶡冠子一篇，縱橫家蘇子三十一篇，蒯子五篇，雜家淮南內二十一篇，淮南外三十三篇，墨家墨子七十一篇，總計五百九十二篇；若其不計墨子七十一篇，則為五百二十一篇。

漢書藝文志兵書略末總計篇數下班氏注云：

　　省十家，二百七十一篇，重。

姚振宗漢書藝文志條理於此注引劉奉世云：

　　此注二百七十一篇，又當作五百九十二，兩注篇數皆不足，蓋訛謬也。

劉氏前於兵權謀家謂班注省二百五十九，當作五百二十一篇，於此謂當作五百九十二篇者，合墨子七十一篇計之也。

夫書有訛謬，本無足異，班氏漢志，自或不免，然寧有一誤於前，又誤於後，失察至此者乎？

王先謙漢書補注（註一〇）於藝文志兵書略權謀家末引陶憲曾云：

劉氏謂種當作重，九下脫篇字，是也；謂二百五十九，合作五百二十一，則非也，省伊尹、太公、管子、孫卿子、鶡冠子、蘇子、蒯通、陸賈、淮南王二百五十九篇重者，蓋七略中伊尹以下九篇，其全書收入儒道縱橫各家，又擇其中之言兵權謀者，重入於此，共得二百五十九篇（如本志，太公謀八十一篇，兵八十五篇，今本管子兵法、參患，孫卿子議兵，淮南兵略等篇之類，皆當在此二百五十九篇中），班氏存其專家各書，而於此則省之，故合所省，亦止二百五十九篇也。

又於兵書略技巧家末引陶憲曾云：

省墨子重者，蓋七略墨子七十一篇，入墨家，又擇其中言兵技巧者十二篇，重收入此，而班省之也。

又於兵書略末總計「省十家二百七十一篇」下引陶憲曾云：

兵權謀省伊尹以下九家二百五十九篇，兵技巧又省墨子，則爲十家。而云二百七十一篇，則所省墨子，當十二篇矣，考墨子備城門篇，有臨、鉤、衝、梯、堙、水、穴、突、空洞、蟻傅、轒轀、軒車，十二攻具。今本墨子備高臨諸篇是也。（今本墨子有備高臨、備梯、備水、備突、備穴、備蟻傅，凡六篇，詩大雅皇矣疏引有備衝篇，餘五篇蓋備鈎、備堙、備空洞、備轒轀、備軒車也，今闕。）則七略所重，班氏省者，當即此十二篇，以十二篇加二百五十九篇，正合二百七十一篇之數，劉氏疑注有訛謬，又非也。

今案陶氏諸說，均能言之成理，較之劉奉世氏輕改班注者，爲勝遠矣。以今觀之，漢志每略後總凡條陳之家數篇數，除班氏新入者不計之外（註一一），設與每略中所著錄書籍之家數篇數相印證，亦不能無誤，此在顏師古注，早已言之（註一二），此等差誤，大抵在於班氏襲用劉略之舊時未加深究，故總凡出之劉略，注乃出之班氏之手，班氏無暇訂正劉略之失，而於己之所注，則必不致過於輕忽，是以由今觀之，漢志班氏之注，較之劉略總凡所陳，反益精確可信，未必誤也。是以姚振宗氏據劉奉世氏之言，欲改兵權謀家末班注省二百五十九爲五百二十一，及改兵書略末班注省十家二百七十一爲五百九十二者，皆不可信者也。

至於兵書略權謀家末之班注二百五十九篇，恰與權謀家末小計之大字篇數相等者（實則合計兵權謀家所著錄之書籍，乃十三家二百七十二篇，較所著錄，猶多十三篇。）當屬偶合，不可據此卽改漢志之文也。

今考班注所省之書，與漢志（七略）著錄同名之書，篇數既相去遼遠，內容自不能如一，是已不合章氏所謂「一書兩載」之義矣，自不能據此以爲七略中已有「互著」之證明。

2.就任宏分校兵書上考察

今考七略一書，雖係由劉歆所奏上，而典校秘書，則成於衆人之手，漢書藝文志總序云：「成帝時，以書頗散亡，使謁者陳農求遺書於天下，詔光祿大夫劉向，校經傳諸子詩賦，步兵校尉任宏，校兵書，太史令尹咸，校數術，侍醫李柱國，校方技。每一書已，向輒條其篇目，撮其指意，錄而奏之。會向卒，哀帝復使向子侍中奉車都尉歆卒父業，歆於是總群書而奏其七略。」

漢書藝文志詩賦略「博士弟子杜參賦二篇」下師古注云：

劉向別錄云：「臣向謹與長社尉杜參校中祕書。」劉歆又云：「參，杜陵人，以陽朔元年病死，死時年二十餘。」

漢書叙傳云：

（班）斿博學有俊材，……與劉向校祕書。

是以七略一書，雖由劉歆奏上，而典校祕書，則成於衆人之手，劉向、任宏、尹咸、李柱國、杜參、劉伋、班斿（班固之伯祖）等，均嘗分校祕書（註一三）。然而章學誠氏所據漢志班注言省之例，以爲「互著」之說者，乃全在任宏所典校之兵書略中，章氏且嘗因是盛稱任宏，以爲「互著之法，劉氏具未能深究，僅因任宏而稍存其意耳」（註一四），是則章氏以為「互著」之用，實自任宏肇其端也。

校讎書籍與分類編目，雖似分為二事，實則仍係一體之務，（章氏校讎通義中所論之「校讎」，實兼包今日所謂校勘、分類、編目之事。）且漢志總序言「光祿大夫劉向校經傳、諸子、詩賦，步兵校尉任宏校兵書，太史令尹咸校數術，侍醫李柱國校方技。」是向等校書之時，已有分科專司之事，已有經傳、諸子、詩賦、兵書、數術、方技之名，與劉歆所奏之七略，不過「經傳」與「六藝」之別，更加一「輯略」而已。世之論簿錄者，或以別錄校書專屬劉向，而以七略分類專屬劉歆，一似二者之間，毫無關涉者，實則，七略分類之雛型，早已定於劉向、任宏、尹咸、李柱國等校書之時，劉歆不過略加整理奏上而已。否則，劉向等典校祕書，豈能各自無一記錄衆書之總撮書目？綜合衆目，此即七略之雛型耳。

唯任宏僅校兵書，而所謂相與「互著」之書，又皆重見於劉向所校之諸子略中，則任宏僅校兵書、恐非有意而據諸子以為「互著」也，黃紹箕跋古文舊書考（註一五）云：

章氏意善矣，而所以為說則非，劉錄互著，唯兵家類有十種，與儒道墨縱橫雜家彼此互見，蓋劉向校九流，任宏校兵書，同一書而有兩本，各有司存，因兩著之，未必別有深意。

陳鼎忠、曾運乾合撰之通史叙例（註一六）云：

此蓋任宏校兵書之復見，不得執爲劉歆校諸子之互著。

鍾肇鵬校讎通義評誤（註一七）云：

不知劉向領校諸子，兵書校自任宏，所舉十書，本任宏校兵書之復見，不得謂爲七略有互著之法。

今案黃氏陳氏曾氏鍾氏之評，皆極有理，任宏典校兵書，職有專司，非深明於諸子之得失，寧有隨意即據諸子以爲「互著」之理？設謂向、歆父子統校全書，歆總全書而奏七略（註一八），因而「互著」，則章氏推崇任宏之語，又自爲矛盾而謬誤矣。余甚疑此乃是兵家伊尹、太公等十書，其時已有單篇別行之本，流傳於世，故任宏收錄之也，王國維太史公行年考（註一九）云：

漢世百三十篇，往往有寫以別行者，後漢書竇融傳：「光武賜融以太史公五宗、外戚世家，魏其侯列傳。」又循吏傳：「明帝賜王景河渠書」是也。

鍾肇鵬校讎通義評誤云：

案古書篇多單行，如漢志，韓非子五十五篇，而秦王讀其說難、孤憤；孫武書，漢八十二篇，而闔閭曰，子之十三篇，吾盡觀之；漢昭帝通保傅傳，光武賜竇融以太史公五宗世家、外戚世家，及魏其侯列傳；竇公獻周官大司樂章，河內女子發老屋，得說卦泰各一篇，皆可證。

是則班氏言「省」之十書，章氏所據以言「互著」者，既與諸子略中著錄之同名十書，篇數相異，恐亦由於漢代早有單篇之本，流傳於世，故任宏以其一一各爲獨立之書，乃著錄於兵書之中，此與劉向之著錄原書於諸子略中，兩不相碍，當非任宏有意自劉向著錄之十書之中，主動別出者也，則亦不得謂之爲「別裁」之法，至劉歆奏七略，當亦心知其意者，及班固襲取七略而爲藝文志，「見名而不見書」，乃始以爲重複而刪省之也（註二〇）。陶憲曾氏所謂「其全書收入儒道縱橫各家，又擇其中之言兵權謀者，重入於此」（見前引），則似任宏有意爲之別出者，當非實錄。

3.就班氏於同略中言省之例考察

漢志班氏注中，其稱「省」者，除兵書略中省伊尹、太公、管子、孫卿子、鶡冠子、蘇子、蒯通、陸賈、淮南王、墨子等十書，爲章氏據以言「互著」者外，又於六藝略中，出言「省」之例。漢書藝文志六藝略春秋家末班氏注云：

省太史公四篇。

顧實漢書藝文志講疏（註二一）於此條班注下解云：

兵權謀、兵技巧，皆有班注「省伊尹」「省墨子」云云，蓋本七略兩載而班志省之，然太史公書無重見，此不知所省何篇也。

案顧氏謂班注之太史公（顧氏於班注太史公下自添一書字）無重見，誤矣，六藝略春秋家中所著錄者卽有太史公百三十篇，此非無重見，蓋卽見於同略同部之中耳。

章學誠校讎通義漢志六藝第十三之十二云：

> 春秋部注「省太史公四篇」，其篇名既不可知，案太史公百三十篇，本隸春秋之部，豈同歸一略之中，猶有重複著錄及裁篇別出之例邪。

「複重互著」與「裁篇別出」二名，以章氏語分之，則「書有兩用」者爲互著，「裁其篇章」者爲別裁，夫章氏既見兵書略中有班注所省伊尹以下十書矣（又不審察班注所省之篇目多寡），遂逕謂其與諸子略中同名諸書爲「互著」，自謂能得任宏校書之義例。然於此春秋家中，又見班注所省之太史公四篇，一則與所「互著」之書同居一部（自無所謂「書有兩用」矣），大乖厥例（章氏心目中所認定任宏之例），一則篇目又相去過遠（四篇與百三十篇之比），乃不免大爲困惑，欲認其爲「互著」焉，則二書並歸一略，厥例不同，欲認其爲「別裁」歟，則書名不僅相同，且又無當於「別出門類」之語，因覺大費周章，無以自解，甚且於此心中預定規模之「互著」「別裁」，卽其定義亦難以確認矣，故乃歎息，「豈同歸一略之中，猶有重複著錄及裁篇別出之例邪。」實則，章氏所疑同一略中，尚有重複著錄，此必不可通者，同一略（若太史公，更同一春秋家耳）中，如尙互著，豈能當於章氏所謂之「理有互通，書有兩用」哉？書在不同之兩略兩家之中，由於宗旨相異，而意義又有可通，或得謂其「互通」、謂其「兩用」，如其同在一略一家之中，宗旨卽一，又何待於「互通」「互用」乎？是春秋家中之太史公四篇，自不得視以爲「互著」矣。又如以章氏設想之「別裁」義例觀之，六藝略中太史公四篇之省，實不得謂之爲裁篇別出之例也。夫別裁之法，「蓋古人著書，有採取成說，襲用故事者，其所採之書，別有本旨，或歷時已久，不知所出，又或所著之篇，於全書內自爲一類者，並得裁其篇章，補苴部次，別出門類，以辨著述源流。」（校讎通義別裁）是則編目者有見於著述源流，積極而主動，自某全書之內，裁出其中某些篇章，別予著錄於其他門類之中，方始可以謂之「別裁」，如其書本有單篇別行之本，流傳於世，而編目者視之以爲獨立之書，加以著錄，則不得謂之爲「別裁」也（註二二）。考姚振宗漢書藝文志條理於春秋家「馮商所續太史公七篇」下注云：

按本志是篇都凡之下注云，省太史公四篇，當是馮氏續書，馮所續，著錄七篇，省四篇，蓋十一篇，故班氏並云十餘篇。

今案姚氏之說非是，班注所省之太史公四篇，當非馮商所續之書，考班氏所謂省者，卽是班氏以爲重複而刪省之也，而班氏不知其書當時殆有單行之本，流傳於世耳，王國維著太史公行年考，嘗謂「漢世百三十篇，往往有寫以別行者」（引見前節），又擧出後漢書記光武賜竇融以太史公五宗世家、外戚世家、魏其侯列傳，明帝賜王景以河渠書爲證，是東漢之初，太史公書卽有單篇流行於世者，今漢志春秋家中班氏所省之太史公四篇，雖不能確定是否卽是王國維氏所擧之四篇，而此四篇，要係其時已有單行之本，流傳於世，故向、歆父子，即以其爲獨立之書，而加著錄於春秋家中，否則，太史公百三十篇與太史公四篇，同在於春秋家中，向、歆父子，豈有不知之理？至班固編七略以爲藝文志，見名而不見書，方始怪其重複而刪省之也。吾人於漢志同略同類之中，班氏尚且言省之例，似可推知，兵書略中所省之十書，其理亦必與此相同，皆是其時已有單行之本在先，故任宏加以著錄於後；既非編目校書者主動爲之「別裁」，亦非積極有意爲之「互著」也。

且章氏之言「互著」也，蓋將以「部次流別，申明大道」，「獨重家學」，故其於學術之辨章，源流之考鏡，特加措心，今考七略諸子略中評論學術之流別，論者多以其仿於太史公自序之述六家要旨，然史記以老莊申韓合傳，嘗謂莊周申韓之學，「皆源於道德之意」，而七略中老莊與申韓分列道法二家，又史記於孟荀列傳之中，兼敘愼到田駢接子環淵，而總之曰：「皆學黃老道德之術」，而七略則列愼子於法家（田子、捷子、蜎子則列於道家），然則申韓之於老莊，愼到之於黃老，法家之於道家，豈不皆當「互著」其書，何以劉氏不爲之一一重複著錄，而徒爲規規乎兵家之十書哉？逐末捨本，是誠使人大惑不解者也。

總之，對於章氏以爲七略之中，已有「互著」一例之說法，吾人實感難以置信，而不得不深致其懷疑也。

三、論漢志中並無「互著」之例

以上先論七略「互著」之例，以下當更評漢志「互著」之說。章氏校讎通義辨嫌名第五云：

> 漢志以後，既無互注之例，則著錄之重複，大都不關義類，全是編次之錯謬爾。

是章氏已明言漢志以後，不復更見互著之法矣，而孫德謙氏與張舜徽氏，纂輯漢志條例，推崇漢志，欲集衆美於其一身，乃不信章氏之言，而必謂漢志亦有「互著」之例，强爲牽合，其錯謬自不能免矣。

漢志之中，凡經孫氏指爲「互著」之書，計十四種：景子、公孫尼子、孟子、伊尹、鬻子、力牧、孫子、李子、商君、龐煖、伍子胥、尉繚、吳子、師曠是也。而經張氏指爲「互著」之書，則僅十三種，較孫氏所指出者，少孟子一種。（均見前引孫張之說中）玆分別考察如后。

1.就書籍之名稱上考察

夫書有同名而異實者，不可因其名稱相同，遂逕斷爲一書也，此義，章學誠氏早已言之，校讎通義漢志兵書第十六云：

> 書有同名而異實者，必著其同異之故而辨別其疑似焉，則與重複互注裁篇別出之法，可以並

行而不悖矣。兵家形勢家之尉繚三十一篇，與雜家之尉繚子二十九篇同名，兵陰陽家之孟子一篇，與儒家之孟子十一篇同名，師曠八篇，與小說家之師曠六篇同名，力牧十五篇，與道家之力牧二十二篇同名，兵技巧家之伍子胥十篇，與雜家之伍子胥八篇同名，著錄之家，皆當別白而條著者也。若兵書之公孫鞅二十七篇，與法家之商君二十九篇，名號雖異而實爲一人，亦當著其是否一書也。

章氏於漢志中書有名稱相同者，並以其爲同名異實之作，以爲皆當別白而條著之，而不謂其爲互著，此義，孫德謙氏本亦知之。孫氏漢書藝文志舉例「書有別名稱一曰例」云：

古人著書，有兩人相同者，如桓譚新論，華譚新論，揚雄太玄經，楊泉太玄經是。

然而，其論互著也，意欲推崇漢志，集衆美於其一身，故亦遑顧及此矣，且孫氏所舉漢志互著之書，其引書名稱，亦有含混之嫌，如道家有伊尹、鬻子，小說家有伊尹說、鬻子說，道家有孫子，兵家有吳孫子兵法、齊孫子，所稱書名，並非全同，而孫氏於此，一例稱之爲伊尹、鬻子、孫子，其於書名稱謂，則似有意爲之含混者也。而張舜徽氏，又於兵家之李子，改稱李氏，不審何故。而秦漢以前，某人所著之書（或由後人搜輯其言行而編定者），往往即以某人之名而爲書名，如孟子、荀子、孫子之書，即名孟子、荀子、孫子，設如其人所著之書不止一種，性質不同，分在不同門類之中，又焉得視之爲「互著」乎（註二三）？

2. 就書籍之篇目異同上考察

又自書籍之篇數異同上觀之，則儒家景子僅三篇，兵家景子乃十三篇；儒家公孫尼子乃二十八篇，雜家公孫尼僅一篇；儒家孟子乃十一篇，兵家孟子僅一篇；道家伊尹乃五十一篇，小說家伊尹說僅二十七篇；道家孫子僅十六篇，兵家吳孫子兵法乃八十二篇，齊孫子乃八十九篇；法家李子乃三十二篇，兵家李子僅十篇；雜家吳子僅一篇，兵家吳起乃四十八篇；篇數之異，相去遼遠。

其餘，如道家鬻子爲二十二篇，小說家鬻子說爲十九篇；道家力牧爲二十二篇，兵家力牧爲十五篇；法家商君爲二十九篇，兵家公孫鞅爲二十七篇；縱橫家龐煖爲二篇，兵家龐煖爲三篇；雜家伍子胥爲八篇，兵家伍子胥爲十篇；雜家尉繚爲二十九篇，兵家尉繚爲三十一篇；小說家師曠爲六篇，兵家師曠爲八篇；篇數相差，雖不若前述諸書之懸殊，然亦並不完全相同。大凡書籍，篇章分合，後世容有岐異，而同一時代，同一志書，設有「互著」，書之篇章，不應相距若是遼遠。要之，凡此諸書，篇數既有多寡之異，則其內容之不能盡同，蓋可斷言，若卽以此而作爲一書兩載之「互著」，亦實難令人悅服者。

3. 就書籍之內容上考察

玆再就書籍內容上，依次考察。

①景子

漢志諸子略儒家著錄景子三篇，班固注云：

說宓子語，似其弟子。

姚振宗漢書藝文志條理於此書注云：

馬國翰輯本序云，漢志儒家有景子三篇，說宓子語，似其弟子，隋唐志不著錄，佚已久，考韓詩外傳、淮南子，載宓子語各一節，俱有論斷，與班固所云說宓子語者正合，據補。依漢志與宓子比次，明其淵源有自云。

漢志兵書略形勢家又著錄景子十三篇。姚振宗漢書藝文志條理於此書注云：

按儒家有景子，七十子之弟子，此列在魏公子之後，則非其人也。

案鄭樵校讎略論書目編次之必謹類列，嘗謂「朝代之書，則以朝代分，非朝代書，則以類聚分。」漢志六略，以類聚相關書籍爲主，而每略每類之中，又略以時代先後爲次，故姚氏以此論斷兵家之景子，與儒家之景子爲不同書也。以下，姚氏亦多據此法，以爲考辨。

又案顧實漢書藝文志講疏於此書注云：

儒家景子三篇，蓋非同書，或曰，此景子卽景陽也，見楚策及淮南子氾論訓。

②公孫尼子

漢志諸子略儒家類著錄公孫尼子二十八篇，班固注云：

七十子弟子。

王應麟漢書藝文志考證（註二四）於此書注云：

隋唐志一卷，似孔子弟子，沈約謂樂記取公孫尼子，劉瓛曰，緇衣，公孫尼子所作也，馬總意林引之。

案顧實漢書藝文志講疏於此書注云：

雜家公孫尼一篇，蓋非同書。

梁啟超漢書藝文志諸子略考釋（註二五）於雜家此書注云：

公孫尼一篇，次列漢人著作中，與儒家之公孫尼子蓋非一人。

③孟子

漢志諸子略儒家著錄孟子十一篇，班固注云：

名軻，鄒人，子思弟子，有列傳。

漢志兵書略陰陽家又著錄孟子一篇。姚振宗漢書藝文志條理於此書注云：

按此列東父、師曠之前，則其人遠在孟子之先，疑即五行家之猛子。

王先謙漢書補注於此書引沈欽韓云：

下五行家有猛子閭昭，疑此是猛子。

顧實漢書藝文志講疏於此書注云：

儒家孟子十一篇，蓋非同書。

案今本孟子七篇，漢志儒家言十一篇者，趙岐所謂，孟子「著書七篇，又有外書四篇」（孟子題辭），并外書計之也。今考孟子言仁政，說王道，斥攻伐，豈可入之兵家哉？要之，此與儒家之孟子，絕非一書可知。

④伊尹

漢志諸子略道家著錄伊尹五十一篇，班固注云：

湯相。

漢志諸子略小說家著錄伊尹說二十七篇，班固注云：

其語淺薄，似依託也。

姚振宗漢書藝文志條理於此書引何義門讀書記云：

小說家伊尹說二十七篇，依託之書，皆入小說，弗爲弗滅，斯學衰也。

又引嚴可均三代文編云：

呂氏春秋本味篇，疑即小說家之一篇，孟子伊尹以割烹要湯，謂此篇也。

顧實漢書藝文志講疏於此書注云：

道家名伊尹，此名伊尹說，必非一書。禮家之明堂陰陽與明堂陰陽說爲二書，可比證。

案伊尹之列入道家，蓋推本其原，猶後世道家託始於黃老之意也。至於伊尹說者，或當爲推衍其軼事，如後世稗官演義之流耳，以之錄入小說家中，正得其所，然伊尹與伊尹說，絕非一書可知也；鬻子與鬻子說，亦當同此。

⑤鬻子

漢志諸子略道家著錄鬻子二十二篇，班固注云：

名熊，爲周師，自文王以下問焉，周封爲楚祖。

漢志諸子略小說家著錄鬻子說十九篇，班固注云：

後世所加。

而四庫提要雜家類於鬻子一卷云：

考漢書藝文志道家鬻子二十二篇，又小說家鬻子說十九篇，是當時本有二書，列子引鬻子凡三條，皆黃老清靜之說，與今本不類，疑即道家二十二篇之文，今本所載，與賈誼新書所引六條，文格略同，疑即小說家之鬻子說也。

顧實漢書藝文志講疏於此書注云：

道家名鬻子，此名鬻子說，亦必非一書，與伊尹說一書，正同例。

梁啟超漢書藝文志諸子略考釋於小說家此書云：

道家有伊尹五十一篇，鬻子二十二篇，此復有伊尹說、鬻子說；兵陰陽有師曠八篇，此復有六篇；五行家有務成子災異應十四卷，房子家有務成子陰道三十六卷，此復有務成子十一篇；考其區別所由，蓋以書之內容體例爲分類也，文選注三十一引桓譚新論云：「小說家者，合叢殘小語，近取譬論，以作短篇。」蓋小說家之特色如此，據此，則道家之伊尹、鬻子，蓋以莊言發濾理論，小說家之伊尹說、鬻子說，則叢殘小語及譬喻短篇也，餘可類推。

其說最爲弘通可信。

⑥力牧

漢志諸子略道家著錄力牧二十二篇，班固注云：

六國時所作，託之力牧，力牧，黃帝相。

漢志兵書略陰陽家又著錄力牧十五篇，班固注云：

黃帝臣，依託也。

顧實漢書藝文志講疏於此書注云：

道家力牧二十二篇，蓋非同書。

然則既皆屬後人僞託之作，今二書並佚，孫氏又焉能知其二者必爲一書乎？

⑦孫子

漢志諸子略道家著錄孫子十六篇，班固注云：

六國時。

姚振宗漢書藝文志條理於此書注云：

本書人表，孫子居第五等中，梁玉繩曰，孫子唯見莊子達生篇，名休，又梁學昌庭立紀聞云，藝文志道家孫子十六卷，當卽其人。

又云：

案人表于吳孫武之外，列此孫子于田太公和魏武侯之時，與春秋時孫武自別，亦與此言六國相合，蓋卽此孫子。莊子達生篇引其語，當出是書。然自司馬彪以來，注莊子書者，皆略而不言，其始末不可考，德淸俞樾莊子人名考，亦但言孫休，釋文無說云。

顧實漢書藝文志講疏於此書注云：

班注云六國時，則非兵權謀家之吳齊二孫子也。

案顧氏之說是也，吳孫子兵法八十二篇九卷，齊孫子八十九篇，與此當非一書也。

⑧李子

漢志諸子略法家著錄李子三十二篇，班固注云：

名悝，相魏文侯，富國強兵。

梁啟超漢書藝文志諸子略考釋於此書注云：

其書疑亦後人誦法李悝者爲之，未必悝自撰也。漢志兵書略權謀家又著錄李子十篇（張舜徽誤作李氏）。

案顧實漢書藝文志講疏於此書注云：

汲古閣本李作季，李季形近易訛。儒家李克七篇，法家李子三十二篇，蓋俱非同書。

⑨商君

漢志諸子略法家著錄商君二十九篇。班固注云：

名鞅，姬姓，衞後也，相秦孝公，有列傳。

四庫提要子部法家類於商子五卷云：

今考史記稱秦孝公卒，太子立，公子虔之徒告鞅欲反，惠王乃車裂鞅以徇，則孝公卒後，鞅卽逃死不暇，安得著書，如爲平日所著，則必在孝公之世，又安得開卷第一篇卽稱孝公之謚？殆法家者流掇鞅餘論以成是編。

顧實漢書藝文志講疏於此書注云：

> 來民篇曰：「今三晉不勝秦四世矣。自魏襄王以來，野戰不勝，則城必拔。」弱民篇曰：「秦師至，鄢郢舉，若振槁。唐蔑死於垂沙，莊蹻發於內楚。」此皆秦昭王時事，非商君所及見。

漢志兵書略權謀家又著錄公孫鞅二十七篇。姚振宗漢書藝文志條理於此書注云：

> 章學誠校讎通義曰：「若兵書之公孫鞅二十七篇，與法家之商君二十九篇，名號雖異，而實爲一人，亦當著其是否一書也。」按一在法家，一在兵家，家數既殊，篇數亦異，又何用著其是否一書耶？

案顧實漢書藝文志講疏於此書注云：

> 法家商君二十九篇，蓋非同書。

⑩龐煖

漢志諸子略縱橫家著錄龐煖二篇，班固注云：

> 爲燕將。

案顧實漢書藝文志講疏於此書注云：

兵權謀家有龐煖三篇，蓋非同書。

⑪伍子胥

漢志諸子略雜家著錄伍子胥八篇，班固注云：

名員，春秋時，爲吳將，忠直遇讒死。

顧實漢書藝文志講疏於此書注云：

兵技巧家伍子胥十篇，蓋非同書。越絕書明言「一說子胥作，外者非一人作。」洪頤煊曰：「今本越絕，篇次錯亂，以末篇證之，本八篇，太伯第一，荆平第二，王吳第三，計倪第四，請糴第五，九術第六，兵法第七，陳恒第八，與雜家伍子胥篇數正同。」（讀書叢錄）蓋越絕本分內外傳（崇文總目稱舊有內記八，外傳十七，今文題闕舛，裁二十篇），內傳八篇，今存荆平、王吳、計倪、請糴、陳恒、九術六篇，審其文字，當卽雜家之伍子胥書，而餘爲後漢袁康作也。文選注（顏延年侍遊曲阿後湖詩，張協七命兩注）太平御覽（三百五十），並引越絕書伍子胥水戰法（御覽七，又七百引越絕書子胥船軍之教），當爲兵法篇之佚文。

則此兩書，或者內容各有所主，一以兵法爲主，一記雜事軼聞，亦未可知。

⑫尉繚

漢志諸子略雜家著錄尉繚二十九篇，班固注云：

六國時。

師古注云：

尉、姓，繚、名也，音了，又音聊。劉向別錄云，繚爲商君學。

姚振宗漢書藝文志條理於此書注云：

梁玉繩瞥記五：「諸子中有尉繚子，疑卽尸子所謂料子貴別者也。漢志雜家尉繚二十九篇，先尸子，兵家尉繚三十一篇，先魏公子，蓋兩人，尸佼所稱，非爲始皇國尉者。」按秦始皇本紀有大梁人尉繚來說秦王，秦王以爲秦國尉，其時爲始皇十年，與李斯同官，已在六國之末，此尉繚叙次在由余、尸子、呂不韋之上，則遠在其前，非大梁人尉繚可知，梁氏所疑，近得其似。

顧實漢書藝文志講疏於此書注云：

兵形勢家有尉繚三十一篇，蓋非同書。然隋志雜家尉繚子五卷，謂梁并錄六卷，梁惠王時人，則已合兵家尉繚而爲一矣。初學記、御覽（六百八十四）引尉繚子，並雜家言，是其書，唐宋猶存。史記曰：「大梁人尉繚來說秦王，其計以散財物，賂諸侯强臣，不過三十萬金，則諸侯可盡。」（始皇本紀）此當爲雜家尉繚，非梁惠王時之兵家尉繚，（世本魏無哀王，史記有誤，故據汲冢紀年，梁惠王末年，卽周愼靚王三年，當西紀前二百十五年，至始皇十年，當西紀前二百三十六年，中隔八十九年。謹案顧氏原文如此，其年代疑有誤。）爲商君學者，蓋不必親受業，如有爲神農之言者許行，是其比也。

漢志兵書略形勢家又著錄尉繚三十一篇。四庫提要子部兵家類於尉繚子五卷云：

漢志雜家有尉繚二十九篇，隋志作五卷，唐志作六卷，亦並入於雜家，鄭樵譏其見名而不見書，馬端臨亦以爲然，然漢志兵形勢家內實別有尉繚三十一篇，故胡應麟謂兵家之尉繚，卽今所傳，而雜家之尉繚，並非此書，今雜家亡而兵家獨傳，鄭以爲孟堅誤者，非也，特今書止二十四篇，與所謂三十一篇者，數不相合，則後來已有所亡佚，非完本矣。

案錢穆先生雖不以雜家之尉繚與兵家之尉繚爲二人，却以此兵家書爲後人依託羼亂者（見先秦諸子繫年），則此兵家書既不可信，雜家書又已亡佚，則安得卽直指二者爲一書乎？

⑬吳起

漢志兵書略權謀家著錄吳起四十八篇。姚際恒古今僞書考於此書云：

漢志四十八篇，今六篇，其論膚淺，自是僞託，中有屠城之語，尤爲可惡。

案顧實漢書藝文志講疏於此書注云：

雜家吳子一篇，蓋非同書，……今本六篇，成一首尾，辭意淺薄，必非原書。

⑭師曠

漢志兵書略陰陽家著錄師曠八篇，班固注云：

晉平公臣。

姚振宗漢書藝文志條理於此書注云：

後漢書蘇竟傳：「竟與劉歆兄子龔書曰，猥以師曠雜事，輕自炫惑，說士作書，亂夫大道，焉可信哉？」章懷注曰：「師曠雜事，雜占之書也，前書云，陰陽書十六家，有師曠八篇也。」

漢志諸子略小說家又著錄師曠六篇，班固注云：

見春秋，其言淺薄，本與此同，似因託之。

案顧實漢書藝文志講疏於此書注云：

兵陰陽家師曠八篇，蓋非同書，師曠曰：「南方有鳥，名曰羌鷲。黃頭，赤目，五色皆備。」（說文鳥部引）或在此書。

綜上諸書，或已亡佚，無以詳細知其內容，或其書雖存，而出之後人僞託。要之，皆係書雖同名，而不必同實者也。鄭樵已譏見名不見書之弊，章氏亦謂書有同名而異實者，不可不著其嫌似之故，古今人名，尚不嫌相同，則書名之相類者，又惡可以斷其必爲一書而指其互著歟？

4. 就班固言「省」之義例上考察

茲更自漢志班注言「省」之體例上觀之。顧實漢書藝文志講疏例言云：

> 世言諸子不專一家者，本志有互著之法。然以禮記之明堂陰陽與明堂陰陽說不同書例之，則道家伊尹、鬻子，與小說家之伊尹說、鬻子說，不同書明矣。更以天文之漢日旁氣行事占驗三卷，與漢日旁氣行占驗十三卷，五行之羨門式法二十卷，與羨門式二十卷，俱同書名（僅差一字）而不同書例之，則六藝有易，數術有周易，儒家有景子、公孫尼子、孟子，而雜家有公孫尼，兵家亦有景子、孟子，道家有力牧、孫子，兵家亦有力牧、孫子，儒家有李克、王孫子，法家有李子、商君，而兵家亦有李子、王孫、公孫鞅，縱橫家有龐煖，兵家亦有龐煖，雜家有由余、伍子胥、尉繚、吳子，而兵家亦有繇敍、伍子胥、尉繚、吳起，小說家有師曠，兵家亦有師曠。或有註可辨（如孫子），或無註可辨（如孟子），要皆雖同書名而不必同書，又明矣。且班注有「省重篇」之例，曷爲不出於省，何必互著耶。故互著一說，未敢苟同。

顧氏之說是也，唯其言稍簡，今當更爲申論。考孫德謙漢書藝文志舉例稱省例云：

> 春秋家云，省太史公四篇，兵權謀家云，省伊尹、太公、管子、孫卿子、鶡冠子、蘇子、蒯

通、陸賈、淮南王二百五十九種，兵技巧家云，省墨子重。則書爲劉氏兩載者，班氏從而省去之也。……夫一人著述，扼其宗旨，錄之於此，復可錄之於彼，是不妨重複互見，苟於全書之內，又足自成一類，更不妨裁篇別出，蓋不如此，則學術流別，無由發明。然則班氏何以省去之，吾嘗推求其故，殆以伊尹、太公諸書，已入專家之內，並有重見於他家者，不必過事分析乎，乃復注出省字者，可知孟堅之意，蓋欲使讀者知兵家之中，雖不登其目，伊尹諸賢，其學實兼長於兵耳，否則，竟刪削之可也，則謂之爲省者，亦漢志之一例矣。

今案孫氏之說非是，考班氏稱「省」者，蓋意在省去一書之兩載重出也，絕非意在「互著」，欲使讀者知「伊尹諸賢，其學實兼長於兵」也。信如孫氏所言，班氏已知「互著」，已知「伊尹諸賢，其學實兼長於兵」矣，則何必省去書目之著錄耶？蓋「錄之於此，復可錄之於彼，是不妨重複互見」，使人一睹而知其互著，豈不良佳，何必刪省書目，使人多費猜疑哉？是故班氏言「省」，揆度其意，明是欲爲刪省重複兩載，因「重」而省之也，其於注中言「省」者，僅乃欲存七略之舊而已。

章學誠校讎通義焦竑誤校漢志第十二云：

按漢志，尉繚本在兵形勢家，書凡三十一篇，其雜家之尉繚子，書止二十九篇，班固又不著重複併省，疑本非一書也。

是章氏亦已知之，班氏言「省」之意，實欲删其「重複」之書，（雖則，班氏所省者，容或並非完全重複之一書兩載，此則由於班固漢志襲取七略成文，見名不見書之故耳。）故兵家與雜家，皆有尉繚子之書，班氏不言省者，章氏卽以爲並非一書也。

是故班氏旣有言省删重之例，則凡屬班氏不言省者，卽是班氏以爲不屬重複相同之書矣，故章氏方得據此而謂，漢志以後，並無互著之例也。例如漢志道家有伊尹，兵家有伊尹，小說家又有伊尹說。班氏省兵家之伊尹，而不省小說家之伊尹說，自是以爲道家之伊尹與小說家之伊尹說不爲一書矣，否則，班氏例必因而遂省其一也。推而至於鬻子說等其他諸書，亦可由此反證，凡屬班氏以爲重複之書，已自注明「省」字者矣，則凡班氏不言省者，自亦不屬重複之書，孫氏張氏等所擧之十四書，旣非重複，則彼等所指陳漢志亦有「互著」之說，不能成立矣。

是則不唯七略之中，疑其不見「互著」之法，卽漢志之中，亦當絕無「互著」之例矣。

孫氏以「書之貴互著，猶列傳之貴互見」，並擧子貢旣見於仲尼弟子列傳，又見於貨殖列傳，而以之爲例。不知書之與人，不可一例視之也。太史公書，爲紀傳之體，體裁所限，故一人之事，有相涉者，不得不兼叙於數處，孫氏擧此，欲說明書之亦有互著，不知二者絕不同科也。

張氏擧隋書經籍志中京相璠春秋土地名一書，分載於春秋、地理兩類，李概戰國春秋一書，分載於古史、霸史兩類，而以之爲例，不知隋志中若顧夷吳郡記、戴延之西征記，皆兩見於地理類，陶宏景天儀說要，兩見於天文類，張衡黃帝飛鳥曆，兩見於五行類，鄭玄駁何氏漢議，兩見於春秋類，則又何從而解釋之？

四、論章氏欲於漢志中廣施「互著」之無當

自前兩節中，吾人已知，章氏所謂「互著」之法，不唯七略之中，恐無其例，卽漢志之中，亦未嘗採用其法也。然而，章氏不唯欲堅持其七略中卽有「互著」之說，更且變本加厲，欲就漢志之中，推廣其「互著」之法，以遂其「辨章學術，考鏡源流」之理想，校讎通義互著第三云：

書之易混者，非重複互注之法，無以免後學之牴牾；書之相資者，非重複互注之法，無以究古人之源委。

又云：

若就書之易淆者言之，經部易家與子部之五行陰陽家相出入；樂家與集部之樂府，子部之藝術相出入；小學家之書法，與金石之法帖相出入；史部之職官，與故事相出入；譜牒與傳記相出入；……若就書之相資者而論，爾雅與本草之書相資爲用；地理與兵家之書相資爲用……。

此外，章氏以爲當宜「互著」之書，尚爲數極夥。玆舉例如后。

校讎通義鄭樵誤校漢志第十一云：

以劉歆任宏重複著錄之理推之，戰國策一書，當與兵書之權謀條，諸子之縱橫家重複互注，乃得盡其條理……。

又漢志六藝第十三云：

易部古五子，注云：「自甲子至壬子，說易陰陽。」其書當互見於數術略之陰陽類災異……。

書部劉向許商二家各有五行傳記，當互見於五行類……。

詩部韓詩外傳，其文雜記春秋時事，與詩意相去甚遠，蓋爲比興六藝博其趣也，當互見於春秋類，與虞卿鐸椒之書相比次可也……。

又漢志諸子第十四云：

賈誼五十八篇，收於儒家，似矣，然與法家當互見也……。

按說苑新序雜擧春秋時事，當互見於春秋之篇……。

商君開塞耕戰諸篇，可互見於兵書之權謀條；韓非解老喻老諸篇，可互見於道家之老子經……。

呂氏春秋，亦春秋家言而兼存典章者也，當互見於春秋尚書……。

尸子二十篇，書既不傳，既云商鞅師之，恐亦法家之言矣，如云尸子非爲法者，則商鞅師其何術，亦當辨而著之……。

以上姑擧數例，俾見一斑，其他章氏以爲宜當「互著」者尚多。

然自今觀之，書目著錄，與卡片索引之法有異，掌史志者，義取簡要，必欲申明書可兩用，則於宗旨所重之書名部錄之下，加一小注，注明其義得旁通某書某部可也，甚者且可於此相關之兩書或兩部之下，重複注明（易「互著」爲「互注」），何必重複著錄書名，不憚煩勞哉。劉師培校讎通義箴言（註二六）云：

章論互著，以易淆資用爲棥，然易有孟京古五子書，書有劉許五行傳記，詩有韓嬰外傳，禮有中庸說，術附㛓經，靡關異學，弗得執託體恢術相繩也，章以韓外傳互隸春秋，餘隸儒家、術數，庸異白眷之草，迻龥菅蘐，未實之柯，强名李屬乎。況宗師仲尼，經儒實同，今文師說，靡弗宣陰陽，繹災異，周秦子家，槪以摭攓故事爲恒，假如章說，則是經昭天道，罔匪術數，六經傳注，罔非儒家，百家之言，罔非春秋矣。

又云：

且尸子佚篇，散見群書治要暨意林，帄文籒誼，實匹雜家，章以佼作鞅師，書宜隸法，是則起游曾門，曾子十八篇，亦應易隸兵家矣。

又云：

且賈誼諸家，儒體法用，名若兩揭，本恉焉撏，此又交相爲瘉之道也。至於雜家者流，志稱兼儒墨，合名法，使從別者，再見奚眩，若云一書兩用，則見仁見智，弇侈由興，五經之文，宋儒詮以性理，弗謂六藝僉儒家也，諸子之編，清儒假以徵故言，弗謂九流悉小學也。夫畦黍發荄，氓或資炊，然黍爲穀族，類弗伺蕘，章云詳略互載，是直以穀隸薪之方耳。

鍾肇鵬校讎通義評誤云：

章氏和州藝文叙（按當作「和州志藝文書序例」）又曰：「伊尹太公，道家之祖，蘇子蒯通，縱橫家言，以其明法所宗，遂重錄於兵法權謀之部次，冠冕孫吳諸家。（鵬案漢志排列，大抵均依家法及時代先後爲序，章氏未見七略舊文，而斷此諸家皆冠冕孫吳，是亦臆說。）則知道德兵謀，凡宗旨所統會，例得互見。」苟如其言，則可互見者多矣。何爲漢志所著省者僅此而已？且如數術略雜占類之五法積貯寶藏、神農敎田相土耕種、昭明子釣種生魚鼈、種樹藏果相蠶等，皆農家之要籍，何爲不互著乎？則七略無互著之例，又已明矣。

又云：

不唯此也，章氏更廣推其例，謂虞氏春秋、董仲舒百二十三篇，新序說苑世說當互見春秋；賈誼當互見法家；列女傳當互見詩春秋；鹽鐵論當互見尚書；韓詩外傳當互見春秋，又通於樂；呂氏春秋當互見春秋尚書；淮南當互見於道家。夫虞氏春秋新序說苑，其書雖比事成章，而借古陳議，非質實記事者，其體則子而非史，何能附之春秋？世說一書，章唯據「依歸古事」一語，遂云當互見春秋，然則諸子立言，何者不依歸古人古事，皆可互著春秋耶？鹽鐵論桓寬所爲，雖論難之言，而以六藝爲宗，故入於儒，以爲當互見尙書；然則石渠諸議，亦皆當入尙書類乎？賈誼儒體法用者也，何能遂著於法？董仲舒傳春秋者也，其所著書，卽當互著春秋，然則法家之商鞅，與兵權謀之公孫鞅，無庸分著矣。傳春秋者，其書固不必皆言春秋也。以之互著，豈非所謂「以人類書」者乎？列女傳引詩則當互著詩類，但引詩何獨列女傳，如荀子諸書，亦皆引詩，然當互著於詩乎？……。

又云：

章又以易家與子部之五行陰陽相出入；樂家與集部之樂府、子部藝術相出入；子部儒家，與經解出入；史部食貨與農家，爾雅與本草，地理與兵書，譜牒與曆律相資。夫易家雖或言陰陽五行，然陰陽五行非易也。樂府但載其詞，而可入樂，則六藝詩樂可以不別。藝術所包雖廣，然與樂府亦無涉。儒家之與經解，食貨之與農家，一爲經史，一爲諸子；諸子以立言爲宗，傳記以釋經爲主，食貨以記事爲本；體例各殊，何能妄附？至爾雅之與本草，地理之與兵書，譜牒之與曆律，尤屬無關。譜牒、史也，曆律、數術也。漢志分兵書爲四種，唯形勢與地理相資，若是而可互著，則兵權謀之與道家，兵陰陽之與陰陽五行，無不可互見者矣。爾雅有釋草，遂可與本草相資，然爾雅又有釋樂、釋天、釋地，是又可與樂類及天文地理相資矣，寧可一一互著耶？

今不憚其繁，詳學劉氏、鍾氏之言者，正所以見章氏「互著」說之引伸，河漢無極，必不可見諸實行者也。信如章氏之言，列女傳引詩卽當互著於詩類，然則秦、漢古籍引詩者多矣，群經諸子，率多引詩，豈皆互著於詩類乎？韓詩外傳、呂氏春秋記春秋時事，卽當互著於春秋類，然則秦、漢古籍言春秋時事者多矣，豈當盡行互著於春秋類乎？書之易混與可相資者，設皆可互著，則推而廣之，易爲五經之原（註二七），是詩、書、禮、樂、春秋五經，皆當互著於易類矣；而天下同歸殊塗，一致百慮，諸子之學，皆出王官（註二八），是則九流十家，皆當互著矣，章氏又主「六經皆史」之說（見文史通義易教篇），則是六經並當互著於史矣，又可通乎？

然則，誠如章氏之言，以校讐通義主張宜當互著之書，引歸班志，一一試爲著錄其書而互見之，則試想，班氏漢志，尙成何統紀哉？

實則，通義所指宜當「互見」之書，如易古五子、五行傳記等，亦多經已亡佚者，章氏未睹原書，唯據一二班注，或顧名思義，遂定其當與某書互見，輕率如此，正所謂「見名不見書」（鄭樵校讐略）之弊也，恐亦非所以「辨章學術，考鏡源流」之道耳。

章氏以爲，漢志之中，宜當「互見」之書，不下數十百種，吾人可由章氏指出七略中所謂「互著」之書之少，以及章氏以爲漢志中宜加互著之書之多，以及推廣章氏之意，則漢志中所可互著之書之尤多，正可以從而反證章氏所謂漢志中宜加互著者，不過章氏一己之理想，更可以從而反推章氏依據班注言省，而說七略已有互著之法之不甚可信。不然，劉歆如已知互著之法矣，何以七略所取以「互著」之書，僅止區區十種而已，何以漢志之中，不如章氏理想，大量「互著」衆書，以求「辨章學術，考鏡源流」乎？

五、結　論

大凡書籍，除叢書性質龐雜，闕而不論之外，其宗旨必有所主，荀子雖有議兵之篇，而所宗在儒，管子雖記攻伐之事，而所宗在法，故此二書，必歸儒、法，方謂得宜。故凡書籍，一以所宗所重爲入略入類之準可也，設謂「理有互通」、「書有兩用」，一書之中，稍含別義，即可「互著」，則七略、漢志之書，泰半皆可以互著重見矣，又豈止區區伊尹、太公等十書哉？杜定友校讎新義（註二九）卷七互著論云：

互著之法，似亦言之成理，持之有故者，然法則未盡善也，古人對於分類法與目錄學，不知別爲二事，故互見法亦不能明其體用，夫分類爲書之部次，則雖理有互通，書有兩用者，然其爲書則一也，一書不能劃而爲二，則一書不能見於兩類，故鄭樵不用互著，亦非無因。其言曰：「一類之書，當集在一處，不可有所間也。」（校讎略編次之訛論）又曰：「隋志最可信，緣份類不考，故亦有重複者。」……鄭氏之言，可謂深明乎分類之法矣，學誠動好言古，反以此譏鄭，不思之甚也。

至於章氏所說，書有相資爲用，或可相出入者，杜氏則以爲，於類名之下，或分類表中，互著之足矣，故以爲「祗有類之互著，而無書之互著，能互見其類，不必互見其書」，「豈有每類之下，必歷載其書哉？」（註三〇）

夫章氏之學，「似長於識斷而短於考徵，高明有餘，沈潛不足，故其慧心所至，創解時多，而一涉考據，輒多疎略」（註三一），而又於劉、班著錄，推之太高，求之過深，不免强古人以就己意。

姚振宗漢書藝文志條理敍錄云：

按章氏之書，大旨以官師法守之說，欲使古今典籍，溯其根源而悉從其類，其例謂之重複互注，裁篇別出。……其意蓋欲于簿錄之中，兼用類書之體；使其自著一書，則發凡起例，無所不可，若以例班氏之志，則支離破碎，多見其煩瑣無當者矣。

而章氏之言「互著」也，必欲依附七略漢志以爲之說，以至扞格難合，進退失據，兩不相得矣。其所以如此者，乃在章氏喜於史志簿錄之中，侈言學術之源流考辨，此亦不免求之過深，未能確認簿錄之用者也，余嘉錫目錄學發微（註三二）頁一二六云：

章學誠謂「古人著錄，不徒爲甲乙部次計」，又曰：「藝文一志，實爲學術之宗，明道之要，而後人著錄，乃用之爲甲乙計數而已矣。」其陳義甚高，實則目錄之興，本以爲甲乙計數，而「學術之宗，明道之要」，特因而寓之而已。……而於劉、班之著錄，求之過深，或責之過苛者，亦未達古人之意也。

杜定友校讐新義卷八書目學論云：

> 自來目錄學者，必以辨章學術，考鏡源流相標榜，以爲非如是，不足以尊其道也，不知學術源流之考鏡，當別撰學術史著述史以總論之，今不知有此，乃欲於圖書目錄中兼敘之，是不可能也，明知其不可能，乃立互著別裁諸法，以至鹵莽滅裂，破碎支離，不可名狀。

又卷五子部源流論於兵家云：

> 目錄學家，動言辨章學術，考鏡源流，而不自知離題萬丈，故目錄學中，間有一二語（如考鏡源流，虛理實事之類），言之最易動聽，行之最易致誤，此不可愼者也。

杜氏所評，雖不免過當，然亦能發伏抉微，深知章氏之弊者也。

夫「辨章學術，考鏡源流」，亦豈易言哉？上下千載，群言得失，非元元本本，無不洞悉者，焉能斷之於心而筆之於書乎？然則，此乃學術史之所有事也，章氏立論，蓋不明乎史志書目之分類編目與學術史有異，蓋欲藉七略、漢志，書目分類之事，而兼攝學術史之用，故乃依託七略，欲假互著別裁，申明大道，條別源流，設想雖佳，一旦案之劉略，遂不免陳義過高，而蹈於虛空之病也。

玆再總括全篇，簡敘於后：

㈠、班注言「省」之十書，與諸子略中同名（重出）之書，其篇目既相去遼遠，內容自不能完全如一，班氏見其同名，則省而注之，不知卽其內容，亦非一致，似不能有當於「一書兩載」之「互著」矣。

㈡、七略一書，雖由劉歆奏上，而典校祕書，則成於衆人之手，劉向領校經傳、諸子，兵書校自任宏；此雖校書之事，而七略分類之雛型，則早已具於校書之時。唯章氏所舉班注言省之十書，皆在任宏所校之兵書略中，章氏且又盛稱任宏，以其爲能獨知「互著」之法，然而任宏僅校兵書，恐亦無由得據諸子以爲「互著」也。

㈢、漢志春秋家中，經已著錄太史公百三十篇矣，班注又省太史公四篇，同略同類之中，書有重出，或是其時已有四篇單行之本，流傳於世，劉向校書，以其爲獨立之書，因而著錄也。如謂同一門類之中，尙有「互著」之事，豈能當於「理有互通」、「書有兩用」之說乎？章氏於兵書中所省十書之外，不敢更舉此太史公四篇，以益其「互著」之例者，蓋亦深知其無當於理者也。吾人於此班氏同一門類之中，尙有言省之例，似可以推知，劉向、歆父子不過著錄獨立單行之書，其實不知所謂「互著」之法也。

(四)、漢志兵書略中，班注言省之十書，即章氏據以言互著者，其在七略，疑是其書各自已有單行之本（與全書篇數不一），流傳於世，任宏因而視以爲獨立之書，而加著錄，及至班固，見名而不見書，乃視以爲重出者矣，則此十書，不宜據之以說「互著」，七略之中，疑其亦並無「互著」之例也。

(五)、所謂漢志中「互見」之十四種書，就其書名言之，既已參差不一，就其篇目言之，亦有異同錯失，更自其內容言之，亦不能必斷其兩兩定屬一書也。

(六)、再就班注言「省」之例言之，揆之班氏言「省」之意，自是欲省其以爲重複之書，必無可疑，班氏於所疑重複之十書，既已刪省之矣，反之，則爲其所不省之十四書，即孫氏、張氏據以言漢志之「互著」者，就班氏之意，自亦不以其爲「重複」之書矣。

(七)、孫德謙、張舜徽二氏所謂漢志之中，亦有「互著」之例者，必不可信，蓋亦推衍章氏之說，過崇漢志，而不詳考其實者也。

(八)、互著之法，七略之中，恐無其例，至於章氏所說，廣施「互著」之法，一一加於漢志之中者，恐亦不過託諸理想而已，否則，吾人試取章氏以爲漢志中宜加「互著」之書，一一爲之互見著錄，則試問漢志之中，尚有何種倫類？將成何等模樣？其諸多牴牾，不符實用，可斷言也。

(九)、要之，章氏既以「互著」之說，比例七略，孫氏、張氏復以「互著」之說，發揮漢志，今就所考，頗疑七略之中，並無「互著」之例，漢志之中，亦絕無「互著」之法；是則「互著」之說，乃章氏等之理想，不過援引七略、漢志，以充實其說而已。

〔附注〕

一、中華書局四部備要本。

二、校讎通義校讎條理第七之四：「班固併省劉歆七略，遂使著錄互見之法不傳於後世。然亦幸而尚注併省之說於本文之下，故今猶得從而考正也。向使自用其例而不顧劉氏之原文，今日雖欲復劉歆之舊法，不可得矣。」

三、開明書店二十五史補編本。

四、張氏茲篇，收入所著廣校讎略，爲附錄之一，一九六三年四月，北平中華書局一版。

五、章氏校讎通義中，所謂「互著」、「互見」、「重複互著」、「重複互見」、「重複互注」、「重複互載」等，其義並皆相若。然「著」者著錄，「注」者注腳，亟宜區別，此亦可見章氏命名之有欠周密也。

六、余氏目錄學發微頁七云：「章氏著校讎通義，蓋將以發明向、歆父子校讎之義例，然於向、歆之遺說，實未嘗一考，僅就漢書藝文志參互鈎稽而爲之說，故其言曰：「劉歆七略亡矣，其義例之可見者，班固藝文志注而已。」夫七略、別錄雖亡，其逸文尚散見於諸書，（章氏時，馬國翰、洪頤煊、姚振宗輯本皆未出，章氏不長於考證，故未能搜討。）況劉向校書敘錄，今尚存數篇，即別錄也，章氏僅知其校讎中祕，有所謂中書、外書、太常書、太史書、臣向書、臣某書，而於錄中立言，所以論其指歸，辨其訛謬者，置不一言，故其書雖號宗劉（章氏書第二篇名宗劉），其實只能論班。」

七、程會昌有別錄七略漢志源流異同考，論七略與漢志之異同甚詳，收入所著目錄學叢考之中，民國二十八年，上海中華書局一版。

八、台北藝文印書館百部叢書集成影印廣雅書局史學叢書本。

九、開明書店二十五史補編本。

一〇、台北藝文印書館影印王氏虛受堂刊本。

一一、班氏新增入者，如六藝略小學入楊雄、杜林二家三篇，諸子略儒家類之末新入楊雄所敘三十八篇是也。

一二、顏師古於漢書藝文志總序中注云：「其每略所條，家及篇數，有與總凡不同者，傳寫脫誤，年代久遠，無以詳知。」

一三、余嘉錫目錄學發微頁一二九：「案向校書時之官屬，除劉歆外，可考者有劉伋、班游、杜參……若太常屬臣望、光祿勳劉龔（龔，向曾孫，見董仲舒傳）校山海經（見劉秀進山海經表），則在向死之後，楊宣與劉歆共校書在平帝時（見華陽國志卷十），蘇竟與歆校書，更在王莽時矣。」

一四、校讎通義校讎條理第七之五：「必取專門名家，亦如太史尹咸校數術，侍醫李柱國校方技，步兵校尉任宏校兵書之例，乃可無弊。」又補校漢藝文志第十之四：「本末兼該，部次相從，有倫有脊，使求書者可以即器而明道，會偏而得全，則任宏之校兵書，李柱國之校方技，庶幾近之。」又十之七：「任宏兵書一略，鄭樵稱其最優，今觀劉略重複之書僅止十家，皆出兵略，他部絕無其例，是則互注之法，劉氏具未能深究，僅因任宏而稍存其意耳。班氏不知而刪併之，可勝惜哉！」

一五、黃氏茲篇，附於島田翰古文舊書考卷首，民國五十六年八月，台北廣文書局書目叢編本。

一六、引見鍾肇鵬校讎通義評誤。

一七、此文載於學原一卷十二期。

一八、漢書藝文志總序：「會向卒，哀帝復使向子侍中奉車都尉歆卒父業，歆於是總群書而奏其七略。」

一九、王氏此篇，收入所著觀堂集林卷十一。

二〇、劉向、任宏、劉歆等校書，自皆實見其書者，至班固取劉歆七略，抄胥一過，以備藝文，未必即見七略中著錄之所有書也。故鄭樵以此深譏班固，以爲「孟堅初無獨斷之學，唯依緣他人，以成門戶」，「是知班固胸中，元無倫類」（見校讎略），「見名不見書」一語，亦出鄭氏校讎略。

二一、民國二十四年一月，上海商務印書館二版。

二二、予另有「目錄家別裁說平議」一文，可供參稽。

二三、此說，取之武漢大學文哲季刊一卷一期，署名雁晴者所撰孫氏漢書藝文志舉例之書評。

二四、開明書店二十五史補編本。

二五、見飲冰室合集、專集第十八册。

二六、見劉氏所著左盦外集卷十二，此據民國五十四年八月，台北大新書局台版影印之劉申叔先生遺書。

二七、漢書藝文志六藝略序云：「樂以和神，仁之表也；詩以正言，義之用也；禮以明禮，明者著見，故無訓也；書以廣聽，智之術也；春秋以斷事，信之符也；五者，蓋五常之道，相須而備，而易爲之原。」

二八、漢書藝文志諸子略序，以爲九流十家，皆出於古之王官。

二九、民國五十八年元月，台灣中華書局台一版。

三〇、見校讐新義卷七互著論。又新義卷一中國無分類法論云：「書爲實物，部居有定，故置於甲，不能復置於乙，書爲一書，不能剖而爲二，豈可以用互注互見之法哉？互見法者，編次之時用之耳，非以言分類法也。但於書有相通，名有互用者，則於類名之下，見之可也，如易可通陰陽，樂可通樂府，則於條目之下，互注見之，此便分類者，有所指歸，不必將書名，逐一互見也。」

三一、此係鍾肇鵬氏校讐通義評誤，批評章氏之語。案章氏由亳州往湖北家書云：「吾讀古人文字，高明有餘，沈潛不足，故於訓詁考質，多所忽略，而神解精識，乃能窺及前人所未到處。」

三二、台北藝文印書館印行本。

（原刊於南洋大學學報第五期）

二　目錄家「別裁說」平議

—關於七略漢志中有無「別裁」一例之探討—

一、緒　言

「互著」「別裁」，爲章學誠氏所撰校讎通義之兩大發明，考章氏之意，蓋將藉此以「辨章學術，考鏡源流」，以求能推闡校讎之義也，然章氏必欲牽附七略以爲之說，則又使人不能無疑者，玆謹論其「別裁」之例。

校讎通義（註一）別裁第四云：

管子，道家之言也，劉歆裁其弟子職篇入小學，七十子所記百三十一篇，禮經所部也，劉歆裁其三朝記篇入論語。蓋古人著書，有採取成說，襲用故事者（如弟子職必非管子自撰，月令必非呂不韋自撰，皆所謂採取成說也），其所採之書，別有本旨，或歷時已久，不知所出；又或所著之篇，於全書之內自爲一類者，並得裁其篇章，補苴部次，別出門類，以辨著述源流。至其全書，篇次具存，無所更易，隸於本類，亦自兩不相妨。蓋權於賓主重輕之間，知其無庸互見者，而始有裁篇別出之法耳。

又云：

夏小正在戴記之先，而大戴記收之，則時令而入於禮矣，小爾雅在孔叢子之外，而孔叢子合之，則小學而入於子矣。然隋書未嘗不別出小爾雅以附論語，文獻通考未嘗不別出夏小正以入時令，而孔叢子大戴記之書，又未嘗不兼收而並錄也。然此特後人之幸而偶中，或爾雅小正之篇有別出行世之本，故亦從而別載之爾，非眞有見於學問流別而爲之裁制也。不然，何以本篇之下不標子注，申明篇第之所自也哉！

章氏所謂「劉歆裁其弟子職篇入小學者」，蓋指劉氏所奏之七略而言，然「劉歆七略亡矣，其義例之可見者，班固藝文志注而已」（校讎通義互著第三），「劉氏所謂七略別錄之書，久已失傳，所可推者，獨班固藝文一志」（校讎通義自叙），考漢書藝文志序嘗云：「成帝時，以書頗散亡，使謁者陳農求遺書於天下，詔光祿大夫劉向，校經傳諸子詩賦。」又云：「會向卒，哀帝復使向子侍中奉車都尉歆卒父業。歆於是總群書而奏其七略，故有輯略，有六藝略，有諸子略，有詩賦略，有兵書略，有數術略，有方技略，今刪其要，以備篇籍。」是班固漢志，實刪取七略而成，今七略已佚，唯於漢志，猶可窺其義例，故章氏即於漢志之中，發明七略「別裁」之例。章氏既援據七略，始殽「別裁」之例，而孫德謙、張舜徽二氏，又持之以說漢志。孫氏漢書藝文志舉例（註二）「別裁例」云：

中庸者，今禮記之一篇，漢志於禮家載中庸說二篇；孔子三朝記者，今大戴禮之一篇，漢志孔子三朝七篇，則載之於論語家；弟子職者，爲管子作，今卽在其書中，漢志以此一篇於孝經家又載之，是皆裁篇別出之例也。

又云：

其他道家之孫子，兵陰陽家之孟子，當亦由吳孫子兵法八十二篇，孟子七篇中別裁而著錄之乎，未可知也。觀於此，則書有單行本者，不必以旣錄全書於此，而彼一類中，遂闕其目。

又云：

又或一人著述，已入集部，名其書曰某某全集，乃其中一種，爲彼專門之學，並可摘出別行，次諸他部之內，不嫌其割裂也。如隋志以孔叢子小爾雅別附論語，文獻通考以大戴記夏小正別入時令，非其例乎？是故證之班志，編釐藝文，吾又得別裁之法矣。

張氏漢書藝文志釋例（註三）「單篇別行例」云：

漢志薄錄群書，有類似互著而不同於互著者，則又有單篇別行之例焉。中庸及孔子三朝記，俱七十子後學者所記也，而六藝略禮類有中庸說二篇，論語類有孔子三朝七篇。弟子職及內業，皆管子書也，而孝經類有弟子職一篇，諸子略儒家有內業十五篇（馬國翰考定卽管子第四十九篇之內業，其說甚是。）亦猶後世離喪服於禮經，別夏小正於大戴禮記耳。蓋古人求書，至不易得，又或卷帙繁穰，非人人所能盡通，則恒擇取其中精要者別鈔而單行之，此古人讀書之法也。簿錄家苟能循其實迹，悉爲登載，則夫學術之升降，一時之風尙，擧於此可見焉（如隋志著錄疏解喪服之書至五十種，可知六朝之學極重禮服。）所關匪細，又辨章學術者所有事也。

今案「別裁」之說，既由章氏提出，則「別裁」之意義，自亦當以章氏之說，爲其依據。考章氏既屢言「劉歆裁其某某篇入某某」，又言「裁其篇章」，「別出門類」，又言「有見於學問流別而爲之裁制也」，則推尋章氏之意，凡稱別裁者，必得具備下列條件：

①分類編目者，積極而主動裁出某書之某篇，或某若干篇，另予著錄。

②既已裁出某書之某篇，或某若干篇，又必入之於別一門類之中。

③既已入之於別一門類，而其所入者，又必有關於學問流別之闡揚。

似此，方得視之爲「別裁」，反之：

①某書之某篇，如已有單行之本流傳於世，而編目者亦以其爲一單行之書，而收錄之、別載之（如前章氏所指之小爾雅、夏小正），則不得謂之爲別裁。

②某書之某篇，或某若干篇，雖已裁出別行（或本已單行流傳），而編目者收錄其原書於同一門類之中，則已與章氏「別出門類」之意不合，更無以考辨學問流別，則亦不得謂之爲

「別裁」。

③章氏論「別裁」之義，要爲考辨學問流別而設，如某書之某篇，或某若干篇，雖已裁出別行（或本已單行流傳），而今其所入之門類，有與此篇，或此若干篇之學問指要，絕不相關者，則亦不得謂之爲別裁，而僅能謂之爲編目之錯謬耳。

凡上所舉，皆本於章氏之意，略加推論者。今卽據章氏之意，以考章氏之說，而孫氏張氏所論「別裁」之事，既皆係規撫章氏之說者，則亦宜確守章說之範疇，此當無可致疑者也。茲所考者，乃在章氏孫氏張氏所列舉之諸書，是否果屬劉歆班固有意積極爲之裁取，主動爲之別出者，亦卽是否與上述所論章氏「別裁」之標準，完全符合者。

二、論七略漢志中並無「別裁」之例

七略漢志之中，經章氏孫氏張氏等指爲「別裁」者，計有弟子職、孔子三朝記、中庸說、孫子、孟子、內業等六種。今當就此六種，先作考察。鍾肇鵬校讎通義評誤（註四）云：

章氏別裁篇曰：「管子道家之言也，劉歆裁其弟子職篇入小學（鵬案漢志弟子職在孝經類，章誤），七十子所記百三十一篇，禮經所部也，劉歆裁其三朝記入論語。於全書之內自爲一類者，並得裁其篇章，補苴部次，別出門類，以辨著述源流。」不知弟子職、三朝記本係單行，未可目爲別裁之例。王應麟漢志考證疏別錄曰：「孔子見魯哀公，比三朝，退而爲此記，凡七篇，並入大戴禮。」蜀志秦宓傳注引七略曰：「孔子三見哀公，作三朝記七篇，今在大戴禮。」夫云「並入」，云「今在」，則三朝記本係單行，後入大戴記可知。弟子職，沈欽韓曰：「今爲管子第五十九篇，鄭曲禮注引之，蓋漢時單行。」章氏不考，執此爲漢志別裁之證，誤矣。

陳鼎忠會運乾通史叙例（註五）云：

> 弟子職別於管子，三朝記別於大戴，與禮記下別出中庸（案鍾肇鵬曰：「漢志禮類中庸說二篇，非今小戴之中庸，此誤。」當於後節詳爲討論），事同一例，此蓋民間別有單行之本，不得執爲裁篇別出之規。

案古書之篇多單行於世者，自古而然，不獨今日有之也。王國維太史公行年考（註六）云：

> 漢世百三十篇，往往有寫以別行者，後漢書竇融傳：「光武賜融以太史公五宗、外戚世家，魏其侯列傳。」又循吏傳：「明帝賜王景河渠書」是也。

鍾肇鵬校讐通義評誤亦云：

> 古書篇多單行，如漢志韓非子五十五篇，而秦王讀其說難孤憤。孫武書，漢志八十二篇，而闔閭曰：「子之十三篇，吾盡觀之。」漢昭帝通保傅傳。光武賜竇融以太史公五宗世家，外

戚世家及魏其侯列傳。竇公獻周官大司樂章。河內女子發老屋，得說卦、泰誓各一篇，皆可證。

是則其書本有單行之篇，而非編目分類積極主動爲之裁出，以合於辨章學術之意者，並不當屬於章氏所謂之「別裁」也。

今當更就弟子職等六種，詳加辨證。

①弟子職

七略漢志孝經類末，著錄弟子職一篇，道家又著錄管子八十六篇，章學誠等三人，卽以此爲「別裁」之例。夫管子之書，非管仲自撰，前人已多能言之，玆據張心澂氏僞書通考，摘錄數節如后：

劉恕通鑑外紀引傅玄云：

> 管子之書過半便是後之好事者所加，乃說管仲死後事。

葉適習學記言云：

> 管子非一人之筆，亦非一時之書，以其言毛嬙西施、吳王好劍推之，當是春秋末年。又「持滿定傾」，「不爲人容」等語，亦種蠡所遵用也。

朱子語類云：

管子非管仲所著，仲當時任齊國之政，事甚多，稍閒時，又有三歸之溺，決不是閒工夫著書底人。

黃震日抄云：

管子之書，不知誰所集，乃龐雜重複，似不出於一人之手。

宋濂諸子辨論管子云：

是書非仲自著也，其中有絕似曲禮者，有近似老、莊者，有論伯術而極精微者，或小智自私而其言至卑汙者，疑戰國時人采掇仲之言行，附以他書成之。

毛嬙西施、「吳王好劍」，皆出管仲之後，且「仲卒於桓公之前，而篇中處處稱桓公，其不出仲手已無疑義」（四庫提要），否則，管仲豈能豫知而筆錄之哉？朱子謂管仲任齊國之政，九合諸侯，一匡天下，奚暇著書？其說甚是。蓋管子之書，必出後人所集結編纂者無疑矣。莊述祖弟子職集解序云：

漢志附石渠、論語、爾雅之後，蓋以禮家未之采錄，故特著之六藝……案別錄有子法、世子法、弟子職，記弟子事師之儀節，受業之次叙，亦曲禮少儀之支流餘裔也。漢初論五經引弟子職，鄭康成每據以說禮。

王先謙漢書補注於弟子職下注云：

沈欽韓曰，今爲管子第五十九篇，鄭曲禮注引之，蓋漢時單行。

羅根澤管子探源（註七）於弟子職下承莊氏之言云：

今案曲禮少儀，皆漢儒之書，此既爲其支流餘裔，蓋亦漢儒所作也。且自孔子開講學授徒之風，而師弟之間，辨難解惑，其儀節未甚繁賾，子路冉有公然與孔子面爭。爾後墨孟以及諸子百家，其弟子之於師，更肆然發難，毫無忌憚。至西漢尚師說而師道尊，弟子視師，如萬能之神聖，有承受而無辯詰。加之漢儒重禮，儀節纖悉，而弟之於師，遂有此刻板之規律矣，春秋戰國，蓋無此也。故雖無他證，而即其思想與儀節而論，頗疑爲出於漢人之手也。

羅氏謂弟子職「疑漢儒家作」，是也。今考弟子職所述之種種儀節，如弟子事奉師長，「夜寐蚤作，既拚盥漱，執事有恪，攝衣共盥，先生乃作，沃盥徹盥，汎拚正席，先生乃坐」。「先生將食，弟子饌饋，攝衽盥漱，跪坐而饋，置醬錯食，陳膳毋悖」。「先生已食，弟子乃徹，趨走進漱，拚前斂祭，先生有命，弟子乃食」等情形，儀節之纖悉，若持以與論語中所記，孔子與弟子講誦問難，從容自在之情況相較，則可見弟子職必不當出於孔子之前，爲管仲所作也。四庫提要經部總叙言漢初儒者之學，「專門授受，遞稟師承，非唯詁訓相傳，莫敢同異，即篇章字句，亦恪守所聞」。所述學風，與弟子職所言之師弟儀節，反係極相配合者，故鄭玄引以說禮（註八）。是則弟子職一篇，當出漢初儒者之手無疑。後人雖又編入管子，而玆篇仍續單行，及劉歆造七略，以其賡續單行，故亦以之入於孝經類末。要之，當非劉歆分類編目之時，洞見源流，有意主動自管子書中，裁出玆篇，列入孝經之類，以辨章學術也。否則，管子書中，以其每篇內容所重言之，則既多道（如牧民、形勢）法（如重令、任法、明法）家言（註九），亦多儒家（如戒、君臣、弟子職）兵家（如七法、兵法）農家（如治國、地員）陰陽（如幼官、四時、五行）縱橫家（如霸形、霸言）之言，然則劉歆何不一一爲之別裁，入之其他各家之中乎？是則必謂弟子職一篇，卽係劉歆別裁之法，實未見其爲可也。

②孔子三朝記

七略漢志論語類末，著錄孔子三朝七篇，禮類又著錄記百三十一篇，章學誠氏等三人，卽以此爲「別裁」之例。夫大小戴記，記自七十子後學，傳自戴德戴聖者也。（註一〇）是大戴記者，本係雜採衆篇而成，不出一人之手。漢書藝文志六藝略論語類著錄孔子三朝七篇，今大戴禮記，載其七篇，卽千乘、四代、虞戴德、誥志、小辨、用兵、少閒等七篇是也（註一一）。然史記五帝本紀索隱引劉向別錄云：

孔子見魯哀公，問政，比三朝，退而爲此記，故曰三朝，凡七篇，並入大戴記。

考漢書藝文志六藝略禮類云：

記百三十一篇。

禮記正義引鄭玄六藝論云：

傳禮者，十三家，唯高堂生及五傳弟子戴德戴聖名在也，戴德傳記八十五篇，戴聖傳記四十九篇。

是則漢志，本只言記百三十一篇，至漢末，鄭玄始分別論及大小戴記之篇數。經典釋文叙錄又引陳邵周禮論序云：

戴德刪古禮二百四篇爲八十五篇，謂之大戴禮。聖刪大戴禮爲四十九篇，是爲小戴禮。後漢馬融盧植考諸家同異，附戴聖篇章，去其繁重及所叙略，而行於世，即今之禮記是也。

考經典釋文叙錄嘗引劉向別錄云：

古文記二百四篇。

是陳邵古禮二百四篇之說，實承別錄之說也，然漢人只謂戴德戴聖各傳禮記，不謂小戴之書，刪自大戴者也，有之，自陳邵始。隋書經籍志經部禮類小序云：

漢初，河間獻王又得仲尼弟子及後學者所記一百三十一篇獻之，時亦無傳之者，至劉向考校經籍，檢得一百三十篇，向因第而叙之，而又得明堂陰陽記三十三篇，孔子三朝記七篇，王氏史氏記二十一篇，樂記二十三篇，凡五種，合二百十四篇，戴德刪其煩重，合而記之，爲八十五篇，謂之大戴記，而戴聖又刪大戴之書爲四十六篇，謂之小戴記，漢末，馬融遂傳小

> 戴之學，融又足月令一篇，明堂位一篇，樂記一篇，合四十九篇。

是隋志之說，亦以小戴之書刪自大戴，又謂馬融增其三篇，蓋亦承自陳邵之言而更加附益者也。

今考戴震大戴禮記目錄後語一（註一二）云：

> 鄭康成六藝論曰，戴德傳記八十五篇，隋書經籍志曰，大戴禮記十三卷，漢信都王太傅戴德撰，今是書傳本卷數，與隋志合，而亡者四十六篇，隋志言戴聖刪大戴之書，爲四十六篇，謂之小戴記，殆因所亡篇數傳合，爲是言歟？其存者，哀公問及投壺，小戴記亦列此二篇，則不在刪之數矣，他如曾子大孝篇，見於祭義，諸侯釁廟篇，見於雜記，朝事篇，自聘禮至諸侯務焉，見於聘義，本命篇，自有思有義，至聖人因敎以制節，見於喪服四制，凡大小戴兩見者，文字多異，隋志已前，未有謂小戴刪大戴之書者，則隋志不足據也。

今案戴東原氏之說甚是，小戴之書當非刪自大戴者也。又考劉向校書中祕，在成帝河平三年（註一三），而戴德爲高堂生五傳弟子（見前引鄭玄語），又嘗爲信都王太傅（見漢書儒林傳），則戴德之年，當在孝宣之世。要之，大戴傳禮，必當在劉向校書之前，無可疑也。然則，設依隋志之言，敍劉向既得明堂陰陽記、孔子三朝記等五種，合爲二百十四篇在前，而後方敍大戴刪其煩重於後，是明以大戴刪禮，在劉向校書之後，所刪爲二百十四篇也，衡其年歲，豈可通乎？是以戴德所取八十五篇者，當卽在漢志所謂之百三十一篇之中，此則錢大昕氏，已有所說。錢氏二十二史考異卷七於漢書藝文志「記百三十一篇」下云：

按鄭康成六藝論云，戴德傳記八十五篇，戴聖傳記四十九篇，此云百三十一篇者，合大小戴所傳而言，小戴記四十九篇，曲禮、檀弓、雜記，皆以簡策重多，分爲上下，實止四十六篇，合大戴之八十五篇，正協百三十一之數，隋志謂月令、明堂位、樂記三篇，爲馬融所足，蓋以明堂陰陽三十三篇，樂記二十三篇，別見藝文志，故疑爲東漢人附益，不知劉向已有四十九篇矣。月令三篇，小戴入之禮記，而明堂、陰陽、與樂記仍各自爲書，亦猶三年問出於荀子，中庸、緇衣出於子思子，其本書無妨單行也。記本七十子之徒所作，後人通儒各有損益，河間獻王得之，大小戴各傳其學，鄭氏六藝論言之當矣。謂大戴刪古禮二百四篇爲八十五篇，小戴又刪爲四十九篇，其說始於晉司空長史陳邵，而陸德明引之，隋志又附益之，然漢書無其事，不足信也。

錢氏之說，至爲中肯，其言大小戴所傳之記，即在漢志百三十一篇之中，實不可易，蓋記本七十子後學所記儒者言禮之要義，七十子後學，人人各自得以記其所聞所學，本亦無其預定之篇數，是故「後人通儒，各有損益」，及劉向校經傳諸子，「又得」明堂陰陽記、孔子三朝記、王氏史氏記、樂記等四種（言「又得」，明此五種，本非一書也。）以其合於儒者言禮之義，故附益集聚，裒歸一類，而後別錄始謂有古文記二百四篇（其篇數與隋志略異者，當由分合不同所致），蓋言其總數也。其時，劉向當已以孔子三朝七篇，「並入」之大戴禮中，故別錄乃謂之「今在大戴禮」也。至劉歆造七略，又以孔子三朝等四種，原本各自單行，故亦各爲分類收之，其所謂「記百三十一篇」者（漢志取於七略），當係追本溯源，不採其父「二百四篇」之說也。後世大戴禮逐漸殘佚，後人乃據劉向之言，以孔子三朝七篇，再行附入大戴禮中。其演變或如此者。要之孔子三朝七篇，本係漢代單行之書，非由劉向歆父子編目分類之時，有意主動爲之裁出別行者，不可謂之爲「別裁」之例也。

③中庸說

漢志禮類著錄中庸說二篇，孫德謙張舜徽二人皆據以爲「別裁」之例。考今本禮記之中，雖有中庸一篇，而與此所著錄之中庸說，當非同書。姚振宗漢書藝文志條理（註一四）於此書云：

嘉定王鳴盛蛾術編說錄曰：「漢志中庸說二篇，與上記百三十一篇，各爲一條，則今之中庸，乃百三十一篇之一，而中庸說二篇，其解詁也，不知何人所作，惜其書不傳。師古乃云，今禮記有中庸一篇，亦非本禮經，蓋此之流。反以中庸爲說之流，師古虛浮無當，往往如此。」

按顏注殆以禮記之外，別有此中庸之書，而不知此乃說中庸之書也。

顧實漢書藝文志講疏（註一五）於此書云：

以志旣有明堂陰陽，又有明堂陰陽說爲例，則此非今存戴記中之中庸明也。

姚、顧二氏之說，皆是也。今更檢漢志，道家有伊尹、鬻子，小說家又有伊尹說、鬻子說，此當係一言道妙，一記小說，內容不同，故劉班列之二家。又孝經類有「弟子職一篇，說三篇」。王應麟以爲乃孝經說，莊述祖王先謙皆以爲乃弟子職說，是也（註一六）。竊以爲中庸之有中庸說，亦猶弟子職之有弟子職說，亦猶詩經之有魯故、魯說，毛詩之有毛詩故訓傳（皆見詩類），老子之有老子鄰氏經傳、老子傅氏經說、老子徐氏經說、劉向說老子（皆見道家）等等，皆爲之訓釋解故，絕非同一書也。

猶有說者，夫「別裁」之說，所以「別出門類」以「辨章學術」，考明「著述源流」也，則伊尹、鬻子之與伊尹說、鬻子說，如係同一書籍，內容相同，篇目有異（註一七），則勉强尚可謂之爲「裁篇別出」。而如上所說，中庸說之與中庸（禮記），弟子職之與弟子職說，詩經之與魯故、魯說，毛詩之與毛詩故訓傳，老子之與劉向說老子等，皆在一家一類之中，既不合於「別出門類」，又何能辨章著述源流耶？

要之，中庸說之與中庸，必非同書，則中庸說爲「別裁」之說，亦不能成立矣。

④孫子

漢志道家著錄「孫子十六篇」（班注：「六國時」），兵權謀家著錄「吳孫子兵法八十二篇，圖九卷」（師古曰：「孫武也，臣於闔閭」）「齊孫子兵法八十九篇，圖四卷」（師古曰：「孫臏」)。孫德謙以爲道家之孫子，乃由吳孫子兵法所裁篇而出者。遂疑此爲「別裁」之法。今考姚振宗漢書藝文志條理於道家孫子十六篇下注云：

本書人表，孫子居第五等中中，梁玉繩曰，孫子唯見莊子達生篇，名休。又梁學昌庭立紀聞云，藝文志道家孫子十六卷，當卽其人。

又云：

案人表于吳孫子之外，列此孫子于田太公和魏武侯之時，與春秋時孫武自別，亦與此言六國相合，蓋卽此孫子。莊子達生篇引其語，當出是書，然自司馬彪以來，注莊子書者，皆略而不言，其始末不可考，德清兪樾莊子人名考亦但言孫休，釋文無說云。

顧實漢書藝文志講疏於道家孫子下注云：

班注云六國時，則非兵權謀家之吳齊二孫子也。

今案，此孫子名休，彼孫子名武，時代不同，名氏又異，既非一人，所著自非一書，孫德謙氏以爲道家之孫子，別出於兵家之吳孫子，而疑爲漢志「別裁」之例者，其說自亦無所依據。

⑤孟子

漢志儒家著錄「孟子十一篇」(班注：「名軻，鄒人，子思弟子，有列傳。」)，兵陰陽家又著錄「孟子一篇」，孫德謙氏以爲兵家之孟子，乃自儒家之孟子所裁篇而出者，遂又疑爲「別裁」之法。今考姚振宗漢書藝文志條理於兵家「孟子一篇」下注云：

按此列東父師曠之前，則其人遠在孟子之先，疑卽五行家子猛子。

案漢志每類之中，略以時代先後爲序，故兵家孟子次於東父、師曠之前，姚氏遂以爲絕非儒家之孟軻也。

王先謙漢書、補注於兵家「孟子」下注云：

沈欽韓曰，下五行家有孟子閭昭，疑此是猛子。

顧實漢書藝文志講疏於兵家「孟子」下注云：

儒家孟子十一篇。蓋非同書。

案今本孟子七篇，漢志儒家言十一篇者，趙岐所謂孟子「著書七篇，又有外書四篇」(孟子題辭)，並外書計之也。今考孟子言仁政、說王道、斥攻伐，設若劉班著錄之時，裁其一篇以入之兵陰陽家，則所謂辨章「著述源流」者，又豈可見哉？此必不可通者也。孫德謙氏以兵家之孟子一篇爲裁自儒家孟子，而疑此爲漢志之有意「別裁」者，其說必不可信。

⑥內業

漢志道家著錄「管子八十六篇」，而儒家又著錄「內業十五篇」，今本管子第四十九篇，題爲內業。張舜徽氏以爲此卽古人「讀書之法」，「別鈔而單行」者也。

夫管子之書，不出一人之手，不爲一時之作，前文已詳明之，至於內業一篇，班固自注，已謂「不知作書者」，然其著錄敘次，在孟子、荀卿之後，周史六弢之前，是則劉、班二人，雖不知內業作者，然亦以其爲孟、荀以後所作，絕非出自管仲之手可知也。

馬國翰輯內業序（註一八）云：

> 內業一卷，周管夷吾述，漢志儒家有內業十五篇，注不知作書者，隋、唐志皆不著錄，佚已久，考管子第四十九篇標題內業，皆發明大道之蘊旨，與他篇不相類，蓋古有成書而管子述之。案漢志孝經十一家有弟子職一篇，今亦在管子第五十九，以此例推，知皆誦述前人，故此篇在區言五，弟子職在雜篇十，明非管子所自作也。

案馬氏謂內業，乃「古有成書」者，是也，而謂其爲「管子述之」，則恐亦未必，蓋管子之書，不出於一人一時，何以知其必爲管子述之乎？今檢管子內業一篇，多道家之言，如所謂「心靜氣理，道乃可止」，「修心靜音，道乃可得」，「摶氣如神，萬物備存」等，可見一斑，羅根澤氏管子探源謂此內業，「疑戰國中世以後混合儒道者作」，則其自秦、漢以來，卽單篇流傳，至劉、班編目，乃著錄於儒家之中，唯不知其何時輯入管子書中也，要之，絕非劉、班二人，有意主動自管子書中裁出別行者也，張舜徽氏以此而說「單篇別行」之例，要亦非其確據。

綜而論之，七略、漢志之中，已有「別裁」之說，實不可信。

鍾肇鵬校讎通義評誤云：

七略儒家列劉向所序六十七篇，新序、說苑、列女傳、頌圖也。道家太公二百三十七篇，謀八十一篇，言七十一篇，兵八十五篇也。苟七略有別裁之法，何爲不分別著錄？而標「所序」等籠統之詞於上，是劉歆不知有別裁之法也。又兵權謀之吳孫子八十二篇，今考除十三篇外，尚有答問若干篇，八陣圖、兵法雜占、牝八變陣圖、戰鬪六甲兵法等，其書不皆兵權謀之事，而不別出，唯著總數八十二篇，則是別裁之法，不唯劉歆不知，任宏亦不知也，章氏別識心裁，創爲此例，而牽引七略以附會之，則未免進退失據。

今案鍾氏之說極是，此則章氏本身亦知「劉向所敘六十七篇，部於儒家，則世說、新序、說苑、列女傳、頌圖四種書也。此劉歆七略所收，全無倫類。」（校讎通義漢志諸子第十四）章氏既知劉歆於此「全無倫類」，而又必欲就弟子職、孔子三朝二篇，說其「別裁」，此非五十步與百步之譏乎？

是故總凡上述六種書籍，章氏、孫氏、張氏據以說「別裁」者，皆無以徵信者也。

至於章氏謂隋志於孔叢子中別出小爾雅，文獻通考於大戴記中別出夏小正，爲後人之「幸而偶中」者，實則小爾雅早已見於漢志，而孔叢子爲後人僞造，遲至隋志，方始見於著錄，當是小爾雅至隋之時，仍有單行之本，故隋志收之，且隋志編目者，亦必知孔叢子之僞，故雖知小爾雅已竄入孔叢，仍復更爲著錄，以明小爾雅之不僞也（註一九）。夏小正一篇，當屬先秦古書，唯以漢後，單篇流傳，故隋志、通考亦加著錄而已（註二〇），是則此兩篇者，本非隋志、通考，有意爲之別行者也（註二一）。章氏謂爲「幸而偶中」，已非其眞，以其與本文所論無關，茲從略焉。

又黃紹箕氏嘗撰跋古文舊書考（註二二）一篇，既以爲章氏據弟子職、三朝記以說「別裁」，爲不足徵信，又以爲七略自有裁出者，乃舉小說家之鬻子說、伊尹說、黃帝說三種，以爲係裁自道家鬻子、伊尹及雜家黃帝者，其說自爲矛盾，茲不復論。

三、論孫張二人未能眞知章氏「別裁」之意義

前節已就章學誠、孫德謙、張舜徽等三人所視爲「別裁」之六種書籍，一一證其七略漢志之中，已有「別裁」之說，爲不可信矣。今則再就三人所說，作一檢討。

吾人於首節之中，已嘗言之，「別裁」之說，既由章學誠氏提出，則舉凡「別裁」之定義，亦必遵循章氏之界說，如是，方能考察章氏立說之是非。孫德謙氏、張舜徽氏所言「別裁」之例，既皆沿承章說而來，是則二人自亦必須遵循章氏「別裁」之定義，方爲得之，然檢尋孫、張二氏所說「別裁」之義，則其有逸出於章說之外者，此則不可不加以說明者也。

古人著書，有採取成說，襲用故事者，此則章氏已自言之，唯其是否合於「別裁」之法，則胥視乎編目分類者之是否有意於積極主動之「裁其篇章，補苴部次，別出門類，以辨著述源流」也。

孫德謙氏論「別裁」之法，乃謂「書有單行本者，不必以既錄全書於此，而彼一類中，遂闕其目。」此實不符章氏之意，蓋章氏雖言，「古人著書，有採取成說，襲用故事者」，此特輯校古書之事耳。至於分類編目，必其書中單篇有合於學術流別者，編目者又積極主動爲之裁出，而別入其他門類，似此方能謂之「別裁」，設如孫氏所說，則是其書本有單行之本，輯校者雖又收錄此單行之本於某書之內，而編目者以爲二書皆在單行，遂二者並加著錄，不以其既已著錄全書於此，遂不復更行著錄單行之本於彼矣。考孫氏此意，實則爲編目者端視書籍之流行與否而爲著錄之標準矣，其所著錄，即是編目者消極之收錄，而非積極之有意主動自某書中裁出其本非單行流傳之某篇，或某若干篇，是則已與章氏之意，不相符合矣。

必如孫氏自己所謂，「又或一人著述，已入集部，名其書曰某某全集，乃其中一種，爲彼專門之學，並可摘出別行，次諸他部之內，不嫌其割裂」者，方得謂之爲「別裁」也。

張舜徽氏論「別裁」之法，乃謂「古人求書，至不易得，又或卷帙繁穰，非人人所能盡通，則恒擇取其中精要者，別鈔而單行之，此古人讀書之法也。簿錄家苟能循其實迹，悉爲登載，則夫學術之升降，一時之風尚，舉於此可見焉」。考張氏謂刺取書中精要者，別鈔單行，爲古人讀書之法，實則，今人讀書，何嘗卽廢此法？唯讀書之法，與簿錄家編目著錄之法，不可混爲一談耳。吾人讀書，自某書中提要鈎玄，摘鈔其精要者，以助循覽，此爲吾人積極之有意主動之行事，以吾人所摘鈔者與其原書而言，固亦可謂之爲某一情況之「別裁」（借用章氏之語）。

如吾人讀書之時，已摘鈔其精要，共爲一篇，並加命名矣，而簿錄家編目之時，亦「循其實迹」，將吾人所擇取之精要者「悉爲登載」，則簿錄家之編目，僅能「循其實迹」，就已流傳之單行（或精要）篇章而著錄之，則其弊正與前述孫德謙氏之意相同，皆是消極之收錄，而非編目者積極之有意主動裁出某書中之某某篇章也，皆與章學誠氏所謂之「別裁」不類，蓋章氏以爲，「校讎之義，蓋自劉向父子，部次條別，將以辨章學術，考鏡源流，非深明於道術精微，群言得失之故者，不足與此」（校讎通義叙），「古人著錄，不徒爲甲乙部次計，如徒爲甲乙部次計，則一掌故令史足矣，何用父子世業，閱年二紀，僅乃卒業乎」（校讎通義互著篇），其推崇劉氏父子也如此，此則章氏校讎之最高理想耳，故其論「別裁」也，每曰「劉歆裁其某某篇入某某」，「眞有見於學問之流別，而爲之制裁」，是則章氏以爲編目者固當積極主動如是也，如編目者僅能「循其實迹」，消極收錄故籍，有書則錄，形同抄胥，又豈是章氏理想中之校讎簿錄學家哉？此所以漢志襲取七略，而班固深爲鄭樵深所譏也（註二三）！而謂章氏之意，卽在此乎？

四、論章氏欲於漢志中廣施「別裁」之無當

自前兩節中，吾人已知，章氏等舉出弟子職等六種篇籍，而欲證明七略、漢志之中，即有「別裁」之法者，實不可信。

不唯此也，章氏且就漢志之中，更欲推廣其「別裁」之說，以遂其「辨章學術，考鏡源流」之理想。章氏校讐通義焦竑誤校漢志第十二云：

裁篇別出之法，漢志僅存，見於此篇（案指弟子職），及孔子三朝篇之出禮記而已。充類而求，則欲明學術源委而使會通於大道，舍是莫由焉。且如敍天文之書，當取周官保章、爾雅釋天、鄒衍言天、淮南天象諸篇，裁列天文部首，而後專門天文之書以次列為類焉，則求天文者無遺憾矣。敍時令之書，當取大戴禮夏小正篇、小戴記月令篇、周書時訓解諸篇，裁列時令部首，而後專門時令之書以次列為類焉。敍地理之書，當取禹貢職方、管子地圓、淮南地形、諸史地志諸篇，裁列地理部首，而後專門地理之書以次列為類焉，則後人求其學術源流，皆可無遺憾矣。漢志存其意，而未能充其量，然賴有此微意焉。

又漢志諸子第十四云：

書之無逸、詩之豳風、大戴記之夏小正、小戴記之月令、爾雅之釋草、管子之牧民篇、呂氏

春秋任地諸篇，俱當用裁篇別出之法，冠於農家之首者也。

弟子職、孔子三朝之與管子、大戴記，已非「別裁」之關係，而章氏乃嫌於漢志之不能「充其量」，乃欲「充類而求」，以「明學術源委而使會通於大道」，故又推廣其意，欲使專門之書，以次列爲類焉。不知皮之不存，毛將焉附，弟子職、孔子三朝已不能視爲「別裁」之例，則所謂「充其量」欲使漢志中專門之書，以次列爲類焉者，亦不過徒託空言，難於見諸實行而已。鍾肇鵬校讐通義評誤云：

不知釋天、釋草但記名物，保章職方唯詳職守，豈天文地理農事之科？夫是而可裁，則周官三百六十、爾雅二十篇，無不可裁者矣。鄒衍言天，本空談不能實測，夏小正、月令、時訓亦非專爲農事，何可裁歸農家？地理專門，與諸史地志亦殊（地志史也唯詳沿革），未可裁入地理。無逸者周公勸成王重農之意，豳風歌詠農事之詩，與農家言何涉？管子牧民，詳在立國之大經大本，尤與農家無干，豈凡涉「農」字，即當裁歸農家乎？淮南天文、地形而可裁，則兵略可裁入兵家，原道可裁歸道家，夫是則呂覽淮南本雜家言，將何篇而不可裁乎？

劉師培校讐通義箴言（註二四）云：

卽書經言，則是堯典隸曆譜，禹貢隸形法，洪範隸五行，呂刑隸法，顧命隸禮，六誓分隸兵家也。卽詩經言，則是七月隸農，出車隸兵，淇澳隸儒，清廟隸墨，緜及皇矣隸春秋也。卽管子言，則是權脩隸儒，內業白心隸道，四時隸天文，五行隸術數，地員隸農，封禪隸禮，大匡小匡隸春秋也。若云篇或二用，則是堯典兼隸農家，七月兼隸天文，洪範兼隸蓍龜，而地員封禪亦必兼隸形法神仙也。

鍾氏、劉氏所評之言極是，設依章氏之意，推廣厥例，充類而求，凡屬性質龐雜之書，其意義有所偏主之篇章，則莫不可裁而出之矣，又豈僅章氏所舉之篇哉？除鍾氏、劉氏所舉之詩、書等書之外（即詩、書等書中，尚可裁出者，更不知凡幾），就易經言之，師卦可裁歸兵家，訟卦、坎卦可裁歸法家，乾卦、坤卦可裁歸陰陽，家人、歸妹可裁歸儒家，節卦可裁歸墨家。以禮記言之，月令可裁歸天文，禮運可裁歸春秋，仲尼燕居、孔子閒居、大學、儒行並可裁歸儒家。以莊子言之，其可以裁歸小說、雜家、神仙者多矣。以列子言，天瑞可裁歸陰陽，黃帝、周穆王可裁歸神仙，仲尼、楊朱可裁歸諸子。以荀子言之，禮論、樂論可裁歸禮類、樂類，正名可裁歸春秋，五霸、議兵、强國可裁歸兵書，賦篇可裁歸詩賦。以墨子言之，親士、修身、所染可裁歸儒家，明鬼可裁歸陰陽，經上、經下、經說上、經說下、大取、小取可裁歸名家、數術、方技，備城門以下二十一篇，可裁歸兵家。

此特枚舉大端而已，設如章氏之意，其例一開，則古籍中可以「別裁」者，正不知有凡幾也。吾人可由章氏指出七略、漢志所謂別裁之書之少，以及章氏以爲七略、漢志宜加別裁之書之多，以及推廣章氏之意，則七略、漢志所可別裁之書之尤多，正可以從而反證章氏所謂七略、漢志中宜加別裁者，不過章氏一己之理想，更可以從而反證章氏依據弟子職、孔子三朝以說七略、漢志別裁之例不足信。不然，劉歆、班固設已知曉「別裁」，何以七略、漢志所取以「別裁」之書，僅止區區二種（六種）而已，何以不依章氏之理想，大量「別裁」衆書，以求辨章「著述源流」乎？

章氏似亦自知其「別裁」之法，割裂篇章，支離破碎，不易爲人所信守，故亦嘗加申述說解矣。校讐通義焦竑誤校漢志第十二云：

或曰：裁篇別出之法行，則一書之內，取裁甚多，紛然割裂，恐其破碎支離而無當也。答曰：學貴專家，旨存統要。顯著專篇，明標義類者，專門之要，學所必究。乃掇取於全書之中焉，章而釽之，句而釐之，牽率名義，紛然依附，則是類書纂輯之所爲，而非著錄源流之所貴也。且如韓非之五蠹、說林，董子之玉杯、竹林，當時並以篇名見行於當世，今皆薈萃於全書之中，則古人著書，或離或合，校讐編次，本無一定之規也。月令之於呂氏春秋，三年問、樂記、經解之於荀子，尤其顯焉者也。然則裁篇別出之法，何爲而不可以著錄乎？

不知書籍之或離或合，皆係出於自然，如當時之人，知某書之某篇，性質特殊，價值特著，故自某書之中，裁取某篇，以供習覽，後人繼之，行之既久，遂成流傳之勢，此殆爲書籍本身之離合，及編目者編次史志，以其既係單行之書，亦卽視作一獨立體，收入史志之中，以備後人周知，此則編目之事也，要之，皆係自然行之者也。

此如古無四書之名，史志遂亦並無四書之目，自元史藝文志以前，有關大學、中庸之書籍，其有單行者，史志著錄，亦皆附於禮類禮記之後，及宋代朱子，表彰學、庸，取與論、孟，合爲四書，士子傳習，家有其書，是當時已有四書流傳在先，故後世編史志著藝文者，遂於經部別立一「四書」之類在後（明史藝文志已有「四書」類），非是先有史志「別裁」學、庸，合成四書在先，而後世人方得流傳四書也（四庫提要有說）。如編次史志者，著錄藝文，其於書籍，强爲分合離析，而命之爲「別裁」，如章氏所說者，則「充類而求」，其弊將不及於「類書纂輯」之事不止也。

劉師培嘗評之曰：「彍伸彼例，非准型皇覽、類苑，其量弗抶，何則，匃篇爲書，篇各具術，一彼一此，何常之有」，「且裁篇截句，撝裂實均，今云閒差，未見淸圖書集成逨㚏宋覽御也，若云便檢，則逕錄集成撮目，於用滋充，庸竢躋援劉、班乎」，「章知碎離紛裂之非，顧以揭篇表類，與類書區，儃旨抎名，弗啻自相訶歫也。」（校讐通義箴言），吾人細味玆理，縱觀章氏之弊，則知劉氏所評，確非過分之言也。

五、論「別裁」之價值及其施用之範圍

茲篇伊始，吾人卽嘗說明，本篇所欲考察者，乃七略、漢志之中，是否確有「別裁」之義例存在，今據前節考察所得，吾人已知，七略、漢志之中，確乎無有「別裁」之義例矣。然而，七略、漢志之中，雖無「別裁」之法，而自另一方面視之，亦自不碍於章氏「別裁」之說之價值，則此不得不說明者，亦唯恐貽人懷疑，一若七略、漢志之中，旣無「別裁」之法，卽是「別裁」之說，亦隨之毫無價值也。

夫劉歆造七略，班固删之，以備一代之藝文，皆不過史志目錄之事耳，而史志目錄，非其他專科目錄之比，入於史書之中，篇幅自不宜過於繁富，使人週覽，而知一代經籍之大略，足矣。此則各有專司，豈必欲廣推義例，逕取學術史之地位而替代之，方能謂之爲校讐簿錄之學乎？世之言目錄者，有所謂專科目錄與特種目錄，專科目錄者，如經典、小學、歷史、地理、金石、傳記、藝術等目錄是也。特種目錄者，如叢書、個人著作、地方著作、禁燬、刻書、闕書、善本、引用、知見、舉要、解題等目錄是也。凡此，皆有關學術，意在專門，故錄之不嫌其多，要在搜羅罄盡，無少缺逸，而後部次流別，分析義類，「凡有涉此一家之學者，無不窮其究委，竟其流別」，「欲人卽類求書，因書就學」（校讐通義互著第三），此則專科目錄與特種目錄之

大用矣。凡此等目錄，其性質與「僅志一代藝文」之史志目錄，自不相同，而章氏「別裁」之價值，亦實皆在於此等專科目錄與特種目錄之中，而不在於史志目錄之中也。

專科目錄與特種目錄之興起，在於欲備一家專門之學，以供參考，故其取材，多資於性質龐雜之史志目錄及叢書目錄，而擇取其中有涉此專門之學者，輯集一編，另成此專科與特種之目錄。今案專科與特種目錄之編撰取材，搜輯性質相同之書，除擇出各史志已著錄之各書，另成一目，已是一廣義之「別裁」，暫不論列之外，考其編目之際，材料來源，約可分爲四類：

①各書除單行刻本之外，其已收入各叢書之中，今取而出之者（如粵雅堂、知不足齋、南菁書院、學海堂等叢書，所收之書，性質龐雜，作者不一），以此等叢書，非由一人所著，則自此等叢書之中，主動擇取所需性質專門之某書，別而出之，以入之於某專科或特種書目之中，即此亦爲一意義稍廣之「別裁」。

②凡學者自著之書，性質或不能一致，卷帙或多寡不一，或在當時，由其本人，彙爲一編，或於身後，假手他人，刋刻行世，總而命曰某某叢書者（如船山遺書、經韻樓叢書等），以此等叢書，乃一人之所著，則自此等叢書之中，主動擇取所需性質專門之某書，別而出

之，以入之於某專科或特種書目之中，則此係一意義較爲窄小之「別裁」。

③至於某人所著之某書，其已有單行之本流傳於世，或雖曾收入某叢書之中，而此某書，又有單行之本，流傳於世，而編目者積極主動擇取此某書中性質專門之某篇，或某若干篇，別而出之，以入之於某專科或特種書目之中，此則爲一意義較爲確實之「別裁」。

④至於某人所著之某書，本已單行流傳於世，而編目者，既已主動收錄此單行之某書於其專科或特種目錄中矣，而某書中或有某篇，或某若干篇，性質特殊，或其「附錄」，別有所主，則編目者又自此業經收錄之某書中，積極主動擇取某篇，或某若干篇，或其附錄，另行著錄於其他門類之中，此則尤合於章氏「別裁」例中「別出門類」之意義矣。

凡上四類，其所分別，前兩類所裁出者，以書爲主，後兩類裁出者，以篇爲主，其第四類，尤符於章氏「別裁」之理想，而此四類，皆曾一一見之於專科或特種書目之中。玆就黎經誥氏之許學考，朱彝尊氏之經義考，王重民氏之老子考，嚴靈峯氏之老列莊三子知見書目，墨子知見書目（註二五），舉例於后，以見一斑。

凡上述前兩類者，因與章氏所指之「別裁」，關係較少，爲省篇幅，乃綜而擧出，至於其後兩類，因與章氏「別裁」之說，關係較多，則分別列擧之。

其屬於第一類者，如黎經誥氏許學考，自南菁書院經解中別出江沅說文解字音韻表十七卷，自粵雅堂叢書中別出錢大昕聲類四卷。王重民氏老子考，自道藏中別出邵若愚道德眞經直解四卷，自十萬卷樓叢書中別出董思靖道德經集解四卷，自四庫全書中別出張爾歧老子說略二卷。予以著錄於所撰之書目者是也。

其屬於第二類者，如黎氏許學考，自王夫之船山遺書中別出說文廣義三卷，自戴震戴氏遺書中別出聲韻考四卷、聲類表十卷。朱氏經義考，自歐陽文忠公集中別出歐陽修易童子問三卷，自王應麟玉海中別出詩地理考五卷。王氏老子考，自船山遺書中別出老子衍二卷，自畢沅經訓堂叢書別出老子道德經考異二卷。嚴靈峯氏老列莊三子知見書目，自船山遺書中別出莊子解三十三卷莊子通一卷，自江有誥音學十書中別出列子韻讀。予以著錄於所撰之書目者是也。

以下，再就各書，分別舉例：

①許學考

黎氏許學考，自俞正燮癸巳類稿中別出說文重文考，自王念孫經義述聞通說中別出古韻二十一部表，自曾國藩曾文正文集中別出與朱太學孔揚論轉注書，自焦循雕菰集中別出周易用假借論，自梁玉繩瞥記中別出說文僻經除附證十五條，自俞樾湖樓筆談中別出說文經字考，自張文虎舒藝室隨筆中別出讀說文隨筆，予以著錄，此則屬於第三類者也。

又自朱駿聲說文通訓定聲（已著錄）末別出說雅十九篇，自段玉裁說文解字注（已著錄）末別出六書音韻表五卷，自嚴可均說文校議（已著錄）末別出許君事蹟考，另予著錄於其他門類之中，此則屬於第四類者也。

案黎經誥氏於許學考十卷之末附案云：「清儒經學家皆通小學，其文集說部中，皆有可採，今取其於說文有瓞獲，於六書有辨論者，依類標目，錄載全文，當爲治小學者所資助也」。夫既云「今取其」，云「錄載全文」，云「依類標目」，則確是「別裁」之事也。許學考中，凡此種種，屬於第三類者較多。

②經義考

朱氏經義考，自羅泌路史發揮中別出春秋周正論一篇，自蘇軾志林中別出隱公是攝論一篇，自楊簡慈湖遺書中別出春王正月說一篇，自王充論衡中別出刺孟一篇，予以著錄，此則屬於第三類者也。

經義考又有通說一類，採孔子（禮記經解）荀卿（荀子勸學）、司馬遷（史記太史公自序），以迄清代胡渭，約三百人有涉經義之說，並予著錄，凡此，多可視爲第三類者也。

又自陸德明經典釋文（已著錄於群經類）中別出毛詩釋文一卷、春秋釋文八卷，自黃震黃氏日抄（已著錄於群經類）中別出讀春秋日抄七卷，另予著錄於他類之中，此則屬於第四類者也。

又自王安石三經新義（已著錄於群經類）中別出新經周禮義二十二卷，自魏了翁九經要義（

已著錄於群經類）中別出周禮要義三十卷、春秋要義六十卷，另予著錄於禮類春秋類中，此則近於第四類者也。

③老子考

王氏老子考，自司馬遷史記中別出老子列傳，自汪中述學中別出老子考異，自梁玉繩漢書人表考中別出老子考，自俞樾諸子平議中別出老子平議，予以著錄，此則屬於第三類者也。

又自釋德清道德經解（已著錄）中別出觀老莊影響論，自焦竑老子翼（已著錄）中別出老子翼附錄、程俱老子論，自魏源老子本義（已著錄）中別出老子附錄，自馬叙倫老子覈詁（已著錄）末別出老子佚文、老子老萊子周太史儋老彭非是一人考、老子姓氏名字鄉里仕宦生卒考，另予著錄於其他門類之中，此則屬於第四類者也。

④老列莊三子知見書目

嚴氏知見書目，自韓非子中別出解老喻老各一卷，自淮南子中別出原道訓道應訓各一篇，自盧文弨抱經堂文集中別出佳兵者不祥解一篇，自俞正爕癸巳存稿中別出名可名義一篇，自孫詒讓札迻中別出老子札迻一篇，自賈誼新書審微篇中別出老子說，自楊雄法言問道篇中別出老子說（以上知見書目類）。自楊愼升庵文集中別出讀莊子一篇，自王念孫讀書雜志中別出莊子雜志，自于鬯香草續校書中別出莊子校書三卷，自陶淵明集中別出陶潛擬古詩詠莊子，自顏之推顏氏家訓勉學篇中別出論莊子，自蘇軾東坡集中別出莊子祠堂記，自盧文弨群書拾補中別出列子張湛注校正，自呂氏春秋不二篇觀世篇中別出列子說，自洪邁容齋隨筆中別出列子說，自宋濂諸子辨中別出列子辨，自姚際恒古今書考中別出列子考（以上論說類）。分別予以著錄，凡此，皆屬於第三類者也。

又自朱得之老子通義（已著錄於知見書目類，以下言著錄者同）中別出讀老評一篇，自王一清太上道德經釋辭（已著錄）末別出道德經旨總論一篇，自朱謙之老子校釋（已著錄）末別出老子韻例一篇，自楊樹達老子古義（已著錄）中別出漢代老學者考一篇，自蔣錫昌老子校詁（已著錄）末別出黃老考、老莊並稱之始考，自高亨老子正詁（已著錄）中別出老子通說，自焦竑莊子翼（已著錄）末別出莊子筆乘，另予著錄於論說類中，凡此，則是屬於第四類者也。

⑤墨子知見書目

嚴氏書目，自魏徵群書治要中別出墨子治要，自馬總意林中別出墨子意林，自陳澧塾讀書記中別出墨子讀書記，自胡適之先生中國哲學史大綱中別出墨子與別墨，自馮友蘭氏中國哲學史中別出墨經及前期墨家（以上知見書目類）。自孟子滕文公盡心兩篇中別出闢楊墨，自史記太史公自序中別出司馬談墨家要旨，自王充論衡薄葬篇中別出論墨子薄葬，自韓文公集別出韓愈讀墨子一篇，自康有為孔子改制考中別出墨子弟子後學考（以上論說目錄類）。予以著錄，凡此，則是屬於第三類者也。

又自畢沅墨子注（已著錄於知見書目類，以下言著錄者同）中別出墨子書目考，自梁啟超墨子學案（已著錄）中別出墨子年代考，自梁啟超墨經校釋（已著錄）中別出讀墨經餘記，凡此，則是屬於第四類者也。

卽凡以上所舉，雖僅嚐鼎一臠，亦已窺其大略，可知「別裁」之法，用於專科書目、或特種書目之中者甚多，此蓋由於專科及特種書目，性質特殊，躋於專門，爲求一類之中，錙銖無遺，自不得不採用「別裁」之法，廣搜博採，自各類書中，刪取有關資料，入於本目之中。故其採用「別裁」之法，亦係一自然之趨勢，當非由於章氏之說，有以啟之也（註二六）。

六、結　語

「別裁」之法，除用之於專科或特種書目之外，則今日圖書館中所謂之分析目錄，亦可採用此法。而其意義，亦與專科或特種目錄相近。（註二七）至於史志書目之作，因其本身爲史書之一篇，意主簡要，所收書籍，品物衆多，性質龐雜，而其篇幅有限，自亦不必採用「別裁」之法矣。

是以章氏「別裁」之說，若持之以例諸專科或特種書目，則將兩得其全，移之以範圍七略、漢志，則見其扞格難合，而章氏等不此之圖，反牽引七略等書，以爲依據，要之，皆是過崇劉、班，妄託古人之弊耳。

余嘉錫目錄學發微（註二八）頁一二六云：

章學誠謂「古人著錄，不徒爲甲乙部次計」，又曰「藝文一志，實爲學術之宗，明道之要，而後人著錄，乃用之爲甲乙計數而已矣」，其陳義甚高，實則目錄之興，本以爲甲乙計數，而「學術之宗，明道之要」，特因而寓之而已。……而於劉、班著錄，求之過深，或責之過苛者，亦未達古人之意也。

杜定友校讐新義（註二九）卷八書目學論云：

自來目錄學者，必以辨章學術，考鏡源流相標榜，以爲非如是，不足以尊其道也，不知學術源流之考鏡，當別撰學術史著述史以總論之，今不知有此，乃欲於圖書目錄中兼敍之，是不可能也，明知其不可能，乃立互見別裁諸法，以至鹵莽滅裂，破碎支離，不可名狀。

姚振宗漢書藝文志條理叙錄云：

按章氏之書，大旨以官師法守之說，欲使古今典籍，溯其根源而悉從其類，其例謂之重複互著，裁篇別出……其意蓋欲于簿錄之中，兼用類書之體；使其自著一書，則發凡起例，無所不可，若以例班氏之志，則支離破碎，多見其煩瑣無當者矣。

鍾肇鵬校讎通義評誤亦云：

章氏別識心裁，創爲此例，意固甚善，而牽引七略，以附會之，則未免進退失據。

今案章氏之學，「似長於識斷而短於考覈，高明有餘，沈潛不足，故其慧心所至，創解時多，而一涉考據，輒多疎略」（註三〇）。夫史志之目，本係部次甲乙，意在簡要，而學術明道，不過兼寓其中而已，而章氏乃欲逕取簿錄之學，兼代學術之史，若其自著一書，則成其一家之言，亦自無不可，而章氏必欲以「互著」、「別裁」（註三一）牽引七略、漢志，以爲之說，以寓託一己之理想，而又於劉、班著錄，推之太高，求之過深，終不免强古人以就己意，進退失據矣。是以吾人雖能肯定「別裁」之價值，而於章氏等，必欲於七略、漢志中推闡其「別裁」之說者，則不能不深致憾意焉。

〔附　注〕

一、中華書局四部備要本。

二、開明書店二十五史補編本。

三、張氏此篇，附於所著廣校讎略之末，一九六三年四月，北平中華書局一版。

四、鍾氏此文，刊於學原雜誌，一卷十二期。

五、陳氏曾氏此文，引見鍾氏校讎通義評誤。

六、王氏此文，收入觀堂集林卷十一。

七、一九六六年五月，香港太平書局本。

八、禮記曲禮：「凡爲長者糞之禮，必加帚於箕之上。」鄭注：「如是得兩手奉箕，恭也，謂初執而往時也，弟子職曰，執箕膺揭，厥中有帚。」

九、管子八十六篇，漢志著錄於道家，隋志乃以管子十九卷著錄於法家。

一〇、漢志禮類記百三十一篇下班固注云：「七十子後學者所記也。」

一一、王應麟困學紀聞卷五：「孔子三朝記七篇，大戴記：千乘、四代、虞戴德、誥志、小辨、用兵、少閒，凡七篇。」

一二、見戴東原集卷一，民國二十八年九月，商務印書館萬有文庫簡編本。

一三、錢賓四先生劉向歆父子年譜，謂劉向生於漢昭帝元鳳二年（西元前七十九年），卒於成帝綏和元年（西元前八年），年七十二，成帝河平三年，向年五十四歲，校中秘書。姜亮夫歷代名人年里碑傳綜表，則以劉向生於昭帝元鳳四年（西元前七十七年），卒於哀帝建平元年（西元前六年）。

一四、開明書店二十五史補編本。

一五、民國二十四年一月，上海商務印書館二版本。

一六、詳王應麟漢書藝文志考證、莊述祖弟子職集解序、王先謙漢書補注。

一七、漢志道家著錄伊尹五十一篇、鬻子二十二篇，小說家著錄伊尹說二十七篇、鬻子說十九篇。

一八、收入馬氏玉函山房輯佚書內。

一九、錢大昕三史拾遺云：「李善文選注引小爾雅皆作小雅，此書依附爾雅而作，本名小雅，後人僞造孔叢，以此篇竄入，因有小爾雅之名，失其舊矣。」

二〇、隋志經部論語類著錄孔叢七卷，又著錄小爾雅一卷。

二一、予嘗撰隋書經籍志述例一篇，刊於南洋大學學報第四期，其中第三十四條，即係別裁例，其時，亦以爲隋志之中，當有別裁之例，尙以章氏「幸而偶中」之語，爲有欠公允，今乃知昔日之非，章氏之評，亦失其眞象者也。

二二、黃氏此跋，附於島田翰古文舊書考卷首，民國五十六年八月，臺北廣文書局書目叢編本。

二三、鄭樵校讎略編書不明分類論云：「史家本於孟堅，孟堅初無獨裁之學，唯依緣他人，以成門戶。」又編次不明論云：「班固藝文志出於七略者也，……是知班固胸中，元無倫類。」

二四、劉氏此篇，收入劉申叔先生遺書左盦外集卷十二。

二五、許學考，據臺北文海出版社國學集要二編本。經義考，據中華書局四部備要本。老子考，據嚴靈峰先生所輯無求備齋老子集成續編本。老列莊三子知見書目，據民國五十四年十月中華叢書本。墨子知見書目，據民國五十八年元月臺灣學生書局初版本。

二六、據姚名達氏中國目錄學年表，清乾隆二十年（西元一七五五年），盧見曾刊印朱彝尊經義考，乾隆四十四年（西元一七七九年），章學誠始撰校讎通義成書。

二七、杜定友校讐新義卷七別裁論云：「自叢書之體興，分析目錄爲不可少，別下齋叢書有龍仁夫易傳八卷，經也；曹履泰靖海紀略四卷，史也；韓百謙箕田考一卷，子也；彭孫貽茗齋詩餘二卷，集也；此同一叢書，而所著者不同，書名不同，種類不同（東壁全書，著者同而書名不同也；十三唐人詩，書名同而著者不同也），非一一釐正，分別編目，無以盡其用，至若某書之一篇一節，如有特長者，亦必提出編目，便於檢查，故圖書館之目錄，非唯便於檢書，抑將有助於學也。所謂分析目錄者，乃編目之法，而編非章氏所謂以全書判裁者也。」

二八、臺北藝文印書館印行本。

二九、民國五十八年元月，臺灣中華書局臺一版。

三〇、此係鍾肇鵬氏校讐通義評誤批評章氏之語。案章氏由亳州往湖北家書云：「吾讀古人文字，高明有餘，沈潛不足，故於訓詁考質，多所忽略，而神解精義，乃能窺前人所未到處。」

三一、予另有「目錄家互著說平議」一文，可供參稽。

（原刊於書目季刊第六卷第三四期合刊）

三　張氏「漢書藝文志釋例」商榷

甲、引　言

沅江張舜徽氏，嘗撰漢書藝文志釋例一篇，收入所著廣校讎略中，爲附錄之一。（註一）張氏於釋例之首，自述玆篇所作，蓋由不滿孫德謙氏漢書藝文志學例一文，（註二）「病其雜沓繁冗，規規於史家筆法，及修志義例，而於昔人造書目時，甄審著錄之際，轉多疏漏，非所以辨章學術也。」故乃更撰釋例，「融會鈎稽，得三十事，區以五門寫定。」予循覽之餘，覺其所論，雖大體精當，而可商榷處，亦復不尠，爰取漢志，重加檢覈，義有未安，筆諸簡端，總如干條，釐爲糾繆一卷，非是專輒，敢議前修，蓋緣不賢識小，聊獻一得云爾。

乙、商　榷

不錄祖先書例

張氏於此條中，徵引論衡、史通及後漢書班彪傳，證明班彪嘗續太史公書百篇以上，作後傳六十五篇，又著賦論書記奏事合九篇。然而，漢志之中，不錄班彪之書，張氏由是以爲，班固乃名父之子，而總錄群書，不登其父班彪之書，是卽班固「公爾忘私」，「不欲以此上累其親，足爲後世著錄家矩矱。」是卽班志不錄祖先之書之例也。

今按漢書叙傳云：「故採纂前紀，綴輯所聞，以述漢書，起元高祖，終于孝平王莽之誅，十有二世，二百三十年。」後漢書班固傳（附於班彪傳內）云：「故探撰前記，綴集所聞，以爲漢書，起元高祖，終于孝平王莽之誅，十有二世，二百三十年。」章懷注：「高、惠、呂后、文、景、武、昭、宣、元、成、哀、平，十二代也。幷王莽，合二百三十年。」然則漢書乃斷代之史，專記西漢一代史事，班氏已有明言。唯藝文一志，刪自七略，以備篇籍，而七略者，總錄向歆以前歷代篇章，方之史籍，殆猶太史公書之流亞，是以班氏漢志，其所收錄，就前代而言，乃不限於漢興以來之書，而下限所至，則必斷於西漢之末，東漢以前也。

後漢書班彪傳云：「建武三十年，年五十二，卒官。」據此以推，則班彪之生，乃漢平帝元始三年，當西元三年，其卒，乃光武帝建武三十年，當西元五十四年。（參姜亮夫歷代名人年里碑傳總表）平帝於元始五年崩，其後孺子嬰在位三年，當西元八年時，王莽篡立，西漢亡矣，及王莽伏誅，更始號令兩年，當西元二十五年時，而光武中興，遂入東漢。綜計班彪一生，其在西漢，不過六年，入於東漢，乃三十年，（其間十六年，乃王莽更始之際。）且其出仕，亦在光武之朝，（范史可稽）是則以班彪屬之東漢，當無疑義。（張氏云：「彪實生於成哀間，學成甚早，自入東都，即不筮仕，列之前書，何爲不可？」其說非是，蓋於范書彪傳，亦未細讀者也。）然則，班固漢書，旣以西漢爲斷，自亦無須登錄班彪之書矣。姚振宗氏撰漢書藝文志拾補，不錄班彪之作，及錢大昭撰補續漢書藝文志、顧懷三撰補後漢書藝文志、姚振宗撰後漢藝文志、曾樸撰補後漢書藝文志幷考，乃始以班彪所著之續太史公書、史記後傳、悼離騷、徐令班彪集、前史得失略論等書，分別予以著錄，蓋皆心知其意，方以班彪之書，列之後漢者也，而張氏一反諸家所錄，殆不免有立異之嫌矣。

且夫班彪所著之書，其賦論書記奏事等九篇，固無論矣，續太史公書與後傳本屬一書，其理甚明，即漢書之前身也，夫漢書之作，奠基於班彪，續撰於班固，終成於班昭之手，父子兄妹，歷經三人，其書始底於成，故題「漢書」之名，則叔皮之作，即已包攬於中，且藝文志者，又漢書之一篇，烏庸更爲登錄彪書之名哉？設如漢志之中，可錄班彪續太史公書與後傳之名，則班固漢書，亦可登錄其內矣，志藝文者，亦寧有是理乎？

張氏又謂漢志之中，「序論小學，直云臣復續揚雄，作十三章，則於論列原流之際，並列己名而無嫌，其書豈但爲西京二百三十年而作？」今考漢志小學類有揚雄蒼頡訓纂一篇，爲班氏新入之者，小序又云：「臣復續揚雄，作十三章。」不知班固蓋僅於小序中言其嘗續揚雄之書而已，此與以己書入錄者，截然有異，尤不得據此而推論，以爲班固不嫌列名序中，卽當登錄彪書，不錄彪書，卽係漢志不錄祖先書之例證也。要之，不錄祖先之書，漢志之中，當無其例者。

未成之書依類著錄例

張氏嘗據漢志春秋類夾氏傳十一卷班氏注云：「有錄無書。」太史公百三十篇班氏注云：「十篇有錄無書。」以爲「凡志中稱有錄無書，皆就未成之書言，非指亡佚也。」以爲此卽漢志未成之書，依類著錄之例。以爲後之志藝文者，部次群書，著錄之規，除「存」「佚」「闕」「未見」等四目之外，「猶當上承漢志遺例，增立未成一門，凡有錄無書者悉入之，俾著述之林，有志未遂，或其書義例早定而篇簡猶虛者，皆有可考，於前修既不沒其盛心，於來學復可敎其繼志，一代學術，藉以存其本眞。」「此亦辨章學術者所有事也。」

今按張氏以爲志藝文者，當增「未成」一門，此其說也，除所謂「有志未遂」一語，過於寬泛，易涉疑似之外，大體尚是，唯列舉夾氏傳與太史公書為例，以為漢志之中，即有著錄未成之書一例，則有不足信者。今考漢書司馬遷傳云：「而十篇缺，有錄無書。」張晏注：「遷沒之後，亡景紀、武紀、禮書、樂書、兵書、漢興以來將相年表、日者列傳、三王世家、龜策列傳、傅靳列傳，元成之間，褚先生補缺，作武帝紀、三王世家、龜策、日者傳，言辭鄙陋，非遷之意也。」張晏之說，必有所據，而史記太史公自序云：「余述歷黃帝以來，至太初而訖，百三十篇。」尋其語義，明是書已完成，故百三十篇之所為作，史公一一為具言於自序之中，及史公歿後，書乃亡缺十篇，故裴駰集解、司馬貞索隱，於史公自序之末，並引張晏之說，索隱且歷述褚先生所補之情狀，王應麟漢書藝文志考證亦嘗引呂祖謙之言，謂史記十篇之亡，以張晏所列亡篇之目校之，唯武帝紀實亡，其餘或殘或存，要非全佚。（文長不具引）而張氏專憑史通率爾之言，（查史通古今正史篇謂史記：「十篇未成，有錄而已。」其言甚簡。）遂指史記十篇，未卒成之，而所謂劉知幾氏訂張晏漢書注十篇遷歿後亡失說之非者，亦僅寥寥數語，過於簡率，且全無論證，（史通原注：「張晏漢書注云，十篇遷歿後亡失，此說非也。」）恐未足取信於人也。

且夫所謂「錄」者，漢志總序論劉向之校書云：「每一書已，向輒條其篇目，撮其旨意，錄而奏之。」是則書成在先，司校讎者，始得據其書以條篇目，撮旨意，以更撰書錄於後也。（太史公自序所述百三十篇要旨，即史記之敘錄也。）班氏漢志總序，既有明言，無庸不知「錄」者何義之理，然則馬遷傳中「十篇缺，有錄無書。」漢志注中「十篇有錄無書。」皆指書成而後有錄，錄成而後其書乃有佚缺，灼然明矣。

王先謙漢書補注於太史公百三十篇云：「班言無書，特就中秘所藏言之耳。」於夾氏傳十一卷云：「有錄者，見於二劉著錄。」顧實漢書藝文志講疏於夾氏傳亦云：「有錄無書，蓋二劉雖著錄，而西京秘府無其書也。」所言並屬合理，否則，信如張氏所云，「班氏既明言未有書，則夾氏說春秋，但以口授，本未著之竹帛也。」則班氏何必於夾氏傳下，更爲明注「十一卷」乎？卷者書帛之稱，明是實有其書，其後亡佚，故屬「有錄無書」，不然，太史公百三十篇，班注「十篇有錄無書」，猶可謂此十篇「未卒成之」，然則夾氏傳十一卷，班注「有錄無書」，亦可謂此「十一卷」乃「未卒成之」乎？

張氏謂志藝文者，當增立「未成」一門，其立意雖佳，然必推而以爲漢志之中，卽有其例，則未見其可也。

七略類例不明重爲釐定例

張氏以爲，班氏之於七略，其類例有不明確者，輒爲之重新釐定，其門類有未安者，輒爲之重加進退，而皆於自注之中，加以說明。

今按張氏所舉以爲證者，唯兵書略權謀家班氏自注：「出司馬法入禮也。」與六藝略禮類班注：「入司馬法一家，百五十五篇。」兩相呼應，有出有入，出之於此，必入之於彼，方屬張氏重爲釐定七略門類之例。（諸子略雜家班注：「入兵法。」設依陶憲曾說，於其上補「出蹴鞠」三字，與兵書略技巧家班注：「入蹴鞠也。」兩相呼應，則亦可與上條同例。）其餘所舉之例證，如六藝略書類入劉向稽疑一篇，樂類出淮南劉向等琴頌七篇，小學類入揚雄杜林二家三篇，諸子略儒家入揚雄一家三十八篇，詩賦略入揚雄八篇，或言出，或言入，其僅言出者，（或言省者）是卽班氏於七略之中，剔出之書，廓略言之，或得指爲重新釐定七略之類例。其僅言入者，「謂七略之外，班氏新入之也。」（書類末顏師古注語）然則，其班氏新入之書，既非七略所舊有，明非七略本有之類例也，焉得謂爲「重新」釐定者乎？

彼此互著例

張氏以爲，「漢志儒家有景子、公孫尼子，而雜家亦有公孫尼，兵家亦有景子；道家有伊尹、鬻子、力牧、孫子，而小說家亦有伊尹說、鬻子說，兵家亦有力牧、孫子；法家有李子、商君，而兵家亦有李氏、公孫鞅；縱横家有龐煖，而兵家亦有龐煖；雜家有伍子胥、尉繚、吳子，而兵家亦有伍子胥、尉繚、吳起；小說家有師曠，而兵家亦有師曠。」是卽漢志彼此互著之例也，「

簿錄家於彼此互著之際，實隱然示人以辨章學術之意，爲用甚弘，學者所宜究心焉。」

今按張氏以爲漢志中已有互著之說，可分以下四點論之：

其一，就書名上考之：秦漢以前，往往以人名爲書名，某人所著之書，卽以其人之名名之，設其人所著之書，不止一種，性質不同，分在不同門類之中，而皆以其人之名爲書名，則此在不同門類中之同名二書，又焉能斷其必是一書，而逕以「互著」視之乎？

其二，就篇目異同上考之：則儒家景子僅三篇，兵家景子乃十三篇；儒家公孫尼子乃二十八篇，雜家公孫尼子僅一篇；道家伊尹乃五十一篇，小說家伊尹說僅二十七篇；道家孫子僅十六篇，兵家吳孫子兵法乃八十二篇，齊孫子乃八十九篇；法家李子乃三十二篇，兵家李子僅十篇；雜家吳子僅一篇，兵家吳起乃四十八篇；篇數之異，相去遼遠。其餘張氏舉爲互著之書，其兩者篇數相差，雖不若上述數書之鉅，亦皆各有參差，並無兩書全部相同者。大凡某一書籍，篇卷分合，後世演變，容有歧異，而同一時代，同一目錄書（漢志）中，設有互著之書，則其書之篇目，實不應相距如是遼遠。要之，凡此張氏所舉以爲「互著」諸書，其兩兩篇數旣有多寡之異，則其內容之不能盡同，乃非完全相同之兩書，蓋可斷言，以之視爲漢志互著之例證，無乃不可乎？

其三，就班固言「省」之義例上考之：漢志兵書略權謀家末班氏注云：「省伊尹、太公、管子、孫卿子、鶡冠子、蘇子、蒯通、陸賈、淮南王。」技巧家末班氏注云：「省墨子。」所謂省者，蓋爲班氏省去一書之兩載重出也，（唯班志所省者，容或並非完全重複之一書兩載）是以凡屬班氏以爲重複之書，既已注明「省」字者矣，則凡班氏不言省者，是卽班氏以爲不屬重複相同之書矣，故章學誠乃得據此而謂漢志以後，卽無互著之例也。（章說見校讎通義辨嫌名篇。）

其四，自學術淵源上考之：簿錄家之言互著者，肇端於章學誠氏之說七略，而張氏之說互著，自是遠紹章氏之意，至於言漢志之有互著，則張氏實直承孫德謙氏漢書藝文志舉例之謬誤。然而章氏之言互著也，蓋將以「辨章學術，考鏡源流」，是故「獨重家學」，且夫七略漢志每類後評論學術之語，論者多謂其仿於太史公自序之述六家要旨（尤以諸子略小序爲然），然則史記以老莊申韓合傳，嘗謂莊周申韓之學，「皆源於道德之意」，而漢志中老莊與申韓分列道法二家。史記於孟荀列傳之中，兼敍愼到田駢接子環淵，而總之曰：「皆學於黃老道德之術。」而漢志則列愼子於法家。然則申韓之於老莊，愼到之於黃老，法家之於道家，豈不皆當互著其書，以「申明大道」乎？何以班氏不爲之互著？推此意也，則漢志之中，其可互著之書，蓋亦不知凡幾，然則班氏何不爲之一一互著其書，而僅互著其張氏所舉之十三種書哉？

是知張氏以爲漢志中已有互著之說，確乎無徵，不可深信者也，此姑聊舉大端，不遑詳說，予別有「目錄家互著說平議」一文，刊於南洋大學學報第五期中，於此問題，論述較繁，可供參稽。

單篇別行例

張氏以爲，「中庸及孔子三朝記，俱七十子後學者所記也，而六藝略禮類有中庸說二篇，論語類有孔子三朝七篇。弟子職及內業，皆管子書也，而孝經類有弟子職一篇，諸子略儒家有內業十五篇。」是卽漢志單篇別行之例焉。

今按簿錄家之言別裁者，亦肇端於章學誠氏之說七略，而張氏之說別裁，自是遠紹章氏之意，至於言漢志之有別裁，則張氏實直承孫德謙氏漢書藝文志舉例之謬誤。玆就張氏之說，論列於後。

其一，漢志六藝略禮類中庸說二篇，王鳴盛蛾術編說錄以爲乃中庸之解詁，姚振宗漢書藝文志條理亦以爲乃說中庸之書，顧實漢書藝文志講疏亦云：「以志既有明堂陰陽，又有明堂陰陽說爲例，則此非戴記之中庸明也。」竊以爲中庸之有中庸說，亦猶詩經之有魯故、魯說，老子之有老子傅氏經說、老子徐氏經說、劉向說老子（並見漢志），皆是爲之訓釋解故之作也，絕非同一書者。且夫所謂「別裁」之義，蓋所以「裁其篇章」，「別出門類，以辨著述源流」也，然則，中庸既已在禮記之中，而漢志又並列中庸說與禮記（記百三十一篇）於同一門類（禮類）之中，信如張氏之說，中庸說與中庸卽是一書，實亦不合「別出門類」之義例者。然則，中庸說之與中庸，既非一書，且又不合「別出門類」之體例，是以中庸說裁自禮記之說，不可信也。

其二，「別裁」之說，既由章學誠氏提出，則「別裁」之義，自亦當以章氏之說爲其依據，今考章氏於校讎通義內，屢言「劉歆裁其某某篇入某某」，又言「裁其篇章」，「別出門類」，又言「有見於學問流別而爲之裁制」，然則，所謂「別裁」，當是部次群書者，積極而主動，自某書之中，裁出其若干篇，轉而著錄於另一門類之中，似此，方得謂之爲別裁。今考史記五帝本紀索隱引別錄云：「孔子見魯哀公，問政，比三朝，退而爲此記，故曰三朝，凡七篇，並入大戴禮。」三國志秦宓傳注、北堂書鈔卷九十九、藝文類聚卷五十五引七略云：「孔子三見哀公，作三朝記七篇，今在大戴禮。」王先謙漢書補注於弟子職一篇下引沈欽韓云：「今爲管子第五十五篇，鄭曲禮注引之，蓋漢時單行。」夫二劉云「並入」、云「今在」，沈氏云「今爲」，明非三朝記、弟子職本在大戴禮管子書內，推之內業，亦同此理，當是其書先有單行之本，流傳於世，（沈云鄭注曲禮引弟子職可證。）及後世編大戴禮管子書者，乃復取而入之。（故劉歆七略，以彼等又爲單行獨立之書，乃復予以著錄於同一門類之中。）要之，必非班氏漢志「有見於學問流別」，主動「裁其篇章」，「別出門類」者也。此與章氏別裁之義，截然有異，而張氏乃據此數書，以爲漢志「別裁」之證，不亦謬乎？此姑論其大略，不遑詳說，予另有「目錄家別裁說平議」一文，刋於書目季刋六卷三四期中，於此問題，論述較繁，可供參稽。

數書合列例

叢書之興，論者多以爲始於宋代俞鼎孫之儒學警悟，而一人自著之書，而有叢書之名者，則始於唐代陸龜蒙之笠澤叢書。而張氏以爲，漢志六藝略禮類有「記百三十一篇」，乃「七十子後學者所記也。」是卽叢書之權輿，「雖不標叢書之目，而實有具叢書之體者。」又以諸子略中道家太公二百三十七篇，儒家劉向所序六十七篇、揚雄所序三十八篇，爲後世自著叢書之權輿。

今按信如張氏所言，則詩經尙書，皆不成於一人之手，至其內容，亦包羅甚廣，詩有十五國風、大小雅、三頌之別，書有典謨誥令誓命之分，復有虞夏書、商書、周書之異，當亦可謂之爲「不標叢書之目，而實有具叢書之體者」矣，其所成書，皆早於大小戴記，豈不尤可視爲叢書之權輿乎？降及後世，管晏孟莊、呂覽淮南，此類之書，其數多矣，論者皆以爲後學所記，不出於一人之手，則亦皆可目之爲叢書乎？

且夫漢志之作，删自七略，七略之成，沿自別錄，向歆之校書也，羅異本、去重複、別篇章、辨目次、校訛文、定書名，其如戰國策一書，蓋亦不出一人之手者，至其書名，「或曰國策，或曰國是，或曰短長，或曰事語，或曰長書，或曰修書。」（戰國策書錄）而劉向既合衆本爲一書，定名爲戰國策矣，七略著錄，亦唯題其一書之名，班氏漢志，遂循用而弗改，詩書管晏呂覽等書之裒撰，其理蓋亦莫不如是，此與後世叢書，一部之中，兼包各書，分題各書之名者，截然有異。張氏此條，以「記百三十一篇」爲「數書」合列，已自不妥，況欲視爲叢書之權輿，不更謬乎？

至於一人所著之書，名目甚多者，漢志偶亦連舉而合列之，劉向所序六十七篇，班氏注云：「新序、說苑、世說、列女傳頌圖也。」書本不在別錄之內，而劉歆七略新入之書也，（證以班氏於書類新入「劉向稽疑一篇」可知）揚雄所序三十八篇，班氏注云：「太玄十九、法言十三、樂四、箴二。」書本不在七略之中，而班氏漢志新入之書也，（儒家類末班注「入揚雄一家三十八篇」可證）然則二書並屬新入之書，故皆附於儒家之末，不及分別著錄矣。（小學類新入揚雄蒼頡訓纂一篇，亦與杜林之書，並附小學類之末。）至如道家類太公二百三十七篇復云：「謀八十一篇、言七十一篇、兵八十五篇。」此與後世莊子之分內外雜篇，性質略異，大體相近，皆屬一人之書，故總題一書之名，亦略示分類之義而已，不可指爲「數書」之合列也。否則，劉向之書，如五行傳記十一卷、賦三十三篇，揚雄之書，如訓纂一篇、賦十二篇，亦皆見於漢志者，班氏何爲不「連舉而合列之」，綜聚一處乎？張氏欲以太公、劉向所序、揚雄所序等書，爲漢志「數書合列」之例，爲「後世自著叢書之權輿」，要非班氏之意也。

帝王著作各冠當代之首例

張氏此條，枚擧儒家類高祖傳、孝文傳爲例，以爲漢志之中，帝王著作，各冠當代之首，並謂「其後隋志以歷代帝王著作冠於各代之首，四庫全書總目亦列康、雍、乾御撰之書於各類淸儒著述之前，皆漢志遺規也。」

今按班氏於高祖傳注云：「高祖與大臣述古語及詔策也。」於孝文傳注云：「文帝所稱及詔策。」是則高祖傳與孝文傳，不過記錄高祖、文帝之詔策對語而已，明非高祖、文帝所自撰，其與後世帝王所撰之詩文別集或古籍注解，自屬有異，謂之爲「帝王著作」，無乃不可乎？（如此而爲著作，則凡歷代帝王，無人不當有著作矣。）

今考漢志於高祖傳與孝文傳之著錄，與隋志及四庫總目以帝王所作各冠「當代」之首，其例並不相同，蓋所謂「當代」者，應是朝代之總名，而非帝號之殊稱，故隋志別集類於魏武帝集、魏武帝集新撰、魏文帝集、魏明帝集，皆相係而總冠於魏代著作之首。晉宣帝集、晉文帝集，皆相係而總冠於晉代著作之首。宋武帝集、宋文帝集、宋孝武帝集，皆相係而總冠於宋代著作之首。梁武帝集、梁武帝詩賦集、梁武帝雜文集、梁武帝別集目錄，梁武帝淨業集、梁簡文帝集、梁元帝集、梁元帝小集，皆相係而總冠於梁代著作之首。四庫總目別集類於聖祖仁皇帝御製初集、二集、三集、四集，世宗憲皇帝御製文集，亦相係而總冠於清代著作之首。總集類御選詩文亦相係而總冠於清代著作之首。

然則，設漢志之中，果有斯例，以帝王著作，冠於當代之首，何以孝文之傳，不相係於高祖之後，而次於陸賈、劉敬二書之後哉？且詩賦略有「上所自造賦二篇」，師古曰：「武帝也。」然則武帝之賦，何以不爲次於漢賦之首，賈誼、枚乘、司馬相如等人之前，而次於吾丘壽王賦、蔡甲賦之後，兒寬賦、張子僑賦之前歟？

張氏嘗謂漢志之中，書籍之相次，依時代爲先後，（見釋例「依時代爲先後例」）然則，此高祖、孝文之傳，武帝之賦，亦各依時代爲先後之例耳，張氏云：「陸賈劉敬，高祖時人，故次之高祖之下，孔臧賈誼，生值孝文，故著於孝文之末。」此非依時代相次之例而何？夫帝王著作，各冠於當代之首者，蓋所以尊之也，如漢志以孝文傳、武帝賦雜置於諸臣之間，不過各依時代相次而已，又何尊之有乎？

四庫總目凡例之七云：「漢書藝文志以高帝文帝所撰雜置諸臣之中，殊爲非體，隋書經籍志以帝王各冠其本代，於義爲允，今從其例。」凡例之二云：「其歷代帝王著作，從隋書經籍志例，冠各代之首。」四庫館臣，蓋亦深知漢志之中，絕無斯例者也。而張氏於此條之末，深斥四庫館臣之陋，以爲「直並漢志，亦未細讀」，則不免責之過當也！

以類相從例

張氏以爲，「漢志叙次群書，大半以類相從，秩然無混。卽開卷六藝略易類言之，可以推知其例，首著易經十二篇，以下卽標易傳、災異、章句三目。」「中唯古五子十八篇、淮南道訓二篇、古雜八十篇、雜災異三十五篇、神輸五篇、圖一，介在丁氏八篇、孟氏京房十一篇之間，殊爲錯雜不倫。全祖望讀易別錄以古五子及古雜、雜災異、神輸之類，皆通說陰陽災異及占驗之屬，漢志誤入經部。」而張氏則以爲，「漢志自分條刋刻以來，割裂破碎，多非本來舊第。」（此言承自姚振宗氏）「易類此四種書，或原本在災異之下，而後人錯亂之，未可知也，全氏必斥爲誤列，似亦太過。」

今按古五子者，班氏注云：「自甲子至壬子，說易陰陽。」初學記卷二十一引劉向別錄云：「所校讐中易傳古五子書，除復重，定著十八篇，分六十四卦，著之日辰，自甲子至於壬子，凡五子，故號曰五子。」又淮南道訓者，班氏注云：「淮南王安，聘明易者九人，號九師說。」初學記卷二十一引劉向別錄云：「所校讐中易傳淮南九師道訓，除復重，定著十二篇，淮南王聘善爲易者九人，從之採獲，故中書署曰九師書。」文選齊竟陵文宣王行狀注引劉歆七略云：「易傳淮南九師道訓者，淮南王安所造也。」今考劉班等於此二書，（班氏之注，當係損益二劉之言而成者，證以向歆班固論淮南道訓之言，損益之跡，脈絡可尋。）或謂之爲「說易」「明易」，或謂之爲「易傳」「分六十四卦」，然則此二書者，明是易傳解詁之屬，其於七略漢志之中，著錄次第，蓋亦無殊，當是並「蒙上文易傳二字」者也。然則張氏以爲「易類此四種書（承全氏所指四種）或原本在災異之下」者，亦當分分別言之，古雜、雜災異、神輸三種，或當依張氏所謂，次於災異之下，唯古五子本爲說易之書，則當與淮南道訓並入易傳之下，方屬合宜。至於全祖望氏讀易別錄所論，姚振宗氏已謂全氏「欲借端以詰難經義考，其意有在非爲本志而發，置之不論可也。」（漢書藝文志條理）

張氏於此條之中，又云：「儒家平原君七篇，班氏自注云，朱建也，考朱建爲漢初人，其書不應廁魯連、虞卿之間，今本次第，蓋後人誤以爲六國時平原君而移易之，沈欽銅熨斗齋隨筆已言之矣。」是亦後人改易漢志敍次之一例。今考姚振宗氏漢書藝文志條理，亦嘗謂「平原君一家，舊當在漢人之中」，「當在孝文傳之後」，「爲後人妄移次第」，其意與沈氏張氏等並同。

今按班氏既明言「朱建」，後人無庸誤爲趙勝，而改易漢志敍次之理，予疑此平原君者，當是趙勝，而非朱建也。徵諸史記，趙勝與魯仲連虞卿爲並時之人，趙孝成王時，秦將白起破長平軍，圍邯鄲，魏安釐王使新垣衍閒入邯鄲，因平原君趙勝謂趙王，使尊秦昭王爲帝，于是魯仲連乃往見平原君，請爲責之，衍遂不敢復言帝秦矣，其邯鄲之圍時，虞卿適爲孝成王相，與謀國政，然則，趙勝與魯仲連虞卿二人，既並同時，則七略著錄平原君一書於魯仲連子虞氏春秋之間，正得其所，蓋卽張氏所謂「依時代爲先後」之例也。（設如平原君一書，七略舊次，卽在漢人之中，就朱建而言，則時代正合，無所疑似，班氏無庸更注朱建其名之理，是知後人改易平原君舊次之說，爲不可信，平原君之在魯仲連子與虞氏春秋之間，蓋七略敍次，原本如是，班氏漢志，當亦循而未改也。）漢志兵書略有魏公子二十一篇，蓋「諸侯之客進兵法，公子皆名之，故世俗稱魏公子兵法。」然則趙勝名下之有述作，不足異也。且史記嘗謂魯仲連「好奇偉俶儻之畫策」，謂虞卿爲「游說之士」，漢志並入之儒家類中，則趙勝之書，列之儒家，亦何爲不可乎？及班氏刪七略，以爲漢志，或涉漢人姓氏而誤注「朱建」之名，而諸家承之，亦別無佐證，則是寧信班氏之注，不信七略之書矣，予爲此說，雖前無所承，然自信或不謬於古人之用心也。

於敍次中寓微旨例

張氏以爲，「儒者之效，在能匡時濟物，以有爲於當世，其次則貴明教化，以助熙平之治。」故「漢志儒家首列晏子，已隱然示人以大儒之效。」自子思以下十三家，皆各懷淑世之術，非後來敷演空論之比。自內業至功議，七家之書，「大抵經世布政之通論」，自寧越至虞氏春秋，十一家書，「明此諸子者，雖非仲尼之徒，猶足以獻策諸侯，立名當世，與漢世儒生大殊。」至於儒效之隱，則「原於漢世」，故漢志著錄群書，「其於漢儒之前，七十子之後，必以此十八家之書居其間，蓋以明儒效，自廣而狹，自著而微之迹耳。」此卽「劉班校錄群書時，辨章學術之精意」，「於叙次中寓微旨」，「非深通乎道術之原者，曷足語此」，「第未易爲世俗淺夫道耳。」

今按張氏旣有「依時代爲先後例」，則此儒家之叙次，亦不過一依時代先後爲之相次而已，初無微旨可寓。若謂自內業至虞氏春秋，十八家書，卽是劉班有意「以明儒效，自廣而狹，自著而微之迹」，則亦不過儒者致用之迹，恰隨時代變易，益爲隱晦而已，當非劉班著錄，有意如此相次群書也，不然，設如儒者之效，果屬自微而著，自狹而廣，然則，劉班亦將以此十八家書，自內業至虞氏春秋，反其時代而著錄乎？亦將以此儒家之書，自晏子至揚雄所序，反其時代而著錄乎？是必不可通者。

至於張氏所謂「史遷爲儒林傳，以紀當世經生，蓋嘲之也」者，則尤爲無稽之談，考太史公自序云：「自孔子卒，京師莫崇庠序，唯建元元狩之間，文辭粲如也，作儒林列傳第六十一。」儒林傳正義引姚承云：「儒林，謂博士爲儒雅之林，綜理古文，宣明舊藝，咸勸儒者以成王化者也。」夫史公明言建元元狩之間，文辭粲如，故作儒林列傳，以記一代儒學自衰及盛而已，姚承所釋，理正宜然，何嘗有意譏嘲之哉？大抵張氏好爲新異之說，立意過高，遂不免强古人以就己意也。

抑予之讀張氏此條也，猶有不容已於言者存焉，蓋致用之說，亦難言矣，卽就班志儒家所列漢世儒者言之，如陸賈者，「固當世之辯士」，嘗使南越，卒使南越稱臣以歸，又於陳平絳侯之間，「和調將相」，「及誅諸呂，立孝文帝，陸生頗有力焉。」著書凡十二篇，號曰新語，「述存亡之徵」，然則，此非儒者之效乎？

如劉敬者，過洛陽，說高帝，「脫輓輅一說，建萬世之安」，然則，此非儒者之效乎？

如賈誼者，「年二十餘，文帝詔以爲博士」，「每詔令議下，諸老先生不能言，賈生盡爲之對」，「劉向稱賈誼言三代與秦治亂之意，其論甚美，通達國體，雖古之伊管，未能遠過也，使時見用，功化必盛。」然則，此非儒者之效乎？

如董仲舒者，「凡相兩國，輒事驕王，正身以率天下，數上疏諫爭，教令國中，所居而治。」「仲舒在家，朝廷如有大議，使使者及廷尉張湯就其家而問之，其對皆有明法。」「及仲舒對冊，推明孔氏，抑黜百家，立學校之官，州郡舉茂材孝廉，皆自仲舒發之。」然則，此非儒者之效乎？

如公孫弘者，「爲學官，悼道之鬱滯」，故請於武帝，「爲博士官置弟子五十人」，廣興儒學，「自此以來，則公卿大夫士吏，斌斌多文學之士矣。」然則，此非儒者之效乎？

若此諸儒，寧非「經世布政」，「匡時濟物」，「立名當世」，「以助熙平之治」者歟？以視乎孟軻之「轍環天下，卒老於行」，荀卿之「逃讒于楚，廢死蘭陵」者，其儒者之效，又何如哉？而張氏乃深譏漢之儒生，以爲儒效之隱，原於漢世，是豈公論哉？

經典不標作者主名例

張氏以爲，「漢志於六藝本經，率不標作者主名，而惟於傳訓章句，詳擧姓字，非數典而忘祖也，世遠年湮，不能直指爲何人，寧缺毋誤，蓋愼之耳。」

今按班氏漢志總序，明謂刪自七略，以備篇籍。然則，藝文志中，「經典不標作者主名」，當亦班氏承自劉歆七略之舊而已，（七略則承自別錄）要非班氏有意爲之不標作者主名者也，此義，張氏本亦知之，張氏於所撰廣校讐略卷二，嘗論古初著述不自署名之故，有云：「漢志於六藝本經，率不標作者主名，斯蓋向歆父子部次群書時原本如此，班氏循而未改，實隱然示人以辨章學術之意。」其言甚是，然則，張氏廣校讐略一書先成（始印於一九四五年），漢書藝文志釋例後刊（始印於一九四六年），於此例也，其初謂漢志有循於七略，其後乃意指班氏之自創，改易前言，轉陷謬誤，要之，皆是過崇漢志，欲其兼具衆美於一身之故也，乃不覺其立說之未能一致。

姓字上署職官例

張氏以爲，「古人爲書，多無大題，著錄之際，倉卒不得其書名，乃取其人姓字以當書號，復恐姓字或有雷同，遂幷其職官盡載之，蓋所以示區分也。」

今按張氏此條，擧以爲證者，計諸子詩賦二略中三十種書，皆姓字上加署職官之名者，就中除縱橫家之秦零陵令信一篇之外，其餘二十九種，其作者率皆漢代本朝之官吏，此由班氏自注及書籍敘次先後，可以知之。

然而此條，設如張氏所說，書名上加署職官，乃是唯恐姓字或有雷同。所以示其區分者，則有三事，將不得其解者：

其一：漢志之中，作者有職官可考者，爲數極多，卽以班氏自注明擧其職官者言之，如魏相、左丘明、鐸椒、虞卿、李斯、趙高、胡母敬、晏子、李克、孫卿子、管子、商君、申子、墨子、龐煖、伍子胥、由余、氾勝之、蔡癸、虞初、范蠡、文種、師曠、萇弘等，多非漢代本朝之官吏，然則，何以班氏漢志，於本朝官吏，多署官銜於書名之前，而於前代官吏，則或於注中明之？

其二，如謂人名或有雷同者，班氏乃加職官，以示區分，然而班氏旣於儒家平原君一書下注明「朱建」矣，則於姓字有雷同疑似者，更倣其例，一體加注，豈不良佳，何必一一爲之加署職官，與志中其他書籍相較，寧非自亂其例哉？

其三，今考班氏所舉書名上署職官者三十種書，徵之漢志，何以並無一書其作者姓字有與他人雷同疑似者？（儒家孔臧與詩賦略之孔臧爲一人，班氏已並署職官之名，唯詩賦略之馮商與春秋類之馮商實係一人，何以詩賦略中加署職官，春秋類中又不署職官？豈非自亂其例，尤易使人誤以兩馮商爲二人也。）反之，漢世傳易者，有兩京房，一爲太中大夫，楊何之弟子也，一以孝廉爲郎，字君明，焦延壽之弟子也，（二人事蹟見漢書儒林傳與京房傳）然則，此蓋姓字雷同，最易使人疑似涉誤者也，何以班氏於六藝略易類孟氏京房十一篇、災異孟氏京房六十六篇、京氏段（當作殷）嘉十二篇上，不爲加署職官之名，以示區分哉？

以上三事，皆屬不得其解，使人不能無疑者，予意以爲，姓字（書名）上加署職官，七略漢志之中，以見於詩賦略者爲多，（此條，七略漢志可以合論，漢志當承七略之舊而已。）或是劉班以爲本朝大臣，尊而稱之，（秦零陵令信，或亦由秦入漢之官。）或是文人別集，自署官稱，如後人之以官名諡號爲集名之例者，劉班不過就其已成之書名，加以著錄而已，蓋已不可詳知，要之，恐非班氏有意加署職官，以示區分者也。

書名從後人所定者標題例

張氏以爲，「漢志著錄群書，仍用作者原題，此正例也。」其變例有二，「一曰據劉向新定之名而標題」，如戰國策淮南從劉向所新定者是也，「二曰遵時人習用簡稱而標題」，如晏子春秋雋永從時人習用而稱晏子蒯子者是也。

今按漢志總序，班氏自謂藝文一志，刪自七略，以備篇籍，戰國策淮南之名，旣定於劉向校書之時，（今存劉向戰國策叙錄及高誘淮南子注序可證，張氏亦嘗引以爲說。）然則劉歆七略，上承別錄，無庸不用其父所定新名之理，及至班氏漢志，不過沿用七略之舊名而已。（班氏之於七略，除增省出入者，多以自注說明之外，其餘書籍著錄，一仍七略舊貫，不加改易，此則前人之述備矣。）是則戰國策淮南二書之名，謂之爲劉歆七略從劉向所定者則是，謂之爲班氏漢志從劉向新定者，則仍未達一間，此兩者，差異雖微，要不能不爲之分別，張氏嘗云：「班氏志藝文，雖原本七略，然其爲例有不盡同七略者。」今七略已佚，後人固可就漢志一書，以窺探七略之大旨，（如章學誠氏就漢志以討論七略義例）而考究班志者，則當謹守漢志之藩籬，其義例之同於劉歆者，固可取與七略，比合而觀之，苟不礙於七略之義例，則亦可逕題漢志之名，論班卽所以論劉者。（如張氏以時代爲先後例，以類相從例，姓字上署職官例等，七略漢志其例並同。）其義例之異於劉歆者，則當仍與七略，各歸本類，分別而觀之，使無相混淆也。（如張氏不錄祖先書例、七略類例不明者重爲釐定例、書名下不錄解題例、彼此互著例等，則不宜與七略合併觀之矣。）然則，張氏此條，討論漢志之例，而又駸駸然入於七略之畛域，無乃不可乎？

至謂晏子春秋雋永乃遵時人習用簡稱而標題爲晏子蒯子，則亦未爲盡是者，蓋秦漢著述，往往以人名爲書名，其人所著之書，卽以其人之名名之，漢志之中，此例頗多，卽以史記漢書列傳中書名有徵，而漢志改從作者之名者言之，陸賈新語，漢志但名陸賈，賈山至言，漢志但名賈山，賈誼新書，漢志但名賈誼，是則以人名爲書名，當是秦漢時人「習用」慣例，而非爲「簡稱」之名也，否則，晏子春秋固可因簡而稱晏子，雋永五篇，漢志名爲蒯子，則未知如何簡稱之法也。且晏子蒯子之名，要亦由於七略承用在先，漢志沿襲於後也，並以屬之漢志，無乃不可乎？

丙、餘　論

張氏於釋例之首，嘗自述撰寫玆篇之故，蓋始於不滿孫德謙氏漢書藝文志舉例一文，故乃重爲撰著，並謂釋例之作，「大半爲孫氏所不及道，其於先儒簿錄群書之旨，或有合焉。」又謂「學者苟能取孫書並觀之，必恍然知劉班之例，固在此而不在彼也。」是則張氏釋例之作，其面貌內容，實當大異於孫氏之作，方屬合理，否則，如僅爲前人補苴罅漏，訂正訛謬，是不必煞費周章，別自經營，另立門戶者矣。

然而，細讀張氏之作，乃覺釋例一書，其同於孫氏而取於孫氏之例者，誠亦不在少數，至與孫例有所差異之處，則又互有得失，未可全指孫氏為謬者。

茲乃剌取張孫二氏之例，較其大略，究其沿襲，蓋亦張氏所謂「取孫書並觀」之意也，然後乃知張氏所謂「劉班之例，固在此而不在彼」者，初亦未為不移之論也。

張氏釋例，凡三十事，孫氏舉例，凡四十六事，而張孫二氏之作，並皆未加標號，不利指稱，以下所論，謹據兩篇目次，各為標舉目碼，俾便省覽。茲先略說張氏釋例與孫氏舉例之異同承襲，而後更列表以明之。

一、張氏之例同於孫氏者

A 幾乎全部承自孫氏之例者

⑤書名下不錄解題例　⑥彼此互著例　⑦單篇別行例　⑨每類之末用總結例　⑩每略之末用總論例　⑭每類中分標子目例　㉑標注書中大旨例　㉒標注書中篇章例　㉙疑不能明者加注例

B 大體承自孫氏之例者

④七略類例不明者重為釐定例　⑧數書合列例　⑬以類相從例　⑱姓字上署職官例　⑲

書出衆手者署名例　⑳書名從後人所定者標題例　㉔標注作者行事例　㉖標注作者時世例（二）　㉗人名易混者加注例　㉙書係依託者加注例

二、張氏之例不同於孫氏者

C張氏有，孫氏無，而張氏之例甚是者

①不錄見存人書例　⑪依時代爲先後例　⑮鈔纂之書各歸本類例　㉓標注作者姓名例
㉕標注作者時世例（一）　㉘書名易混者加注例

D張氏有，孫氏無，而張氏之例不可信者

②不錄祖先書例　③未成之書依類著錄例　⑫帝王著作各冠當代之首例　⑯於敍次中寓微旨例　⑰經典不標作者主名例

E張氏無而孫氏有之例

例略，見附表。

茲就前列資料，更爲分析於後：

（一）孫氏舉例之作，先於張氏釋例而成，張氏釋例，又爲不滿孫氏舉例而作，是則張氏之於孫例，必先爲之熟讀深思，而後乃能識其利病得失者，然則張氏釋例之中，其有同於孫氏之例者，逕視爲張氏沿承孫氏之例，當屬極其自然之事。

（二）茲就大略比較所得，則知張氏釋例，其A項，幾乎全部承自孫氏舉例者，凡得九條，佔釋例30％，其B項，大體承自孫氏舉例者，凡得十條，佔釋例33.3％。又張氏釋例，不同於孫氏舉例，（張氏有孫氏無，屬於張氏自爲之例）其C項，張氏所言甚是者，凡得六條，佔釋例20％，其D項，張氏所言不甚可信者，凡得五條，佔釋例16.7％。

（三）綜而言之，張氏釋例一書，其承沿於孫氏舉例舊作者，凡得一十九條，佔釋例全書63.3％過於半數甚遠。其屬張氏自爲之例，凡得十一條，佔釋例全書36.7％，不及半數，設更去其自爲而不甚可信之例，則爲數更屬稀少矣。

（四）就A項而言，張氏之例，雖則幾乎全部承自孫氏，而亦可分別說之，其一，漢志之例，義極明顯，盡人可知者，如⑤⑨⑩㉒等條皆是也。其二，孫氏之例甚是，而張氏亦承沿其是者，如⑭㉑㉚等條皆是也。其三，孫氏之例謬誤，而張氏亦承沿其謬誤者，如⑥⑦等條皆是也。

（五）就B項而言，張氏之例，雖則大體承自孫氏，而亦可分別說之，其一，孫氏之例甚是，而張氏大體承沿其是者，如⑲㉔㉖㉗㉙等條皆是也。其二，孫氏之例謬誤，而張氏亦大體承沿其謬誤者，如⑧⑳等條皆是也。其三，孫氏之例不誤，而張氏承沿之，又加引申，乃因而錯謬者，如④⑬⑱等條皆是也。

（六）就C項而言，張氏之例，不同於孫氏，（張氏有而孫氏無）然其例甚是，此則屬於張氏自爲之例，而較有價值者。就D項而言，張氏之例，不同於孫氏，（張氏有而孫氏無）然其例不盡可信，此則屬於張氏自爲之例，而甚爲謬誤者。

（七）至於E項，孫氏舉例所有，而張氏釋例所無者，亦可分別說之，其一，孫氏有，其例錯謬，而張氏不加取用，此則張氏明於趣捨，極有見地者。其二，孫氏有，其例甚是，而張氏不加擇取，此則張氏囿於主觀，先有成見者，未足爲法也。（張氏所無，孫氏所有之例，其甚非者，如「學派不同者可並列一類例」，其甚是者，如「書有圖者須注出例」，「一人事略先後不復注例」，此姑略舉，孫氏之例及其是非，皆見後表。）

以上乃就張氏之例與孫氏之例，較其異同，略論大端者，玆爲清晰起見，更列一表，以供參稽。（表中異同比較之符號，即採用前列所述之標號。）

張孫二例異同比較表

張氏釋例	孫氏舉例	異同比較	分析	張氏例有所謬誤者
①不錄見存人書例		C		
②不錄祖先書例		D		X
③未成之書依類著錄例		D		X
④七略類例不明者重爲釐定例	⑨稱出入例⑪稱省例	B	B 3	X
⑤書名下不錄解題例	①所據書不用條注例	A	A 1	
⑥彼此互著例	㉚互著例	A	A 3	X
⑦單篇別行例	㉙別裁例	A	A 3	X
⑧數書合列例	㉘一人之書得連舉不分類例	B	B 2	X
⑨每類之末用總結例	㊻用總結例	A	A 1	
⑩每略之尾用總論例	④辨章得失見後論例 ⑤每類後用總論例	A	A 1	

⑪依時代爲先後例		C		
⑫帝王著作各冠當代之首例		D		X
⑬以類相從例	⑧分別標題例	B	B 3	X
⑭每類中分標子目例	⑥一類中分子目例 ⑦分類不盡主子目例	A	A 2	
⑮鈔纂之書各歸本類例		C		
⑯於敘次中寓微旨例		D		X
⑰經典不標作者主名例		D		X
⑱姓字上署職官例	㊷書名上署職官例	B	B 3	X
⑲書出衆手者署名例	⑫稱等例 ㉗一書爲數人作者其姓名並署例	B	B 1	
⑳書名從後人所定者標題例	㉒書名與篇數可從後人所定著錄例 ㊹書名省稱例	B	B 2	X
㉑標注書中大旨例	③一書下絜大旨例	A	A 2	
㉒標注書中篇章例	㉕書中篇章須注明例	A	A 1	

㉓標注作者姓名例		C		
㉔標注作者行事例	⑱尊師承例⑲重家學例 ⑳書有傳例㉛引古人說以見重例	B	B 1	
㉕標注作者時世例（一）		C		
㉖標注作者時世例（二）	⑩稱並時例 ㊳前後敍次不拘例	B	B 1	
㉗人名易混者加注例	㊶人名易混者加注例	B	B 1	
㉘書名易混者加注例		C		
㉙書係依託者加注例	㉝其書後出言依託例	B	B 1	
㉚疑不能明者加注例	㉔書無撰人定名可言似例 ㉞不知作者例㉟不知何世例	A	A 2	
	②刪要例	E	E 2	
	⑬稱各例	E	E 2	
	⑭稱所加例	E	E 2	
	⑮稱所續例	E	E 2	

	⑯書有別名稱一曰例	E	E2	
	⑰此書與彼書同稱相似例	E	E2	
	㉑書爲後人編定者可並載例	E	E1	
	㉓學派不同者可並列一類例	E	E1	
	㉖書有圖者須注出例	E	E2	
	㉜引或說以存疑例	E	E2	
	㊱傳言例	E	E2	
	㊲記書中起訖例	E	E2	
	㊴一人事略先後不複注例	E	E2	
	㊵書缺標著例	E	E2	
	㊸自著書不列入例	E	E1	
	㊺篇卷省稱例	E	E2	

說明：

A 1 代表漢志之例，義極明顯，盡人可知者。

A2代表張氏之例同於孫例而是者。
A3代表張氏之例同於孫例而非者。
B1代表張氏之例大體同於孫例而是者。
B2代表張氏之例大體同於孫例而非者。
B3代表孫例不誤，張氏大體承之，又加引申，乃因而錯誤者。
E1代表孫例有（張例無）而非者。
E2代表孫例有（張例無）而是者。
X　代表張例之謬誤者。

張氏漢志釋例之作，就其大體而言，亦有勝於孫氏學例者，一在於張氏之分別甄審、著錄、敍次、標題、注記五門，眉目清晰，遠過於孫氏舊例之繁蕪，二在於敍目較有層次，條理井然，亦愈於孫氏舊例之錯雜，三在於徵引書籍，多用引號，標點清晰，使人易於識別，亦優於孫氏舊例之棼亂。

要之，張氏釋例之作，較之孫氏學例，踵事增華，後出轉精，本屬當然之事，尤以注記一門，最爲精審，吾無間言，設以孫張二例之中，必不得已，去其一焉，則去彼取此，蓋無疑義。

然而，張氏釋例之作，承沿自孫氏學例者，既已甚多，承沿自孫氏之謬誤者，亦復不少，論其大體，雖稍優於孫氏之舉例，然必謂「劉班之例，固在此而不在彼」，則不可也，必謂釋例一書，「大半爲孫氏所不及道」，則尤不可也。

大凡古人著書，往往不自標凡例，是以釋例一類作品，原本在闡述古人既有而未顯言之體制，是以釋例一類作品，就其基本方法而言，當多採歸納，而少用演繹，歸納所得之例證愈多，則其所獲結論，亦將愈爲近乎眞理，否則，僅憑單文孤證之演繹，則罕有不爲主觀成見所蒙蔽者也。因之，釋例之撰，是乃敍述，而非創作，作者曰聖，述者曰明，本屬截然分途，然而，中國學者，自來輒喜託古改制，往往以述爲作，不肯自著一書，往往假諸古人之書，以寓寄其一己之理想，明是本身創見，乃多託之古人，反謂古已有之，唯以述者自居，故其所述，則又距離古人之眞象，往往相去甚遙，是不免以己之所窺，强坐爲古人已然之見也。

設就此意論之，則孫氏舉例之作，雖亦「規規於史家筆法及修志義例」，而論其發明古人義例，則大體尚屬平正，其謬誤反較少者，而張氏釋例，則於漢志一書，推之過高，求之過深，且又欲寓作於述，於述古之中，寓其創新之意，乃不免務於新奇，有心立異者矣，此實張氏偏蔽之癥結所在，此所以本篇於「商榷」之中，所釐正者，亦以張氏過於主觀，强古人以就己意者爲多也。

〔附　注〕

一、廣校讎略一書，一九四五年刊行，僅刷印五百部，故流布甚稀。「漢書藝文志釋例」一篇，一九四六年嘗刊入張氏所撰之積石叢稿。一九六三年四月北平中華書局重刊廣校讎略，張氏乃以漢書藝文志釋例、毛詩故訓傳釋例、世說新語注釋例三文，附於是書之末，一併刊行。

二、孫氏漢書藝文志舉例，開明書店曾收入二十五史補編之中，一九三六年出版。

（原刊於新加坡新社學報第五期）

四　隋書經籍志總序箋證

目錄之作，自向歆父子，始剏七略，洎乎隋志，併爲四部，於是大綱遂定，沿襲至今，其用弗替，是以目錄類例之分合，亦以漢隋之間，最稱難識，隋志總序一篇，所敘目錄之淵源，典籍之聚散，類例之沿革，絜其綱維，推揆綦詳，綜茲一篇，不啻有唐以前之目錄簡史，蓋眞能總持少文而攝多義者也，昔者，姚振宗氏嘗有隋書經籍志考證之作，網羅宏富，論斷精審，言隋志者，至於姚氏，蔑以尚矣，顧姚氏於總序一篇，略而不錄，無所論述，茲乃徵引史實，爲之箋證，並分段標題，釐爲十目，用便觀覽，其有義涉疑似，則隨文考釋，期於允當，治目錄者，亦將有取於此乎？

一、論經籍之用途

夫經籍也者，機神之妙旨，聖哲之能事，所以經天地，緯陰陽，正紀綱，弘道德。

按後漢書梁竦傳：「以經籍爲娛。」孔安國尚書序：「博考經籍。」顏氏家訓書證篇：「博覽經籍。」故書中經籍連詞，似不甚早。

又按左氏昭二十五年傳：「禮，上下之紀，天地之經緯也，民之所以生也。」杜注：「經緯，錯居以相成者也。」左氏昭二十八年傳：「經緯天地曰文。」國語周語：「經之以天，緯之以地。」左氏哀六年傳：「今失其行，亂其紀綱。」禮記樂記：「作爲君臣父子，以爲紀綱。」

顯仁足以利物，藏用足以獨善，學之者，將殖焉，不學者，將落焉。

按易繫辭傳：「顯諸仁，藏諸用。」易乾文言：「利物足以和義。」孟子盡心：「窮則獨善其身。」左氏昭十八年傳：「夫學，殖也，不學，將落。」

大業崇之，則成欽明之德，匹夫克念，則有王公之重；其王者之所以樹風聲，流顯號，美教化，移風俗，何莫由乎斯道？

按易繫辭傳：「富有之謂大業。」書堯典：「欽明文思安安。」詩大序：「故正得失，動天地，感鬼神，莫近於詩，先王以是經夫婦，成孝敬，厚人倫，美教化，移風俗。」論語雍也：「子曰，誰能出不由戶，何莫由斯道也。」

故曰，其爲人也，溫柔敦厚，詩教也；疏通知遠，書教也；廣博易良，樂教也；絜靜精微，易教也；恭儉莊敬，禮教也；屬辭比事，春秋教也。

按此全用禮記經解篇孔子之語，以言經籍化民之效也。

遭時制宜，質文迭用，應之以通變，通變之以中庸，中庸則可久，通變則可大。

按論語雍也：「子曰，質勝文則野，文勝質則史，文質彬彬，然後君子。」易繫辭傳：「廣大配天地，變通配四時。」又：「易窮則變，變則通，通則久。」又：「易知則有親，易從則有功，有親則可久，有功則可大。」

其敎有適，其用無窮，實仁義之陶鈞，誠道德之橐籥也，其爲用大矣，隨時之義深矣，言無得而稱焉。

按史記鄒陽列傳：「是以聖王制世御俗，獨化於陶鈞之上。」索隱引張晏曰：「陶，冶也，鈞，範也，作器下所轉者爲鈞。」老子：「天地之間，其猶橐籥乎。」易隨彖辭：「隨之時義大矣哉。」論語泰伯：「子曰，泰伯，其可謂至德也已矣，三以天下讓，民無得而稱焉。」

故曰，不疾而速，不行而至，今之所以知古，後之所以知今，其斯之謂也。

按易繫辭傳：「唯神也，故不疾而速，不行而至。」論衡謝短：「夫知古不知今，謂之陸沉。」又：「夫知今不知古，謂之盲瞽。」隋志以經籍名篇，故於志首，强調經籍之爲用焉。

二、論史官之職掌

是以大道方行，俯龜象而設卦，後聖有作，仰鳥跡以成文。

按易繫辭傳：「成天下之亹亹者，莫大乎著龜，是故天生神物，聖人則之。」又：「古者庖犧氏之王天下也，仰則觀象於天，俯則觀法於地，觀鳥獸之文，與地之宜，近取諸身，遠取諸物，於是始作八卦，以通神明之德，以類萬物之情。」

書契已傳，繩木棄而不用，史官既立，經籍於是興焉。

易繫辭傳：「上古結繩而治，後世聖人易之以書契，百官以治，萬民以察，蓋取諸夬。」

許愼說文敍：「黃帝之史倉頡，見鳥獸蹄迒之迹，知分理之可相別異也，初造書契，百工以乂，萬品以察，蓋取諸夬。」

孔安國尚書序：「古者伏羲氏之王天下也，始畫八卦，造書契，以代結繩之政，由是文籍生焉。」

按倉頡造字之說，旣不可信，則史官既立，經籍始興之說，毋乃無稽，然史官世守典籍，則是經籍旣興，史官而後典守之也。

夫經籍也者，先聖據龍圖，握鳳紀，南面以君天下者，咸有史官以紀言行。言則左史書之，動則右史書之，故曰，君擧必書，懲勸斯在。

竹書紀年：「黃帝祭於洛水。」沈約附注：「龍圖出河，龜書作洛，赤文篆字，以授軒轅。」

管子小匡：「昔人之受命者，龍龜假，河出圖，洛出書，地出乘黃。」

水經河水注：「粤在伏羲，受龍馬圖于河，八卦是也，後堯壇于河，受龍圖，作握河記，逮虞舜夏商，咸亦受焉。」

禮記玉藻：「天子玉藻……玄端而居，動則左史書之，言則右史書之。」

世本注：「黃帝之世，始立史官，蒼頡沮誦居其職，夏商時分置左右，故曰左史記言，右史記事。」

漢書藝文志春秋類小序：「古之王者，世有史官，君舉必書，所以愼言行，昭法式也，左史記言，右史記事，事爲春秋，言爲尙書，帝王靡不同之。」

左氏成十四年傳：「懲惡而勸善。」後漢書仲長統傳：「信賞罰以驗懲勸。」

按龍圖風紀，傳說而已，不足深信。

考之前載，則三墳、五典、八索、九丘之類是也。

孔安國尙書序：「伏羲神農黃帝之書，謂之三墳，言大道也；少昊顓頊高辛唐虞之書，謂之五典，言常道也。」又：「八卦之說，謂之八索，求其義也；九州之志，謂之九丘，丘，聚也，言九州所有，土地所生，風氣所宜，皆聚此書也。」

釋名釋典藝：「三墳，墳，分也，論三才之分，天地人之治，其體有三也。五典，典，鎭也，制法所以鎭定上下，其等有五也。八索，索，素也，著素王之法，若孔子者，聖而不王，制此法者有八也。九丘，丘，區也，區別九州土氣，敎化所宜施者也。此皆三王以前，上古義皇時書也，今皆亡，唯堯典存也。」

按凡此皆傳說之辭，不足徵信者。

下逮殷周，史官尤備，紀言書事，靡有闕遺。

按陳夢家氏殷虛卜辭綜述第十五章百官，記有二十餘種史官之名目，可知商代史官之多。

又按劉知幾史通史官建置：「蓋史之建官，其來尙矣，昔軒轅氏受命，倉頡沮誦，實居其職，至於三代，其數漸繁，案周官禮記，有太史小史內史外史左史右史之名。」周禮又有御史之名，而劉氏所述未嘗及此。

則周禮所稱，太史掌建邦之六典、八法、八則，以詔王治。

周禮宗伯太史：「掌建邦之六典，以逆邦國之治，掌法以逆官府之治，掌則以逆都鄙之治。」

鄭注：「六典、八法、八則，冢宰所建，以治百官，太史又建焉，以爲王迎受其治也。」

按據周禮冢宰，六典者，治典、敎典、禮典、政典、刑典、事典是也。八法者，官屬、官職、官聯、官常、官成、官法、官刑、官計是也。八則者，祭祀、法則、廢置、祿位、賦貢、禮俗、刑賞、田役是也。

小史掌邦國之志，定繫世，辨昭穆。

周禮宗伯小史：「掌邦國之志，奠繫世，辨昭穆。」又：「大祭祀，讀禮法，史以書敍昭穆之俎簋。」鄭注：「鄭司農云，志，謂記也，春秋傳所謂周志，國語所謂鄭書之屬是也，史官主書，故韓宣子聘于魯，觀書太史氏。繫世，謂帝繫世本之屬是也，小史主定之。」又：「大祭祀，小史主敍其昭穆。」

按孫詒讓周禮正義：「掌邦國之志者，謂掌王國及畿內侯國之史記，別於外史掌四方之志，爲畿外侯國之志也。」

內史掌王之八柄，策命而貳之。

周禮宗伯內史：「掌王之八柄之法，以詔王治，一曰爵，二曰祿，三曰廢，四曰置，五曰殺，六曰生，七曰予，八曰奪。」又：「凡命諸侯及孤卿大夫，則策命之。」鄭注：「策，謂以簡策書王命。」又：「副寫藏之。」

外史掌王之外令，及四方之志，三皇五帝之書。

周禮宗伯外史：「掌書外令，掌四方之志，掌三皇五帝之書，掌達書名于四方，若以書使于四方，則書其令。」鄭注：「王令下畿外。」又：「楚靈王所謂三墳五典。」

御史掌邦國都鄙萬民之治令，以贊冢宰。此則天子之史，凡有五焉。

周禮宗伯御史：「掌邦國都鄙及萬民之治令，以贊冢宰，凡治者受法令焉，掌贊書，凡數從政者。」鄭注：「王所以治之令，冢宰掌王治。」賈疏：「天官冢宰，六典治邦國，八則治都鄙，及畿內萬民之治，今此御史亦掌之，以贊佐，故同其事。」

按所謂天子之史凡有五者，指太史、小史、內史、外史、御史五者而言，不及左史右史。

諸侯亦各有國史，分掌其職，則春秋傳，晉趙穿弒靈公，太史董狐書曰：「趙盾殺其君。」以示於朝，宣子曰：「不然。」對曰：「子爲正卿，亡不越境，反不討賊，非子而誰？」

按靈公被殺，事在魯宣公二年，此用左氏傳語。

齊崔抒弒莊公，太史書曰：「崔抒弒其君。」崔子殺之，其弟嗣書，死者二人，其弟又書，乃舍之，南史聞太史盡死，執簡以往，聞既書矣，乃還。

按崔抒弒君，事在魯襄公二十五年，此用左氏傳語。

楚靈王與右尹子革語，右史倚相趨而過，王曰：「此良史也，能讀三墳、五典、八索、九丘。」

左氏昭十二年傳：「王出復語，左史倚相趨過，王曰，是良史也，子善視之，是能讀三墳、五典、八索、九丘。」杜注：「皆古書名。」

按左傳云「左史」，隋志云「右史」，當從左傳。

然則諸侯史官亦非一人而已，皆以記言書事，太史總而裁之，以成國家之典；不虛美，不隱惡，故得有所徵勸。

漢書司馬遷傳贊：「然自劉向揚雄，博極群書，皆稱遷有良史之材，服其善序事理，辨而不華，質而不俚，其文直，其事核，不虛美，不隱惡，故謂之實錄。」

按隋志史部簿錄類小序：「古者史官既司典籍，蓋有目錄以爲綱紀，體制湮滅，不可復知，孔子删書，別爲之序，各陳作者所由，韓毛二詩，亦皆相類，漢時，劉向別錄，劉歆七略，剖析條流，各有其部，推尋事迹，疑則古之制也。」章學誠校讐通義原道：「官守學業皆出於一，而天下以同文爲治，故私門無著述文字，私門無著述文字，則官守之分職，即群書之部次，不復別有著錄之法也。」考隋志與章氏之意，皆以爲古代官師合一，私門無學，則官守分職，即圖書之部次，以此而即以爲目錄之興起，蓋即源出於古代史官之掌守典籍。然隋志已言「體制湮滅，不可復知」，是所謂「史官既司典籍，蓋有目錄以爲綱紀」之說，亦係推測之辭而已。

遺文可觀，則左傳稱周志，國語有鄭書之類是也。

左氏文二年傳：「戰於殽也，晉弘御戎，萊駒爲右，戰之明日，晉襄公縛秦囚，使萊駒以戈斬之，囚呼，萊駒失戈，狼瞫取戈以斬囚，禽之以從公乘，遂以爲右，箕之役，先軫黜之，而立續簡伯，狼瞫怒，其友曰，盍死之，瞫曰，吾未獲死所，其友曰，吾與女爲難，瞫曰，周志有之，勇則害上，不登於明堂，死而不義，非勇也。」杜注：「周志，周書也；明堂，祖廟也。」

按今遍檢國語，不見有鄭書之名，孫詒讓周禮正義：「國語所謂鄭書，檢今本國語未見，唯左襄三十八年，昭二十八年傳，兩引鄭書，杜注云，鄭國史書，疑先鄭誤記爲國語也。」其說可從。

三、論孔子與六經

曁夫周室道衰，紀綱散亂，國異政，家殊俗，褒貶失實，隳紊舊章。

詩大序：「至於王道衰，禮義廢，政教失，國異政，家殊俗，而變風變雅作矣。」

按史記太史公自序：「春秋采善貶惡，推三代之德，褒周室，非獨刺譏而已。」范寧穀梁傳序：「一字之褒，寵踰華袞之贈，片言之貶，辱過市朝之撻。」詩大雅假樂：「不愆不忘，率由舊章。」書蔡仲之命：「無作聰明，亂舊章。」

孔丘以大聖之才，當傾頹之運，歎鳳鳥之不至，惜將墜於斯文。

按論語子罕：「子曰，鳳鳥不至，河不出圖，吾已矣夫。」又：「子畏於匡，曰，文王既沒，文不在玆乎？天之將喪斯文也，後死者不得與於斯文也，天之未喪斯文也，匡人其如予何？」

乃述易道而刪詩書，脩春秋而正雅頌，壞禮崩樂，咸得其所。

史記孔子世家：「孔子晚而喜易，序彖、繫、象、說卦、文言，讀易韋編三絕。」又：「乃因史記作春秋，上至隱公，下訖哀公十四年，十二公。」

又儒林列傳：「孔子閔王路廢而邪道興，於是論次詩書，修起禮樂，適齊聞韶，三月不知肉味，自衞返魯，然後樂正，雅頌各得其所。」

按漢書藝文志總序：「迄孝武之世，書缺簡脫，禮壞樂崩。」

自哲人萎而微言絕，七十子散而大義乖。

禮記檀弓：「孔子蚤作，負手曳杖，消搖於門，歌曰，泰山其頹乎，梁木其壞乎，哲人其萎乎。」劉歆移太常博士書：「夫子沒而微言絕，七十子終而大義乖。」漢書藝文志總序：「昔仲尼沒而微言絕，七十子喪而大義乖。」

按隋志之言，本之劉歆班固，而漢志又用劉歆之言。

戰國縱橫，眞僞莫辨，諸子之言，紛然淆亂，聖人之至德喪矣，先王之要道亡矣，陵夷踳駁，以至于秦。

漢書藝文志總序：「戰國從衡，眞僞分爭，諸子之言，紛然殽亂。」

又藝文志六藝略禮類小序：「及周之衰，諸侯將踰法度，惡其害己，皆滅去其籍，自孔子時而不具，至秦大壞。」

按孝經：「先王有至德要道。」文選左思魏都賦：「謀踳駮於王義。」注：「銑曰，踳乖駮亂也。」文心雕龍諸子：「踳駮者出規。」

四、論秦政之焚書

秦政奮豺狼之心，剗先代之迹，焚詩書，坑儒士，以刀筆吏爲師，制挾書之令。

史記儒林列傳：「及至秦之季世，焚詩書，阬術士，六藝從此缺焉。」

又秦始皇本紀：「史官非秦記皆燒之，非博士官所職，天下敢有藏詩書百家語者，悉詣守尉雜燒之，有敢偶語詩書，棄市，以古非今者族，吏見知不舉者，與同罪，令下三十日，不燒，黥爲城旦，所不去者，醫藥、卜筮、種樹之書，若欲有學法令，以吏爲師。」又：「於是使御史悉案問諸生，諸生傳相告引，乃自除，犯禁者四百六十餘人，皆阬之咸陽。」

又李斯傳：「臣請諸有文學詩書百家語者，蠲除去之，令到滿三十日弗去，黥爲城旦，所不去者，醫藥卜筮種樹之書，若有欲學者，以吏爲師。」

漢書藝文志總序：「至秦患之，乃燔滅文章，以愚黔首。」

北史牛弘傳：「及秦皇御字，吞滅諸侯，先王墳籍，掃地皆盡，此則書之一厄也。」

按牛弘上表，言自仲尼以來，書遭五厄，蓋以秦皇御字，王莽之末，孝獻移都，劉石憑陵，以及周師入郢，蕭繹焚書，共爲書之五厄也。

學者逃難，竄伏山林，或失本經，口以傳說。

史記儒林列傳：「秦時焚書，伏生壁藏之，其後兵大起，流亡，漢定，伏生求其書，亡數十篇，獨得二十九篇，卽以敎於齊魯之間，學者由是頗能言尙書。」

漢書藝文志六藝略詩類小序：「孔子純取周詩，上采殷，下取魯，凡三百五篇，遭秦而全者，以其諷誦，不獨在竹帛故也。」

按伏生壁藏尙書，漢書儒林傳藝文志並同史記之說，史記鼂錯傳，記錯從伏生受尙書，亦不言口傳之事，唯漢書儒林傳顏師古注引衞宏定古文尙書序云：「伏生老，不能正言，言不可曉也，使其女傳言敎錯，齊人語多與潁川異，錯所不知者凡十二三，略以其意屬讀而已。」其語含糊，易涉疑似，故隋志承之，於經部書類小序云：「遭秦滅學，至漢，唯濟南伏生口傳二十八篇。」則似以伏生無壁藏之書者，恐未足徵信也。要之，秦火焚書，其時口以傳說者，必不在少，唯不得伏生之有壁藏尙書也。

五、論目錄之興起

漢氏誅除秦項，未及下車，先命叔孫通草綿蕝之儀，救擊柱之弊。

史記叔孫通傳：「漢五年，已幷天下，諸侯共尊漢王爲皇帝於定陶，叔孫通就其儀號，高帝悉去秦苛儀法，爲簡易。群臣飲酒爭功，醉或妄呼，拔劍擊柱，高帝患之，叔通知上益厭之也，說上曰，夫儒者難與進取，可與守成，臣願徵魯諸生，與臣弟子，共起朝儀……遂與所徵三十人西，及上右左爲學者，與其弟子百餘人，爲綿蕞野外，習之月餘……於是皇帝輦出房，百官執職傳警，引諸侯以下至吏六百石，以次奉賀，自諸侯王以下，莫不振恐肅敬。」

又儒林列傳：「叔孫通作漢禮儀，因爲太常，諸生弟子共定者，咸爲選首。」

又禮書：「至秦有天下，悉內六國禮儀，采擇其善，雖不合聖制，其尊君抑臣，朝廷濟濟，依古以來，至于高祖，光有四海，叔孫通頗有所增益減損，大抵皆襲秦故。」

按漢制多沿秦法，此叔孫通所作漢禮儀，自亦損益秦法而成者也。

其後，張蒼治律曆，陸賈撰新語，曹參薦蓋公，言黃老，惠帝除挾書之律，儒者始以其業行於民間。

史記太史公自序：「於是漢興，蕭何次律令，韓信申軍法，張蒼爲章程，叔孫通定禮儀，則文學彬彬稍進，詩書往往間出矣，自曹參薦蓋公，言黃老，而賈生晁錯明申商，公孫弘以儒顯，百年之間，天下遺文古事，靡不畢集太史公。」

又張蒼傳：「是時蕭何爲相國，而張蒼乃自秦時爲柱下史，明習天下圖書計籍，蒼又善用算律歷，故令蒼以列侯居相府，領主郡國上計者。」

又陸賈傳：「（高帝）迺謂陸生曰，試爲我著秦所以失天下，吾所以得之者何，及古成敗之國，陸生迺粗述存亡之徵，凡著十二篇，每奏一篇，高帝未嘗不稱善，左右呼萬歲，號其書曰新語。」又曹相國世家：「參之相齊，齊七十城，天下初定，悼惠王富於春秋，參盡招長老諸生問所以安集百姓，如齊故俗，諸儒以百數，言人人殊，參未知所定，聞膠西有蓋公，善治黃老言，使人厚幣請之，既見蓋公，蓋公爲言治道貴清靜而民自定，推此類具言之，參於是避正堂，舍蓋公焉，其治要用黃老術，故相齊九年，齊國安集，大稱賢相。」

按漢書惠帝本紀：「四年三月甲子，皇帝冠，赦天下，省法妨吏民者，除挾書律。」

猶以去聖既遠，經籍散逸，簡札錯亂，傳說紕繆。

漢書藝文志六藝略易類小序：「劉向以中古文易經，校施孟梁丘經，或脫去无咎悔亡，唯費氏經與古文同。」又書類小序：「劉向以中古文校歐陽大小夏侯三家經文，酒誥脫簡一，召誥脫簡二，率簡二十五字，脫亦二十五字，簡二十二字，脫亦二十二字，文字異者七百有餘，脫字數十。」

按此特易經與尚書之脫簡也，其他經傳，當亦有之。

遂使書分爲二，詩分爲三，論語有齊魯之殊，春秋有數家之傳，其餘互有踳駮，不可勝言，此其所以博而寡要，勞而少功者也。

漢書藝文志總序：「故春秋分爲五，詩分爲四，易有數家之傳。」

按隋志所敍，當指書分爲歐陽、大小夏侯三家，詩分爲齊魯韓三家，春秋有左氏、公羊、穀梁、鄒氏、夾氏五家也。漢志於詩，言分而爲四，乃更益之以毛氏也。

又按史記太史公自序引司馬談論六家要旨云：「儒者博而寡要，勞而少功，是以其事難盡從。」又：「夫儒者以六藝爲法，六藝經傳，以千萬數，累世不能通其學，當年不能究其禮，故曰，博而寡要，勞而少功。」

武帝置太史公，命天下計書先上太史，副上丞相；開獻書之路，置寫書之官。

史記太史公自序：「談爲太史公。」集解：「如淳曰，漢儀注，太史公，武帝置，位在丞相上，天下計書，先上太史公，副上丞相，序事如古春秋。」漢書藝文志總序：「漢興，改秦之敗，大收篇籍，廣開獻書之路，迄孝武世，書缺簡脫，禮壞樂崩，聖上喟然而稱曰，朕甚閔焉，於是建藏書之策，置寫書之官，下及諸子傳說，皆充秘府。」

按文選卷三十八任彥昇爲范始興作求立太宰碑表善注引劉歆七略：「孝武皇帝勑丞相公孫弘廣明獻書之路，百年之間，書積如山。」此則武帝下詔獻書之效也。

外有太常、太史、博士之藏，內有延閣、廣內、秘室之府。

漢書藝文志總序注：「如淳曰，劉歆七略曰，外則有太常、太史、博士之藏，內則有延閣、廣內、秘室之府。」

阮孝緒七錄序（載於廣弘明集卷三）：「至漢惠四年，始除挾書之律，其後，外有太常、太史、博士之藏，內有延閣、廣內、秘室之府，開獻書之路，置寫書之官。」

按晉書摯虞傳論：「或攝官延閣，裁成言事之書。」梁簡文帝上昭明太子集別傳表：「謹撰昭明太子別傳文集，請備之延閣，藏之廣內，永彰茂實，式表洪徽。」唐六典：「漢書府有延閣，內庫書也。」是延閣廣內，皆藏書之所也。又漢書藝文志總序：「下及諸子傳說，皆充秘府。」則秘室當卽秘府，亦藏書之所也。

司馬遷父子，世居太史，採采前代，斷自軒皇，逮于孝武，作史記一百三十篇，詳其體制，蓋史官之舊也。

史記太史公自序：「於是卒述陶唐以來，至於麟止，自黃帝始。」又：「余述黃帝以來，至太初而訖，百三十篇。」

按盧文弨鍾山札記卷四：「古書目錄，往往置於末，淮南之要略，法言之十三篇序皆然，吾以爲易之序卦傳，非卽六十四卦之目錄歟？史漢諸序，殆昉於此。」考史記太史公自序一篇，列於全書之末，敍史官源流，又分論百三十篇之名目及所以作，隋志所謂「詳其體制，蓋史官之舊」，當卽指茲篇而言，隋志史部簿錄類小序：「古者史官旣司典籍，蓋有目錄以爲綱紀。」可以爲證，皆指史官旣司典籍，當有目錄以綱紀之也。

至于孝成，秘藏之書，頗有亡散，乃使謁者陳農，求遺書於天下，命光祿大夫劉向校經傳諸子詩賦，步兵校尉任宏校兵書，太史令尹咸校數術，太醫監李柱國校方技。每一書就，向輒撰爲一錄，論其指歸，辨其訛謬，敍而奏之。

漢書藝文志總序：「成帝時，以書頗散亡，使謁者陳農求遺書於天下，詔光祿大夫劉向校經傳諸子詩賦，步兵校尉任宏校兵書，太史令尹咸校數術，侍醫李柱國校方技，每一書已，向輒條其篇目，撮其指意，錄而奏之。」

阮孝緒七錄序：「至孝成之世，頗有亡逸，乃使謁者陳農，求遺書於天下，命光祿大夫劉向及子俊歆等，讐校篇籍，每一篇已，輒錄而奏之。」又：「昔劉向校書，輒爲一錄，論其指歸，辨其訛謬，隨竟奏上，皆載在本書，時又別集衆錄，謂之別錄，卽今之別錄是也。」

按七錄隋志易漢志「條其篇目，撮其指意」之語，而代之以「論其指歸，辨其訛謬」。不知「論其指歸」固可與「撮其指意」不甚相遠，而「辨其訛謬」僅得視爲校勘文字錯誤之事，與「條其篇目」之條錄篇目之名，以供省覽考索之義，固大相逕廷者。信如七錄隋志之說，則劉向校讎群籍，撰寫敍錄，必條列一書篇目之意，亡矣。及至馬國翰、嚴可均等人，搜輯別錄佚亡，乃僅載敍文，不列篇目，皆只知「撮其指意」，而不知「條其篇目」之義者也，而不能不謂七錄隋志，有以爲之厲階也。

六、論七略與漢志

向卒後，哀帝使其子歆嗣父業，乃徙溫室中書於天祿閣上，歆遂總括群篇，撮其指要，著爲七略，一曰集略，二曰六藝略，三曰諸子略，四曰詩賦略，五曰兵書略，六曰術數略，七曰方技略；大凡三萬三千九十卷。

漢書藝文志總序：「會向卒，哀帝復使向子侍中奉車都尉歆卒父業，歆於是總群書而奏其七略，故有輯略，有六藝略，有諸子略，有詩賦略，有兵書略，有數術略，有方技略。」

按阮孝緒七錄序末所附古今書最，所列劉歆七略爲「六百三家，一萬三千二百一十九卷。」班固漢志，删自七略，今藝文志末總凡爲「五百九十六家，萬三千二百六十九卷。」班氏自注「入三家五十篇，省兵十家。」入三家者，劉向楊雄杜林三家是也，省兵十家者，兵書略所省墨子等十家是也；今以漢志校之七略，去其所入與所省者，適符七略六百三家之數，其卷數雖不可詳考，而要在一萬三千二百之譜也，今隋志乃謂七略有三萬餘卷，疑當於「萬」字上衍一「三」字矣。

王莽之末，又被焚燒。

後漢書儒林傳：「昔王莽更始之際，天下散亂，禮樂分崩，典文殘落。」

北史牛弘傳：「漢興，建藏書之策，置校書之官，至孝成之代，遣謁者陳農，求遺書於天下，詔劉向父子讐校篇籍，漢之典文，於斯爲盛，及王莽之末，並從焚燼，此則書之二厄也。」

光武中興，篤好文雅。

後漢書儒林傳：「及光武中興，愛好經術，未及下車，而先訪儒雅，採求闕文，補綴遺漏；先是四方學士，多懷挾圖書，遁逃林藪，自是莫不抱負墳策，雲會京師，范升、陳元、鄭興、杜林、衞宏、劉昆、桓榮之徒，繼踵而集，於是立五經博士，各以家法敎授，易有施孟梁丘京氏，尚書歐陽大小夏侯，詩齊魯韓毛，禮大小戴，春秋嚴顏，凡十四博士，太常差次總領焉。」

北史牛弘傳：「光武嗣興，尤重經誥，未及下車，先求文雅。」

按王先謙後漢書集解：「何焯曰，衍一毛字，此時毛詩未得立也，且如此，乃十五，非十四矣，參以百官志，博士果十四人，詩三家，齊魯韓氏，應劭漢官儀並同。」

明章繼軌，尤重經術，四方鴻生鉅儒，負帙自遠而至者，不可勝算，石室蘭臺，彌以充積。

後漢書儒林傳：「中元元年，初建三雍，明帝即位，親行其禮……袒割辟雍之上，尊養三老五更，饗射禮畢，帝正坐自講，諸儒執經問難於前，冠帶縉紳之人，圜橋門而觀聽者，蓋億萬計。」又章帝紀：「於是天下太常將大夫博士議郎郎官及諸王諸儒，會白虎觀講議五經同異，使五官中郎將魏應承制問，侍中淳于恭奏，帝親稱制臨決，如孝宣甘露石渠故事，作白虎議奏。」

北史牛弘傳：「至肅宗親臨講肄，和帝數幸書林，其蘭臺、石室、鴻都、東觀，秘牒塡委，更倍於前。」

按漢書高帝紀：「與功臣剖符作誓，丹書鐵契，金匱石室，藏之宗廟。」注：「以金爲匱，以石爲室，重緘封之，保愼之義。」後漢書楊終傳：「顯宗時徵詣蘭臺，拜校書郎。」又賈逵傳：「帝勑蘭臺給筆札，使作神雀賦。」又班固傳：「顯宗甚奇之，召詣校書郎，除蘭臺令史。」又傅毅傳：「建初中，肅宗博召文學之士，以毅爲蘭臺令史，拜郎中，與班固、賈逵，共典校秘書。」是蘭臺石室，皆漢代宮中藏書之處，唯石室當在蘭臺之中耳。

又於東觀及仁壽閣集新書，校書郎班固傅毅等典掌焉，並依七略而爲書部，固又編之以爲漢書藝文志。

漢書藝文志總序：「歆於是總群書而奏其七略，故有輯略，有六藝略，有諸子略，有詩賦略，有兵書略，有數術略，有方技略。今刪其要，以備篇籍。」

阮孝緒七錄序：「又於東觀及仁壽闥，撰集新記，校書郎班固傅毅，並典秘籍，固乃因七略之辭，爲漢書藝文志。」

按班固於藝文志末注云：「入三家，五十篇，省兵十家。」是藝文志除却新入及刪省者外，其他著錄，皆本之七略也，其小序亦多本之輯略，故鄭樵譏之，以爲「孟堅初無獨斷之學，唯依緣他人，以成門戶。」良有以也。

又按後漢書和帝紀：「永元十三年春正月丁丑，帝幸東觀，覽書林，閱篇籍。」又劉珍傳：「永初中，爲謁者僕射，鄧太后詔使與校書劉騊駼、馬融，及五經博士，校定東觀五經，諸子傳記，百家藝術。」又黃香傳：「元和元年，肅宗詔香詣東觀，讀所未嘗見書。」是東觀亦藏書之所也。

董卓之亂，獻帝西遷，圖書縑帛，軍人皆取爲帷囊，所收而西，猶七十餘載，兩京大亂，掃地皆盡。

後漢書儒林傳：「初，光武遷還洛陽，其經牒秘書，載之二千餘兩，自此以後，參倍於前。及董卓移都之際，吏民擾亂，自辟雍、東觀、蘭臺、石室、宣明、鴻都諸藏，典策文章，競共剖散，其縑帛圖書，大則連爲帷蓋，小迺制爲縢囊，及王允所收而西者，裁七十餘乘，道路艱遠，復棄其半矣，後長安之亂，一時焚蕩，莫不泯盡焉。」

又王允傳：「及董卓遷都關中，允悉收斂蘭臺石室圖書秘緯要者從之。」

按北史牛弘傳：「及孝獻移都，吏人擾亂，圖畫縑帛，皆取爲帷囊，此則書之三厄也。」隋志易北史之圖畫爲圖書，隋書牛弘傳亦作圖書。

七、論魏晉之目錄

魏氏代漢，采掇遺亡，藏在秘書中外三閣。

三國志文帝紀：「初，帝好文學，以著述爲務，自所勒成，垂百篇，又使諸儒撰集經傳，隨類相從，凡千餘篇，號曰皇覽。」

阮孝緒七錄序：「魏晉之世，文籍逾廣，皆藏在秘書中外三閣。」

按文選陸機謝平原內史表：「身登三閣，宦成兩宮。」注：「向曰，三閣，謂秘書郎掌內外三閣經書也。」

魏秘書郎鄭默，始制中經，秘書監荀勗，又因中經，更著新簿，分爲四部，總括群書。一曰甲部紀六藝及小學等書；二曰乙部，有古諸子家，近世子家，兵書，兵家，術數；三曰丙部，有史記，

舊事，皇覽簿，雜事；四曰丁部，有詩賦，圖讚，汲冢書；大凡四部，合二萬九千九百四十五卷，

但錄題及言，盛以縹囊，書用緗素，至於作者之意，無所論辨。

阮孝緒七錄序：「魏秘書郎鄭默，刪定舊文，時之論者，謂爲朱紫有別，晉領秘書監荀勗，

因魏中經，更著新簿，雖分爲十有餘卷，而總以四部別之。」

按余嘉錫先生目錄學發微：「北堂書鈔卷一百四引晉中經簿云：『盛書用皀縹囊布裹，書函

中皆有香囊。』太平御覽卷七百四引晉中經簿云：『盛書有縑囊布囊絹囊。』均可爲隋志此

二句之證。」

又按七錄序末古今書最載有晉中經簿四部，書一千八百八十五部，二萬九百三十五卷，所記

書籍卷數，與隋志略異，未詳孰是。

惠懷之亂，京華蕩覆，渠閣文籍，靡有孑遺。

阮孝緒七錄序：「惠懷之亂，其書略盡。」

北史牛弘傳：「魏文代漢，更集經典，皆藏在秘書內外三閣，遣秘書郎鄭默，刪定舊文，論

者美其朱紫有別，晉氏承之，文籍尤廣，晉秘書監荀勗，定魏內經，更著新簿，屬劉石憑陵，

從而失墜，此則書之四厄也。」

按所謂渠閣，本指石渠閣，天祿閣，皆漢代宮中藏書之所，此喻皇家庫藏圖書。詩大雅雲漢：

「靡有孑遺。」

東晉之初，漸更鳩聚，著作郎李充，以勗舊簿校之，其見存者，但有三千一十四卷。充遂總沒衆篇之名，但以甲乙爲次。自爾因循，無所變革。其後中朝遺書，稍流江左。

阮孝緒七錄序：「惠懷之亂，其書略盡，江左草創，十不一存，後雖鳩集，淆亂已甚，及著作佐郎李充，始加删正，因荀勗四部之法，而換其乙丙之書，沒略衆篇之名，總以甲乙爲次，自時厥後，世相祖述。」

晉書李充傳：「李充字弘度，江夏人，爲大著作郎，于時典籍混亂，充删除煩重，以類相從，分爲四部，甚有條貫，秘閣以爲永制。」

按中經新簿，乙部紀諸子，丙部紀史事，而李充所編，換其乙丙之書，其時雖無經史子集之名，而其次第，固已皎然確立矣。又七錄序末所附古今書最，有晉元帝書目四部，三百五帙，三千一十四卷，當即李充所撰者也。

八、論南北朝之目錄

宋元嘉八年，秘書監謝靈運造四部目錄，大凡六萬四千五百八十二卷。元徽元年，秘書丞王儉，又造目錄，大凡一萬五千七百四卷。

阮孝緒七錄序：「宋秘書監謝靈運，丞王儉，齊秘書丞王亮，監謝朏等，並有新進，更撰目錄，宋秘書殷淳，撰大四部目。」

按七錄序末所附古今書最有宋元嘉八年秘閣四部目錄，一千五百六十四帙，一萬四千五百八十二卷；宋元徽元年秘閣四部書目錄，二千二十帙，一萬五千七十四卷。又舊唐書經籍志後序：「至宋謝靈運造四部書目錄，凡四千五百八十二卷，其後王儉復造書目，凡五千七十四卷。」所論謝靈運書目存書卷數，隋志過多，舊唐志過少，余嘉錫先生以爲「當以七錄序爲正，蓋隋志六萬乃一萬之誤，舊唐志則與王儉條皆脫去一萬字故也。」其說甚是。

儉又別撰七志，一曰經典志，紀六藝，小學，史記，雜傳；二曰諸子志，紀古今諸子；三曰文翰志，紀詩賦；四曰軍書志，紀兵書；五曰陰陽志，紀陰陽圖緯；六曰術藝志，紀方技；七曰圖譜志，紀地域及圖書。其道佛附見，合九條。然亦不述作者之意，但於書名之下，每立一傳，而又作九篇條例，編乎首卷之中，文義淺近，未爲典則。

阮孝緒七錄序：「儉又依別錄之體，撰爲七志，其中朝遺書，收集稍廣，然所亡者，猶太半焉。」又：「王儉七志，改六藝爲經典，次諸子，次詩賦爲文翰，次兵書爲軍書，次數術爲陰陽，次方技爲術藝，以向歆雖云七略，實有六條，故別立圖譜一志，以全七限，其外又條七略及二漢藝文志、中經簿所闕之書，並方外之經，佛經道經，各爲一錄，雖繼七志之後，而不在其數。」

南齊書王儉傳：「王儉字仲寶，琅琊臨沂人也……上表求校墳籍，依七略撰七志四十卷，上表獻之，表辭甚典。」

文選任彥昇王文憲（儉）集序：「遷秘書丞，於是采公曾（荀勗）之中經，刊弘度（李充）之四部，依劉歆七略，更撰七志。」

按七錄序所稱別錄，當是七略之訛，南齊書王儉傳及任彥昇王文憲集序可證也。王儉撰元徽書目，乃依四部次序，至於撰七志，則又復採七分之法，今七志已亡，至於隋志所謂「文義淺近，未爲典則」，南齊書所謂「表辭甚典」者，皆無以詳知其內容矣。

齊永明中，秘書丞王亮，監謝朏，又造四部書目，大凡一萬八千一十卷，齊末，兵火延燒，秘閣經籍遺散。

阮孝緒七錄序：「宋秘書監謝靈運，丞王儉，齊秘書丞王亮，監謝朏等，並有新進，更撰目錄。」

按梁書及南史王亮謝朏傳，並不言二人在南齊時有撰目錄之事，隋志亦不載其書，蓋隋時已亡佚矣。七錄序末所附古今書最有齊（武帝）永明元年秘閣四部目錄，五千新足，合二千三百三十二帙，一萬八千一十卷。

梁初，秘書監任昉，躬加部集，又於文德殿內列藏衆書，華林園中總集釋典，大凡二萬三千一百六卷，而釋氏不豫焉。梁有秘書監任昉、殷鈞四部目錄，又文德殿目錄。其術數之書，更爲一部，使奉朝請祖暅撰其名，故梁有五部目錄。

阮孝緒七錄序：「齊末兵火，延及秘閣，有梁之初，缺亡甚衆，爰命秘書監任昉，躬加部集，又於文德殿內，別藏衆書，使學士劉孝標等，重加校進，乃分術數之文，更爲一部，使奉朝請祖暅，撰其名錄，其尙書閣內，別藏經史雜書，華林園又集釋氏經論，自江左篇章之盛，未有踰於當今者也。」

梁書任昉傳：「任昉字彥昇，樂安博昌人……自齊永元以來，秘書四部，篇卷紛雜，昉手自讎校，由是篇目定焉。」

又殷鈞傳：「殷鈞字季和，陳郡長平人也……鈞在職啟校定秘閣四部書，更爲目錄。」

按七錄序末所附古今書最有梁天監四年文德正御四部及術數書目錄，合二千九百六十八帙，二萬三千一百六卷，其卷數與隋志相合。

普通中，有處士阮孝緒，沉靜寡欲，篤好墳史，博采宋齊已來，王公之家，凡有書記，參校官簿，更爲七錄，一曰經典錄，紀六藝；二曰紀傳錄，紀史傳；三曰子兵錄，紀子書兵書；四曰文集錄，紀詩賦；五曰技術錄，紀數術；六曰佛錄；七曰道錄；其分部題目，頗有次序，剖析辭義，淺薄不經。

阮孝緒七錄序：「孝緒少愛墳籍，長而弗倦，臥病閑居，傍無塵雜，晨光纔啟，緗囊已散，宵漏既分，綠帙方掩，猶不能窮究流略，探盡秘奧，每披錄內省，多有缺然，其遺文隱記，頗好搜集，凡自宋齊已來，王公縉紳之館，苟能蓄聚墳籍，必思致其名簿，凡在所遇，若見若聞，校之官目，多所遺漏，遂總集衆家，更爲新錄，其方內經史，至于術伎，合爲五錄，謂之內篇，方外佛道，各爲一錄，謂之外篇，凡爲錄有七，故名七錄。」

按余嘉錫先生目錄學發微：「孝緒自言『總集宋齊已來衆家之名簿』，又言『以所見聞，校之官目』，是則凡當時目錄所有，皆加采輯，不必親見其書，此則阮氏之創例。後來鄭樵、馬端臨、焦竑之徒，於所未見之書，輒據他家入錄，蓋仿於此。又六代以前，撰書目者，大抵供職秘閣，校讐官書，卽王儉七志，亦成於官秘書丞之日；孝緒心慕高賢，身居韋布，乃以文獻爲己任，廣爲搜集，補中秘藏所不逮，裒然成一大著作，是亦前此所未有也。」

又按七錄所收書籍，據阮氏自言，「內外篇圖書，凡五十五部，六千二百八十八種，八千五百四十七帙，四萬四千五百二十六卷。」自有簿錄以來，以此搜羅，最爲繁鉅。又考阮氏七錄序中，嘗述其每錄分篇之緣由（文長不錄），辭義淵雅，此卽隋志所謂「分部題目，頗有次序」者也，以此推論，則七錄之「剖析辭義」，蓋亦不當有所謂「淺薄不經」者存焉，然則隋志之評，毋乃過嚴？七錄既亡，今亦不可考矣。

梁武敦悅詩書，下化其上，四境之內，家有文史。元帝克平侯景，收文德之書及公私經籍，歸于江陵，大凡七萬餘卷；周師入郢，咸自焚之。

南史元帝紀：「性愛書籍，既患目，多不自執卷，置讀書左右，番次上置，晝夜爲常，略無休已，及魏軍逼，乃聚圖書十餘萬卷盡燒之。」

北史牛弘傳：「及侯景渡江，破滅梁室，秘省經籍，雖從兵火，其文德殿內書史，宛然猶存，蕭繹據有江陵，遣將破平侯景，收文德之書，及公私典籍重本七萬餘卷，悉送荊州。及周師入郢，繹悉焚之於外城，所收十纔一二，此則書之五厄也。」

按舊唐書經籍志後序：「梁元帝克平侯景，收公私經籍歸於江陵，凡七萬餘卷，蓋佛老之書計於其間，及周師入郢，咸自焚煬。」通鑑卷一百六十五：「城陷，帝入東閣竹殿，命舍人高寶善焚古今圖書十四萬卷。」余嘉錫先生目錄學發微：「梁元帝性好聚書，又勤於著述，平侯景之後，嘗詔周弘正等分校經史子集（見顏之推觀我生賦自注），及江陵之破，取所聚圖書十餘萬卷盡焚之，竟不聞有目錄傳世，當由編校未終，旋致覆沒故也。」

又按左氏僖二十七年傳：「說禮樂而敦詩書。」後漢書鄭興傳：「敦悅詩書。」

陳天嘉中，又更鳩集，考其篇目，遺闕尚多。

按余嘉錫先生目錄學發微：「有陳一代，嘗鳩集遺佚，隋志載其書目數種，然大率不著撰人名氏，志稱『隋氏平陳，所得之書，紙墨不精，書亦拙惡』，蓋江左偷安，未遑經術，掇拾殘賸，無足觀矣。」今考隋志簿錄類有陳秘閣圖書法書目錄一卷，陳天嘉六年壽安殿四部目錄四卷，陳德教殿四部目錄四卷，陳承香殿五經史記目錄二卷。

又按以上論南朝之典籍目錄。

其中原則戰爭相尋，干戈是務，文教之盛，苻姚而已，宋武入關，收其圖籍，府藏所有，纔四千卷，赤軸青紙，文字古拙。

北史牛弘傳：「永嘉之後，寇竊競興，其建國立家，雖傳名號，憲章禮樂，寂滅無聞。劉裕平姚，收其圖籍，五經子史，纔四千卷，皆赤軸青紙，文字古拙，並歸江左。」

按余嘉錫先生目錄學發微：「自晉元渡江，中原淪於異族，日尋干戈，迄無寧宇，絃誦既衰，經籍道熄，唯苻堅、姚興，粗能安集，慕尚華風，文教頗盛，然史文闕略，蘭臺東觀之制，靡得而聞。」

後魏始都燕代，南略中原，粗收經史，未能全具。孝文徙都洛邑，借書於齊，秘之府中，稍以充實，暨於爾朱之亂，散落人間。

北史牛弘傳：「後魏爰自幽方，遷宅伊洛，日不暇給，經籍闕如。」

魏書儒林孫惠蔚傳：「惠蔚旣入東觀，見典籍未周，乃上疏曰……臣請依前丞盧昶所撰甲乙新錄，欲裨殘補闕，損倂有無，校練句讀，以爲定本，次第均寫，永爲常式。」

按余嘉錫先生目錄學發微：「元魏崛興，底定中原，爰及孝文，彌敦儒術，文藝之興，於斯爲盛。其時，祕書丞盧昶撰有甲乙新錄，然隋志略而不言，其書名爲甲乙，或是只錄六藝諸子，抑擧甲乙以該丙丁，皆不可知。」盧昶撰甲乙新錄之事，除見於魏書孫惠蔚傳外，已別無可考。隋志有魏闕書目錄一卷，亦不詳其內容。

又按爾朱榮，後魏秀容人，明帝時討賊有功，授六州大都督，適靈太后酖明帝，立幼主釗，榮乃以靖亂爲名，擧兵入洛陽，立莊帝，殺靈太后及幼主釗，與王公以下二千餘人。

後齊遷鄴，頗更搜聚，迄於天統武平，校寫不輟。

北史牛弘傳：「高氏（洋）據有山東，初亦採訪，驗其本目，殘闕猶多。」

北齊書文苑傳：「樊遜字孝謙，河東北猗氏人也……詔令校定群書供皇太子，時秘府書籍紕繆者多……凡得別本三千餘卷，五經諸史，殆無遺闕。」

按天統武平，皆北齊溫公年號。考隋志旣言「校寫不輟」，牛弘亦言「驗其本目，殘闕猶多」，是當時亦嘗撰有目錄也，惜乎史傳不載其目，無以詳徵。

後周始基關右，外逼强鄰，戎馬生郊，日不暇給，保定之始，書止八千，後稍加增，方盈萬卷，周武平齊，先封書府，所加舊本，纔至五千。

北史牛弘傳：「周氏創基關右，戎車未息，保定之始，書止八千，後加收集，方盈萬卷。」

又：「及東夏初平，獲其經史四部重雜三万餘卷，所益舊書，五千而已。」

周書明帝紀：「帝幼而好學，及卽位，集公卿已下有文學者八十餘人於麟趾殿，刊校經史。」

按余嘉錫先生目錄學發微：「北周政教，優於高齊，然時際喪亂，雖復收書，所得甚少，明帝嘗令群臣於麟趾殿校書，足徵留心文史，唐封演言『後周定目，書止五千。』（見封氏聞見錄卷二）是則保定之時（武帝年號），嘗編書目，然周書隋志及牛弘表，皆不敍及，所未詳也。」又老子四十六章：「天下無道，戎馬生於郊。」

又按以上論北朝之典籍目錄。

九、論隋代之典藏

隋開皇三年，秘書監牛弘，表請分遣使人，搜訪異本，每書一卷，賞絹一匹，校寫既定，本卽歸主，於是民間異書，往往間出。

北史牛弘傳：「牛弘字里仁，安定鶉觚人也……開皇初，授散騎常侍，秘書監。弘以典籍遺逸，上表請開獻書之路……上納之，於是下詔，獻書一卷，賚縑一疋，一二年間，篇籍稍備。」按開皇，文帝年號。考隋志總序之文，採自漢書藝文志、阮氏七錄序、及牛弘奏表者爲多，然亦詳略互有出入而已。

及平陳已後，經籍漸備，檢其所得，多太建時書，紙墨不精，書亦拙惡，於是總集編次，存爲古本，召天下工書之士，京兆韋霈，南陽杜頵等，於秘書內補續殘缺，爲正副二本，藏于宮中，其餘，以實秘書內外之閣，凡三萬餘卷。

北史儒林傳：「隋文膺期纂曆，平一寰宇，頓天網以掩之，賁旌帛以禮之，設好爵以摩之，於是四海九州强學待問之士，靡不畢集焉，天子乃整萬乘，率百僚，遵問道之儀，觀釋奠之禮，博士罄縣河之辯，侍中竭重席之奧，考正亡逸，研竅異同，積滯群疑，渙然冰釋，於是超擢奇儁，厚賞諸儒，京邑達于四方，皆啟黌校，齊魯燕趙學者，尤多負笈追師，不遠千里，講授之聲，道路不絕，中州之盛，自漢魏以來，一時而已；及帝暮年，精華稍竭，不悅儒術，專尚刑名，執政之徒，咸非篤好，暨仁壽間，遂廢天下之學。」

又文苑許善心傳：「許善心字務本，高陽北新城人也……除秘書丞，于時秘藏圖籍，尚多淆亂，善心效阮孝緒七錄，更制七林，各爲總敍，冠於篇首，又於部錄之下，明作者之意，區分類例焉。」

按隋文帝平陳，在開皇九年，太建，爲陳宣帝年號，隋志有開皇四年四部目錄四卷，開皇八年四部書目錄四卷，香厨四部目錄四卷。

又按余嘉錫先生目錄學發微：「開皇十七年，秘書丞許善心撰七林，既有總敍，又能明作者之意，蓋七略之後，僅有此書，似較七志七錄，猶或過之，惜佚而不傳，隋志已不著錄，乃志序亦無一言及之，則史氏之疏也。」

煬帝卽位，秘閣之書，限寫五十副本，分爲三品，上品紅瑠璃軸，中品紺瑠璃軸，下品漆軸，於東都觀文殿東西廂，構屋以貯之，東屋藏甲乙，西屋藏丙丁。

北史儒林傳：「煬帝卽位，復開庠序，國子郡縣之學，盛於開皇之初……既而外事四夷，戎馬不息，師徒怠散，盜賊群起，禮義不足以防君子，刑賞不足以威小人，空有建學之名，而無弘道之實，其風漸墜，以至滅亡，方領矩步之徒，亦轉死溝壑，凡有經籍，因此湮沒於煨燼矣。」

按余嘉錫先生目錄學發微：「煬帝嗣位，性好讀書，西京所藏，至三十七萬卷，命柳顧言等除其複重，得正御本三萬七千餘卷，大業正御書目錄，蓋緣此而作。」

又聚魏已來古跡名畫於殿後，起二台，東曰妙楷台，藏古跡，西曰寶台，藏古畫。又於內道場集道佛經，別撰目錄。

按隋書經籍志末道經類序：「高祖雅信佛法，於道蔑如也，大業（煬帝年號）中，道士以術進者甚衆，其所以講經，由以老子爲本，次講莊子及靈寶昇玄之屬。」又佛經類序：「開皇元年，高祖普詔天下，任聽出家，仍令計口出錢，營造經像，而京師及幷州、相州、洛州等諸大都邑之處，並官寫一切經，置于寺內，而又別寫，藏于秘閣，天下之人，從風而靡，競相景慕。民間佛經多於六經數十百倍，大業時，又令沙門智果，於東都內道場撰諸經目，分別條貫。」

又按隋代沙門所撰之佛經目錄，據姚名達氏目錄學史所敍，有法經之大隋衆經錄目，費長房之歷代三寶記，彥琮之隋仁壽年內典錄，彥琮之崑崙經錄，靈裕之譯經錄，智果之衆經目錄等。

十、論隋志之修撰

大唐武德五年，克平僞鄭，盡收其圖書及古跡焉，命司農少卿宋遵貴載之以船，泝河西上，將至京師，行經底柱，多被漂沒，其所存者，十不一二，其目錄亦爲所漸濡，時有殘缺。

唐六典卷九：「大唐平王世充，收其圖籍，泝河西上，多有漂沒，存者猶八萬餘卷。」

新唐書藝文志序：「初，隋嘉則殿書三十七萬卷，武德初有書八萬卷，重複相糅。王世充平，得隋舊書八千餘卷，太府卿宋遵貴監運東都，浮舟泝河，西致京師，經砥柱，舟覆，盡亡其書，貞觀中，魏徵、虞世南、顏師古繼爲秘書監，請購天下書，選五品以下子孫工書者，爲書手繕寫，藏于內庫，以宮人掌之。」

按唐高祖武德年間，平王世充，收其圖籍，載以入都，多沒於河，乃僅得其目錄，其後修五代史，卽就此目加以增損，而成隋書經籍志者也。

今考見存，分爲四部，合條一萬四千四百六十六部，有八萬九千六百六十六卷。

按姚振宗隋書經籍志考證：「其卷數則脫誤彌甚，無從覈實，置不復論焉。」故其所校，止於部數，岑仲勉隋書求是於經籍志末云：「今以志文四類總數相加，無一相符，可見今本數目字必多錯誤。」是則年代久遠，傳寫脫誤，無以詳知矣。又隋志序云：「今考見存。」一似著錄書籍，皆經目驗者也，然隋志之中，時稱「梁有」某書若干卷，又嘗爲分別存亡殘缺，其每類每部之末，總計部卷之外，又通計亡書，是則所謂「見存」者，蓋爲行文之便，非可信爲實見所存之意也。

又按四庫提要史部隋書八十五卷下云：「唐魏徵等奉敕撰，貞觀三年，詔徵等修隋史，十年，成紀傳五十五卷，十五年，又詔修梁陳齊周隋五代史志，顯慶元年，長孫無忌上進，據劉知幾史通所載，撰紀傳者爲顏師古、孔穎達，撰志者爲于志寧、李淳風、韋安仁、李延壽、令狐德棻。」又：「案宋刻隋書之後，有天聖中校正舊跋，稱同修紀傳者，尚有許敬宗，同修志者，尚有敬播，至每卷分題，舊本十志內唯經籍志題侍中鄭國公魏徵撰，五行志序，或云褚遂良作，紀傳亦有題太子少師許敬宗撰者，今從衆本所載，紀傳題以徵，志題以無忌云云。是此書每卷所題撰人姓名，在宋代已不能畫一，至天聖中重刊，始定以領修者爲主，分題徵及無忌也。」趙翼二十二史劄記隋書志條：「隋書本無志，今之志，乃合梁陳齊周隋之書，舊名五代史志，別自單行，其後附入隋書，然究不可謂隋志也。自開皇仁壽時，王劭爲隋書八十卷，以類相從，至編年紀傳尚闕，唐武德五年，令狐德棻奏修五代史（梁陳齊周隋），詔封德彝、顏師古修隋書，歷年不就而罷，貞觀三年，又詔魏徵修之，房玄齡爲監修，徵又奏顏師古、孔穎達、許敬宗同撰。序論皆徵所作，凡帝紀五，列傳五十，十年正月上之，此隋書也，十五年，又詔于志寧、李淳風、韋安仁、李延壽，同修五代史志，凡成十志，三十卷，顯慶元年，長孫無忌等上之，此五代史志也，說見劉攽校刊時所記。」

其舊錄所取，文義淺俗，無益教理者，並删去之，其舊錄所遺，辭義可采，有所弘益者，咸附入之。

按隋志收錄梁陳齊周隋五代之書，理當凡此五代官私書目，並在包羅之中，然隋志不此之圖，於所收書籍，以意去取，頗憑主觀，以爲鑑別，又妄删道佛書目，而僅錄其部名卷數，是故姚名達氏撰目錄學史，謂其「實啟後世任意廢書之惡習」，良有以也。

遠覽馬史班書，近觀王阮志錄，挹其風流體制，削其浮雜鄙俚，離其疏遠，合其近密，約文緒義，凡五十五篇，各列本條之下，以備經籍志，雖未能研幾探頤，窮極幽隱，庶乎弘道設教，可以無遺闕焉。

按許世瑛先生中國目錄學史論隋志之淵源云：「隋志之四部，貌似荀李，而質實劉班，遠承七略之三十八種，近繼七錄之四十六部，嫡脈相傳，間世一現。治目錄學者，絕不可謬認七略七錄之學已失傳，而慨然以嘆也。」故隋志言「遠覽馬史班書」（當指七略漢志），「近觀王阮志錄」（指七志七錄），良有以也。

又按隋志四部，僅得四十篇，此云五十五篇者，姚振宗隋書經籍志考證云：「凡經部十篇，史部十三篇，子部十四篇，集部三篇，附以道經四篇，佛經十一篇，綜凡五十五篇也。」又「五十五篇，各列本條之下者，謂所作篇序也，今考道佛之錄，但條舉大綱而繫以序各一篇，實無所謂五十五篇者，以意推尋，殆先朝舊錄道佛十五篇，篇各有序，初意欲附存其目，删存其序，與四十篇之例一律，庶幾與七錄之例，亦略從同，既而四部正文，已滿四卷，不欲再加卷帙，以此二錄，本在四部之外，可以從省，故但附總最，以畢其事，不及追改總序之文歟？今所存卷首總序一篇，四部後序四篇，分類小序四十篇，道佛序二篇，又後序一篇，實止於四十八篇。」若於四部四十篇外，錄道經四篇，佛經十一篇，則正合五十五篇之數耳。

夫仁義禮智，所以治國也，方技數術，所以治身也，諸子爲經籍之鼓吹，文章乃政化之黼黻，皆爲治之具也，故列之於此志云。

按漢志有方技略，數術略，蓋方技者，「方士之技」（姚振宗語），「皆生生之具，王官之一守也。」（漢志語），數術者，「皆明堂羲和史卜之職也。」（漢志語），方技數術，即後世醫卜星相之流，故云可以治身也。黼黻本禮服之繡飾，引申爲光美贊助之義。此總結四部經籍，而又申明其效用者也。

（原刊於南洋大學學報第六期）

五　隋書經籍志述例

自來言簿錄者，咸推隋志之作，媲美漢志，垂裕四庫，然而漢隋二志，不唯分類有殊，即其體制，亦弗盡同，元和孫德謙氏，嘗撰漢志學例一卷，秉要執本，爲用甚弘。茲亦心師其意，纂述隋志條例，雖僅擧其大略，而於籀覽史志，殆或不無小補云爾。

一、四部中區別門類例

隋書經籍志總序云：「今考見存，分爲四部。」又經部序云：「班固列六藝爲九種，或以緯書解經，合爲十種。」案唐六典云：「秘書郎掌四部之圖籍，分庫以藏之，以甲乙景丁爲之部，甲部爲經，其類有十：一曰易，以紀陰陽變化；二曰書，以弘帝王遺範；三曰詩，以紀興衰誦歎；四曰禮，以紀文物體制；五曰樂，以紀聲容律度；六曰春秋，以紀行事褒貶；七曰孝經，以紀天經地義；八曰論語，以紀先聖微言；九曰圖緯，以紀六經讖候；十曰小學，以紀字體聲韻。」又隋志史部序云：「班固以史記附春秋，今開其事類，凡三十種，別爲史部（案三十乃十三之誤）。」

案唐六典曰：「乙部爲史，其類一十有三：一曰正史，以紀紀傳表志；二曰古史，以紀編年繫事；三曰雜史，以紀異體雜記；四曰霸史，以紀僞朝國史；五曰起居注，以紀人君動止；六曰舊事，以紀朝廷政令；七曰職官，以紀班序品秩；八曰儀注，以紀吉凶行事；九曰刑法，以紀律令格式，十曰雜事，以紀先賢人物；十一曰地理，以紀山川郡國；十二曰譜系，以紀氏族繼序；十三曰略錄，以紀史策條目。」又隋志子部序云：「漢書有諸子、兵書、數術、方技之略，今合而叙之，爲十四種，謂之子部。」案唐六典云：「景部爲子，其類一十有四：一曰儒家，以紀仁義教化；二曰道家，以紀清淨無爲；三曰法家，以紀刑法典制；四曰名家，以紀循名責實；五曰墨家，以紀强本節用；六曰縱橫家，以紀辨說譎詐；七曰雜家，以紀兼叙衆說；八曰農家，以紀播植種藝；九曰小說家，以紀芻辭輿誦；十曰兵法，以紀權謀制變；十一曰天文，以紀星辰象緯；十二曰曆數，以紀推步氣朔；十三曰五行，以紀卜筮占候；十四曰醫方，以紀藥餌鍼灸。」又隋志集部序云：「班固有詩賦略凡五種，今引而伸之，合爲三種，謂之集部。」案唐六典云：「丁部爲集，其類有三：一曰楚辭，以紀騷人怨刺；二曰別集，以紀辭賦雜論；三曰總集，以紀類分文章。」考姚振宗氏隋書經籍志考證云：「凡六典所載，四部門類，並與本志篇目相同，唯經部第九圖緯，本志作異說，史部第十三略錄，本志作簿錄，爲小異耳，唐人諱丙，故改丙部爲景部。」又云：「按晉宋以來，爲四部書目者多矣，至唐初而總彙會歸，定爲四十篇，名之曰經籍志，以七錄叙目校之，唯史部之正史、古史、雜史、起居注四篇，不用阮例，或合併篇目，或移易次第，大略相同，當時極重其書，至著於令，爲秘書省所有事，秘書郎職掌之，並取其事類，著之於六典，雖爲前代志經籍，亦卽爲當代立法程，蓋亦唐一代之故事也。」凡上所論，於隋志之淵源、體制，析之頗爲詳明，故著於此，俾便觀覽焉。

二、著錄書籍兼收梁陳齊周隋五代例

隋書經籍志總序云：「遠覽馬史班書，近觀王阮志錄，挹其風流體制，削其浮雜鄙俚，離其疏遠，合其近密，約文緒義，凡五十五篇，（案隋志四部，僅得四十篇，言五十五篇者，姚振宗隋書經籍志考證云：「凡經部十篇，史部十三篇，子部十四篇，集部三篇，附以道經四篇，佛經十一篇，綜凡五十五篇也。」）各列本條之下，以備經籍志，雖未能研幾探賾，窮極幽隱，庶乎弘道設教，可以無遺闕焉。」案張鵬一隋書經籍志補序云：「隋經籍志聚梁陳齊周隋五代諸人著作，爲志二卷，爲書八萬九千六百六十六卷，而兩漢魏晉之書，並列其中。」蓋此志本名五代史志，故凡此五代之官私書目，兼包並蓄，雖則劉知幾詘之爲「廣包衆作，勒成一志，騁其繁富，百倍前修。」（史通書志），然亦適足見其包籠前代，收藏之富也。是故四庫提要亦謂「後漢以來之藝文，惟籍是以考見源流，辨別眞僞。」（史部正史類隋書條），又云：「隋志根據七錄，最爲精核。」（經部禮類夏小正條），可謂知言也矣。

三、去取書籍頗憑主觀例

隋書經籍志總序云：「今考見存，分爲四部，合條爲一萬四千四百六十六部，有八萬九千六百六十六卷，其舊錄所取，文義淺俗，無益敎理者，並刪去之，其舊錄所遺，辭義可采，有所弘益者，咸附入之。」案隋志既收錄梁陳齊周隋五代之書，則凡此五代官私之目錄，自宜並在包羅之中，俾使後人得據以考其載籍，此則善莫大焉。然隋志不此之圖，於所收書籍，以意去取，頗憑主觀，以爲鑑別，有異於班固之全抄七略，得存其舊；又妄刪道佛書目，而僅錄其部名、卷數，是故姚名達氏撰目錄學史，乃謂其「實啟後世任意廢書之惡習」，良有以也。

四、經史子三部以人類書例

鄭樵校讐略云：「古之編書，以人類書，何嘗以書類人哉？人則於書之下，注姓名耳。」又云：「且春秋一類之學，當附春秋以顯，如曰劉向有何義；易一類之書，當附易以顯，如曰王弼有何義。」又云：「隋志於書，則以所作之人，或所解之人，注其姓名於書之下，文集則大書其名於上，曰某人文集，不著注焉。」（不類書而類人論），今案隋志於經史子三部，皆係以人類於書者，如經部易類周易十卷下注云：「魏衞將軍王肅注。」詩類毛詩奏事一卷下注云：「王肅撰。」禮類周官禮十二卷下注云：「王肅注。」而集部別集類有魏衞將軍王肅集五卷，此三書不類於集部王肅集下，而次於經部易詩禮類，是類書而不類人也。又如經部易類周易十卷下注云：「晉散騎常侍干寶注。」禮類周官禮十二卷下注云：「干寶注。」春秋類春秋左氏函傳義十五卷下注云：「干寶撰。」而集部有晉散騎常侍干寶集四卷，此三書不類於集部干寶集下，而次於經部易禮春秋類，是類書而不類人也。又如經部書類尚書洪範五行傳論十一卷下注云：「漢光祿大夫劉向注。」史部簿錄類七略別錄二十卷下注云：「劉向撰。」而集部有漢諫議大夫劉向集六卷，此二書不類於集部劉向集下，而次於經部史部，是類書而不類人也。又如經部論語類爾雅五卷下注云：「郭璞注。」方言十三卷下注云：「郭璞注。」史部起居注類穆天子傳六卷下注云：「郭璞注。」地理類山海經二十三卷不注云：「郭璞注。」水經三卷下注云：「郭璞注。」而集部有晉弘農太守郭璞集十七卷，此五書不類於集部郭璞集下，而次於經部史部，是類書而不類人也。要之，隋志經史子三部之編次，並以書籍爲主也。

五、集部以書類人例

鄭樵校讎略不類書而類人論云：「唐志以人寘於書之上，而不著注，大有相妨，如管辰作管輅傳三卷，唐省文例去作字，則當曰管辰管輅傳，是二人共傳也；如李邕作狄仁傑傳二卷，當去作字，則當曰李邕狄仁傑傳，是二人共傳也；又如李翰作張巡姚誾傳三卷，當去作字，則當曰李翰張巡姚誾傳，是三人共傳也；若文集置人於上，則無相妨，曰某人文集可也，即無某人作某人文集之理，所志唯文集置人於上，可以去作字，可以不著注，而於義無妨也。」今案隋志之於集部，除楚辭類及總集類外（此二類在集部中所居極少），皆係以書類人，於書名之上，署時代官銜及作者姓名，書名之下，則置卷數，如楚蘭陵令荀況集一卷，漢中書令司馬遷集一卷，漢騎都尉李陵集二卷，後漢少府孔融集九卷，魏太子文學徐幹集一卷，魏陳思王曹植集二十卷，蜀丞相諸葛亮集二十五卷，晉少傅山濤集九卷，晉平原內史陸機集十四卷，宋徵士雷次宗集十六卷，齊吏部郎謝朓集十二卷，梁平西刑獄參軍劉孝標集六卷，陳左衞將軍顧野王集十九卷等，皆是也。唯別集類自煬帝集五十五卷以下，不署時代，蓋以其爲隋代本朝之著作也。

六、四部後附道佛書籍部數卷數例

四庫提要子部釋家類小序云：「梁阮孝緒作七錄，以二氏之文，別錄於末，隋書遵用其例，亦附於志末，有部數卷數，而無書名。」考隋志總序云：「遠覽馬史班書，近觀王阮志錄，挹其風流體制，削其浮雜鄙俚，離其疏遠，合其近密，約文緒義，凡五十五篇，各列本條之下。」姚振宗隋書經籍志考證云：「此言五十五篇者，凡經部十篇，史部十三篇，子部十四篇，集部三篇，合四十篇，附以道經四篇，佛經十一篇，綜凡五十五篇也。」又云：「五十五篇，各列本條之下者，謂所作篇序也，今考道佛之錄，但條擧大綱而繫以序各一篇，實無所謂五十五篇者，以意推尋，殆先朝舊錄道佛十五篇，篇各有序，初意欲附存其目，刪存其序，與四十篇之例一律，庶幾與七錄之例，亦略從同，旣而四部正文已滿四卷，不欲再加卷帙，以此二錄，本在四部之外，可以從省，故但附總最，以畢其事，不及追改總序之文歟？今所存卷首總序一篇，四部後序四篇，分類小序四十篇，道佛序二篇，又後序一篇，實止於四十八篇。」今案隋志末道佛篇序云：「道佛者，方外之教，聖人之遠致也，俗士爲之，不通其指，多離以迂怪，假託變幻亂於世，斯所以爲弊也。故中庸之教，是所罕言，然亦不可誣也，故錄其大綱，附于四部之末。」所謂錄其大綱者，亦足證姚氏所云，道佛二錄，省其篇序，刪其書目之事，當屬可信，故今本隋志，綜其篇序，乃止四十有八，而與總序所言不合，若於四部四十篇之外，錄道經四篇，佛經十一篇，則正合五十五篇之數耳。

七、每類後結以小序辨章學術例

昔劉向歆父子，典校秘書，「每一書已，向輒條其篇目，撮其指意，錄而奏之」（漢書藝文志序)，故章學誠謂「劉向父子，部次條別，將以辨章學術，考鏡源流」(校讎通義序)也。及向卒，其子歆總群書而奏七略，俟班固删七略爲藝文志，乃散輯略之文，分載各類之後，以便觀覽；唐書經籍志云：「毋煚等撰集群書四部錄，依班固漢書藝文志體例，隨部皆有小序，發明其指，近史官撰隋書經籍志，其例亦然。」隋志之例，如經部詩類末小序云：「詩者，所以導達心靈，歌詠情志者也……齊詩魏代已亡，魯詩亡於西晉，韓詩雖存，無傳之者，唯毛詩鄭箋至今獨立。又有業詩，奉朝請業遵所注，立義多異，世所不行。」子部名家類末小序云：「名者，所以正百物，叙尊卑，別貴賤，各控名而責實，無相僭濫者也。春秋傳曰，古者名位不同，節文異數。孔子曰，名不正則言不順，言不順則事不成。周官宗伯，以九儀之命，正邦國之位，辨其名物之類，是也。拘者爲之，則苛察繳繞，滯於析辭而失大禮。」此外，隋志四部凡四十類(加道佛則四十二類)，每類之末，並具小序，其所叙說，雖多採漢志，然接其後事，亦足以辨章學術，考鏡源流，此目錄之學，所以兼具學術史之功用也。

八、每部後結以簡序綜論大略例

隋志於四部之前，冠以總序，於四十類之末，則結以小序，其於四部之後，復每部結以簡序者，蓋小序僅叙一家之學，此則撮叙每部之源流正變，以挈其綱領也。此例蓋亦仿自漢志，如經部末簡序云：「傳曰，玉不琢，不成器，人不學，不知道，古之君子，多識而不窮，畜疑以待問，……班固列六藝爲九種，或以緯書解經，合爲十種。」史部末簡序云：「夫史官者，必求博聞强識，疏通知遠之士，使居其位，……班固以史記附春秋，今開其事類，凡三十種，別爲史部。」子部末簡序云：「易曰，天下同歸而殊塗，一致而百慮。儒道小說，聖人之教也，而有所偏，兵及醫方，聖人之政也，所施各異。世之治也，列在衆職，下至衰亂，官失其守。或以其業遊說諸侯，各崇所習，分鑣並騖，若使總而不遺，折之中道，亦可以興化致治者矣。漢書有諸子、兵書、數術、方技之略，今合而叙之，爲十四種，謂之子部。」集部末簡序云：「文者，所以明言也，古者登高能賦，山川能祭，師旅能誓，喪紀能誄，作器能銘，則可以爲大夫，言其因物騁辭，情靈無擁者也。……班固有詩賦略凡五種，今引而伸之，合爲三種，謂之集部。」唯其四部之末所叙，學術得失，分類緣由，率皆過簡，鮮有精當之論，以視每類之末小序，遠爲不逮矣。

九、每類每部後總計部卷例

漢志於每一類後，必書云若干家，若干篇，蓋「凡編書每一類成，必計卷帙于其後」（鄭樵校讐略）也。此用總結之法，隋唐各志，亦相習成例，隋志四部四十類，如易類之末云：「右六十九部，五百五十一卷。」樂類之末云：「右四十二部，一百四十二卷。」正史類之末云：「右六十七部，三千八十三卷。」道家類之末云：「右七十八部，合五百二十卷。」楚辭類之末云：「右十部，二十九卷。」此則每類後之總計也。又如經部之末云：「凡六藝經緯六百二十七部，五千三百七十一卷。」史部之末云：「凡史之所記，八百一十七部，一萬三千二百六十四卷。」子部之末云：「凡諸子合八百五十三部，六千四百三十七卷。」集部之末云：「凡集五百五十四部，六千六百二十二卷。」此則每部後之總計也。又如四部之末云：「凡四部經傳三千一百二十七部，三萬六千七百八卷。」此則四部後之總計也。又如全書之末云：「大凡經傳存亡及道佛六千五百二十部，五萬六千八百八十一卷。」此則綜括四部及道佛經錄之總計也。案顏師古於漢書藝文志注云：「其每略所條，家及篇數，有與總凡不同者，傳寫脫誤，年代久遠，無以詳知。」漢志如是，隋志亦如是，姚振宗隋志考證云：「其卷數則脫誤彌甚，無從覈實，置不復論焉。」（經部易類末案語），故其所校，止於部數。岑仲勉隋書求是於經籍志四部之末亦云：「今以志文四類總數相加，無一相符，可見今本數目字必多錯誤。」要之，總計部卷，雖不可確信其目，亦聊供參稽之用耳。

十、每類每部後通計亡書例

隋書經籍志總序云：「今考見存，分爲四部。」一若所錄之書，皆見存者，然各條自注，每云「梁有某書若干卷，今亡。」或「今殘缺。」故每類通計，亦必於存書總數之外，另注存亡合計之總數。如書類末三十二部，二百四十七卷之下注云：「通計亡書，合四十一部，共二百九十六卷。」雜史類末七十二部，九百一十七卷之下注云：「通計亡書，七十三部，九百三十九卷。」儒家類末六十二部，五百三十卷下注云：「通計亡書，合六十七部，六百九卷。」此則每類後之通計也。又如經部末注云：「通計亡書，合九百五十部，七千二百九十卷。」史部末注云：「通計亡書，合八百七十四部，一萬六千五百五十八卷。」集部末注云：「通計亡書，合一千一百四十六部，一萬三千三百九十卷。」此則每部後之通計也。然隋志之中，亦有不計亡書者，如史部之古史類、舊事類、簿錄類，各書之下，不注亡書，以其類中，本無亡書，固無論矣。至如子部之道、法、名、墨、縱橫、雜、農、小說、兵、天文、曆數、五行、醫方等類，各書之下，輒注亡書，而每類之後，亦並不通計亡書，則是可怪者也。尤以子部之末，未計亡書，其疏失最不可恕。

十一、夾注分別存亡殘缺例

四庫提要云：「漢書藝文志本劉歆七略而作，班固已有自注，隋書經籍志參考七錄，互注存佚，亦沿其例。」（史部、目錄類、崇文總目條）考隋志之中，所謂存佚者，如經部詩類韓詩外傳十卷下注云：「梁有韓詩譜二卷，詩神泉一卷，漢有道徵士趙曄撰，亡。」此中韓詩譜詩神泉二書，隋時雖亡，爲便於後人考究亡書，乃附注於約略相關之韓詩外傳之下。餘如史部正史類吳紀九卷下注云：「晉太學博士環濟撰。晉有張勃吳錄三十卷，亡。」子部醫方類張仲景方十五卷下注云：「仲景，後漢人。梁有黃素藥方二十五卷，亡。」集部別集類漢膠西相董仲舒集一卷下注云：「梁二卷。又有漢太常孔臧集二卷，亡。」皆是也，此例極多。所謂殘缺者，如經部易類周易二卷下注云：「魏文侯師卜子夏傳，殘缺，梁六卷。」史部正史類晉書二十六卷下注云：「本四十四卷，訖明帝，今殘缺。晉散騎常侍虞預撰。」集部別集類楚蘭陵令荀況集一卷下注云：「殘缺，梁二卷。」皆是也。今案鄭樵校讐略云：「古人編書，皆記其亡闕。」又云：「自唐以前，書籍之富者，爲亡闕之書有所系，故可以本所系而求，所以書亡於前而備於後，不出於彼而出於此。」雖則孫德謙氏撰漢書藝文志擧例，於隋志存亡之例，大致不滿，然於書缺而加標注之例，則推崇甚力焉。

十二、稱未成例

隋志之中，既已注明存亡殘缺之書矣，復於書籍之本未完成者，則明標「未成」，以資識別，庶免乎後人誤爲殘缺而省其搜討之勞也。如史部正史類晉書十卷下注云：「未成，本十四卷，今殘缺，晉中書郎朱鳳撰，訖元帝。」周史十八卷下注云：「未成，吏部尚書牛弘撰。」雜史類隋書六十卷下注云：「未成，秘書監王劭撰。」凡若此者，雖不多睹，而其體制，信可爲後世取法，故亦錄出，俾究心簿錄者，得以稽考焉。

十三、敘故書稱有例

錢大昕隋書考異云：「阮孝緒七錄撰於梁普通中，志所云梁者，阮氏書也。」姚振宗隋書經籍志考證新編序例云：「凡卷中低一字寫錄，悉冠以梁有云云者，皆七錄及梁代書目所有之書也。」又考證於子部縱橫家末案云：「本志注梁有云云者，不盡是七錄一書，亦有在七錄之外者。」又考證於敘錄敘諸家評論云：「其釆宋齊梁陳四代書目，而亦注梁有（春秋三傳類中尚存有宋有一條），以五代史志託始於梁也，不盡是七錄也，……大抵宋齊書目所有者，梁代諸家書目無不有之，故概以梁有括之也。」今案如經部易類周易揚氏集二王注五卷下注云：「梁有集馬鄭二王解十卷，亡。」周易十卷下注云：「蜀才注，梁有齊安參軍費元珪注周易九卷，謝氏注周易八卷，尹濤注周易六卷，亡。」詩類毛詩大義十一卷下注云：「梁武帝撰。梁有毛詩十五國風義二十卷，梁簡文帝撰。」禮類石渠禮論四卷下注云：「戴聖撰。梁有群儒疑義十二卷，戴聖撰。」春秋類春秋釋例十卷下注云：「漢公車徵士潁容撰。梁有春秋左氏傳條例九卷，漢大司農鄭衆撰。」史部正史類漢書續十八卷下注云：「范曄撰。梁有蕭子顯後漢書一百卷，王韶後漢林二百卷，韋闡後漢音二卷，亡。」子部儒家類揚子太玄經十卷下注云：「蔡文邵注。梁有揚子太玄經十四卷，虞翻注。揚子太玄經十三卷，陸凱注。揚子太玄經七卷，王肅注，亡。」道家類老子道德經二卷下注云：「周柱下史李耳撰，漢文帝時，河上公注。梁有戰國時河上丈人注老子經二卷，漢長陵三老毋丘望之注老子二卷，漢隱士嚴遵注老子二卷，虞翻注老子二卷，亡。」集部楚辭類楚辭三卷下注云：「郭璞注。梁有楚辭十一卷，宋何偃刪王逸注，亡。」別集類漢諫議大夫劉向集六卷下注云：「梁有漢射聲校尉陳湯集二卷，丞相韋玄成集二卷，亡。」凡上所擧，稱梁有者，皆屬七錄及梁代書目或宋齊陳時書目所有之書也。稱梁有者，除史部較少見及之外，其他三部，此例極多。

十四、每類中不立子目而實具編次例

鄭樵校讎略云：「學之不專者，爲書之不明也，書之不明者，爲類例之不分也，有專門之書，則有專門之學，有專門之學，則有世守之能，人守其學，學守其書，書守其義，人有存沒，而學不息，世有變故，而書不亡。」故云：「類例既分，學術自明，以其先後本末具在」（編次必謹類例論）也。又云：「隋志每於一書而有數種學者，雖不標別，然亦有次第，如春秋三傳，雖不分爲三家，而有先後之列，先左氏，次公羊，次穀梁，次國語，可以次求類」（編次有叙論）。又云：「朝代之書，則以朝代分，非朝代書，則以類聚分」（編次必謹類例論）。今案，除鄭氏所舉春秋之外，如史部正史之書，當集在一處，不可有所間也」（編次之訛論）。今案，除鄭氏所舉春秋之外，如史部正史類以史記、漢書、後漢書、三國志、晉書、宋書、齊書、梁書、後魏書、陳書、周史等依次叙列，小序所謂「今依其世代，聚而編之。」以及古史類小序所謂「今依其世代，編而叙之，以見作者之別。」起居注類小序所謂「今依其先後，編而入之。」集部別集類小序所謂「今依其先後，次之於此。」總集類小序所謂「今次其前後，並解釋評論，總於此篇。」是並以朝代先後分矣。又如經部詩類之分三家，禮類之分三禮，論語類之分出爾雅、方言，小學之分出字形、字音，子部道家類之分別老、莊，兵家類之分別孫、吳，是並以類聚分矣。要之，隋志每類之中，雖不另立子目，而編次實有條不紊。大略言之，經子二部，多依類別分列，史集二部，多以時代相次也。

十五、集部書名上不署官銜例

隋志於集部別集類中，率皆先署時代，後署官銜（詳集部以書類人條），再及書名。然亦有不署官銜，僅具時代書名者，如後漢劉珍集二卷，晉張駿集八卷，晉李充集二十二卷，晉范汪集一卷，晉李顒集十卷，晉伏滔集十一卷，晉孫恩集五卷，晉毛伯成集一卷，晉王茂略集一卷，晉宋欽集二卷，宋王叙之集七卷，梁蕭子暉集九卷，梁蕭機集二卷，皆是也。今案劉珍於漢安帝永初中爲謁者僕射，延光中轉衞尉，卒官；張駿嘗據涼州，晉穆帝追謚爲忠成公；李充嘗爲王導行軍參軍，遷大著作郎，累遷中書侍郎；范汪爲庾亮佐吏，又爲桓溫安西長史，嘗進爵武興侯；伏滔爲桓溫參軍，以功封聞喜縣侯，累遷遊擊將軍；孫恩學爲五斗米道，屢自海上寇邊，晉書乃入之叛逆傳；毛伯成爲晉征西行軍參軍，又爲著作佐郎；宗欽初仕北涼，後入魏，爲著作郎，封臥樹男；蕭子暉仕宋，起家員外散騎侍郎，出爲臨安令，累轉儀同從事，中騎長史；蕭機仕梁，武帝普通中襲封爲安成郡王，歷會稽太守，丹陽尹，湘州刺史；似此諸人，多有官銜可據，而隋志別集類中，並不署其官銜，亦可怪也。至於別集類中，另有不署時代及官銜之一類，如殷闡之集一卷，以其次於宋給事中丘深之集及宋徵士宗景集之間，知其爲宋人無疑；王祐集一卷，劉子政母祖氏集九卷，以其次於煬帝集之後，知其爲隋人無疑；唯以此二書，並不署官銜，故亦附於此例之後，以供省覽焉。

十六、書有不叙作者不用條注例

孫德謙漢書藝文志舉例云：「論語子路篇，子曰，君子於其所不知，蓋闕如也。誠以强不知爲知，則必有穿鑿附會之弊，目錄家於書無作者姓名，往往闕之，所見甚正，而其例則實自漢志刱之。」今案隋志之中，於書名上下有不敘作者，不用條注者，其例亦當同此，皆闕如之義也。如經部易類有周易問二十卷，周易私記二十卷，周易譜一卷，書類有尚書逸篇二卷，尚書義疏七卷，尚書閏義一卷，詩類有毛詩大義十三卷，毛詩義疏二十卷，禮類有周官分職四卷，禮略二卷，禮樂義十卷，樂類有樂經四卷，春秋類有春秋文苑六卷；史部雜史類有梁帝紀七卷，霸史類有托跋涼錄十卷，舊事類有西京雜記二卷，雜傳類有徐州先賢傳一卷；子部儒家類有衆賢誡十三卷，道家類有老子節解二卷，老子章門一卷，雜家類有眞言要集十卷，農家類有楚苑實錄一卷；集部楚辭類有楚辭音一卷，總集類有詞林五十八卷，賦集鈔一卷，衆詩英華一卷；此所擧者特其一端，似此者尚衆，凡此，皆屬不知而闕如之例也。至若經部孝經類孝經私記四卷下注云：「無名先生撰。」姚振宗（隋志考證）與馬國翰（玉函山房輯佚書周易講疏輯本序）以爲係指何妥，而撰隋志者稱無名先生，實亦闕如之義也，其例則與前同，故附於本條之末焉。

十七、夾注略明一書大旨例

隋志於所著錄書籍之下，偶有敘其源委，明其大旨者，其詳明雖不若直齋書錄之解題，四庫總目之提要，然亦能絜其要領，有裨讀者，爲用匪淺也，如經部小學類三蒼三卷下注云：「秦相李斯作蒼頡篇，漢揚雄作訓纂篇，後漢郎中賈滂作滂喜篇，故曰三蒼。」史部古史類淮海亂離志四卷下注云：「敘梁末侯景之亂。」雜史類九州春秋十卷下注云：「記漢末事。」史要十卷下注云：「約史記要言，以類相從。」帝王要略十二卷下注云：「紀帝王及天官、地理、喪服。」霸史類天啟記十卷下注云：「記梁元帝子壻據湘州事。」舊事類交州雜事九卷下注云：「記士燮及陶璜事。」地理類黃圖一卷下注云：「記三輔宮觀、陵廟、明堂、辟雍、郊畤等事。」發蒙記一卷下注云：「載物產之異。」地理書一百四十九卷下注云：「陸澄合山海經以來一百六十家以爲此書，澄本之外，其舊事，並多零失，見存別部目行者唯四十二家，今列之於上。」地記二百五十二卷下注云：「梁任昉增陸澄之書八十四家以爲此記，其所增舊書，亦多零失，見存別部行者唯十二家，今列之於上。」凡此，並屬陳述大旨之例也，而史部之中，例尤多焉。

十八、夾注記書中起訖例

孫德謙漢書藝文志舉例云：「嘗謂志藝文者，於書中起訖，亦當記之，及讀隋志，而見其記載甚詳，知史家目錄，固於此深致意焉。」今考之隋志，如史部正史類東觀漢記一百四十三卷下注云：「起光武記注至靈帝。」晉書二十六卷下注云：「本四十四卷，訖明帝，今殘缺，晉散騎常侍虞預撰。」晉書十卷下注云：「未成，本十四卷，今殘缺，晉中書郎朱鳳撰，訖元帝。」晉中興書七十八卷下注云：「起東晉，宋湘東太守何法盛撰。」通史四百八十卷下注云：「梁武帝撰，起三皇，訖粱。」古史類漢晉陽秋四十七卷下注云：「訖愍帝，晉滎陽太守習鑿齒撰。」晉紀十一卷下注云：「訖明帝，晉荆州別駕鄧粲撰。」晉陽秋三十二卷下注云：「訖哀帝，孫盛撰。」雜史類漢皇德紀三十卷下注云：「漢有道徵士，侯瑾撰，起光武，至冲帝。」洞紀四卷下注云：「韋昭撰，記庖犧以來，至漢建安二十七年。」十五代略一卷下注云：「吉文甫撰，記庖犧，至晉。」周載八卷下注云：「東晉臨賀太守孟儀撰，略記前代，下至秦。」凡上所舉，率皆注明事蹟起訖者也，而又以史部之例爲多。

十九、稱先生例

禮記曲禮云：「從於先生，不越路而與人言。」鄭玄注：「先生，老人教學者。」戰國策衞策云：「衞客患之，乃見梧下先生。」高誘注：「先生，長者有德之稱。」是先生自古用於尊稱，隋志之中，凡稱先生者，不一而足，蓋亦示其敬意焉。如經部書類尚書義三卷下注云：「劉先生撰。」朱彝尊經義考云：「隋志載劉先生尚書義三卷，不詳其名，度非劉光伯（炫），即劉士元（焯）所著也。」詩類集注毛詩二十四卷下注云：「梁有毛詩序一卷，梁隱居先生陶弘景注，亡。」案南史隱逸傳云：「陶宏景字通明，丹陽秣陵人也，……自號華陽陶隱居，人間書札，即以隱居代名，……謚曰貞白先生。」史部正史類范漢音訓三卷下注云：「陳宗道先生臧競撰。」姚振宗隋書經籍志考證云：「宋張君房雲笈七籤載唐茅山昇眞王先傳云，瑯琊王遠知，年十五，入華陽，事貞白先生，授三洞法，又從宗道先生臧矜傳諸秘訣，是宗道先生，神仙家流也，與陶宏景同輩，競當爲矜。」霸史類南燕書七卷下注云：「遊覽先生撰。」姚氏考證云：「遊覽先生，不詳何人。」又雜傳類有陸先生傳一卷，孔稚珪撰，姚氏考證云：「太平御覽道部三洞珠囊曰，陸元德，吳興東遷人，宋文帝召入內，服膺尊異，時太后王氏，雅信黃老，降母后之尊，執門徒之禮（道學傳云，陸修靜字元德）。」又云：「雲笈七籤，宋廬山簡寂陸先生諱修靜，以元徽五年三月二日潛化，有詔謚曰簡寂先生。」關令內傳一卷下注云：「鬼谷先生撰。」子部魯連子五卷錄一卷下注云：「魯連，齊人，不仕，稱爲先生。」又集部別集類有梁隱居先生陶弘景集三十卷。凡此，皆爲尊敬其人，故稱先生也。

二十、稱師稱弟子例

隋志之中，有稱某師某弟子之例，蓋所以尊崇師承淵源，或所以顯明其人生平事蹟也，其稱某人某師者，如經部禮類周官禮十二卷下注云：「干寶注。梁又有周官寧朔新書八卷，晉燕王師王懋約撰，亡。」子部儒家類子思子七卷下注云：「魯穆公師孔伋撰。」道家類鬻子一卷下注云：「周文王師鬻熊撰。」兵家類太公六韜五卷下注云：「周文王師姜望撰。」其稱某人弟子者，如子部道家類文子十二卷下注云：「文子，老子弟子。」至若意有所疑，不能肯定者，則加似字以稱之，如子部儒家類公孫尼子一卷下注云：「尼似孔子弟子。」墨家類隨巢子一卷下注云：「巢似墨翟弟子。」胡非子一卷下注云：「非似墨翟弟子。」凡此，皆屬稱師稱弟子者也。

二一、稱處世隱人例

荀子非十二子篇云：「古人之所謂處士者，德盛者也，能靜者也，脩正者也，知命者也，箸是者也。」史記信陵君列傳云：「趙有處士毛公，藏於博徒，薛公，藏於賣漿家。」是古所謂處士者，多係隱居不仕而有學行者也。隋志之中，稱處士者，亦不一而足，如子部法家類愼子十卷下注云：「戰國時處士愼到撰。」名家類尹文子二卷下注云：「尹文，周之處士，遊齊稷下。」集部楚辭類楚辭音一卷下注云：「宋處士諸葛士撰。」別集類後漢徐令班彪集二卷下注云：「後漢處士梁鴻集二卷，亡。」後漢討虜長史張紘集一卷下注云：「梁有後漢處士禰衡集二卷。」又有晉處士楊泉集二卷；晉處士薄蕭之集九卷。又隋志之中，除稱處士者外，其稱隱人者，義雖稍異，例亦同此，如子部道家類鶡冠子三卷下注云：「楚之隱人。」列子八卷下注云：「鄭之隱人列禦寇撰。」以其例不多睹，今亦合於處士之例，而錄出之。

二二、稱某氏例

隋志於作者名字不詳者，有逕以某氏稱之一例，如經部書類尚書釋問一卷下注云：「虞氏撰。」姚振宗氏隋書經籍志考證云：「虞氏不詳何人。」詩類毛詩箋音證十卷下注云：「毛詩音隱一卷，于氏撰，亡。」姚氏考證云：「于氏不詳何人，按釋文敘錄載詩音九家，中有干寶，此殆干氏之誤。」禮類喪服制要一卷下注云：「徐氏撰。」姚氏考證云：「徐氏不詳何人。」論語類五經要義五卷下注云：「梁十七卷，雷氏撰。」姚氏考證云：「雷氏不詳何人。」其他，如史部雜史類晉書鴻烈六卷下注云：「張氏撰。」子部天文類夏氏日旁氣一卷下注云：「許氏撰，梁四卷。」曆數類曆序一卷下注云：「姜氏撰。」五行類九宮經解二卷下注云「李氏注。」太一龍首式經一卷下注云：「董氏注。」醫方類脈經二卷下注云：「徐氏撰。」名醫別錄三卷下注云：「陶氏撰。」凡此，皆作者名字不詳，唯知姓氏，乃題曰某氏所撰，用以存疑者也。

二三、僧人著作稱釋例

佛姓釋迦，而學佛爲比丘者，亦稱爲釋，故隋志凡於僧人著作，撰者姓名之上，咸冠以釋字。如經部小學類韻英三卷下注云：「釋靜洪撰。」史部儀注類僧家書儀五卷下注云：「釋曇瑗撰。」

雜傳類高僧傳十四卷下注云：「釋僧祐撰。」地理類四海百川水源記一卷下注云：「釋道安撰。」子部老子道德經二卷下注云：「劉仲融注。老子道德經二卷，釋惠琳注。老子道德經二卷，釋惠嚴撰。」老子義疏一卷下注云：「顧歡撰。梁有老子義疏一卷，釋慧觀撰，亡。」五行類陽遁甲九卷下注云：「釋智海撰。」集部楚辭類楚辭音一卷下注云：「釋道騫撰。」此外，又有於釋字上加沙門二字者，其義並同，蓋沙門者，出家修道者之稱，翻譯名義集云：「沙門或云桑門，此言功勞，言修道有多勞也。」又云：「或以沙門翻勤息，謂勤行衆善，止息諸惡也。」其見於隋志者，如史部地理類佛國記一卷下注云：「沙門釋法顯撰。」遊行外國傳一卷下注云：「沙門釋智猛撰。」子部醫方類諸藥異名八卷下注云：「沙門行矩撰。」集部總集類法集百七卷下注云：「梁沙門釋寶唱撰。」又集部別集類有晉沙門支遁集八卷，晉沙門支曇諦集六卷，晉沙門釋惠遠集十二卷，晉姚萇沙門釋僧肇集一卷，宋沙門釋惠琳集五卷，陳沙門釋標集二卷，陳沙門釋洪偃集八卷，陳沙門釋瑗集六卷，陳沙門釋靈裕集四卷，陳沙門釋暠集六卷，皆屬此例也。

二四、撰人不一稱等例

孫德謙漢書藝文志舉例云：「書有撰著之人，不可枚舉，及載入藝文，則署一二人姓名，而其餘皆從略者，蓋事必有主，牽連並書，則不勝其繁矣。然一書也，或出同時所修，或爲數人所作，僅錄主名，此外則一切掩沒之，於心何安？惟以等字該之，則辭尙體要，後之人亦可博訪周咨，不致有文辭不少概見之患，吾觀後世目錄家多用此例。」隋志於此，自不例外，如經部易類周易論一卷下注云：「周易難王輔嗣義一卷，晉揚州刺史顧夷等撰。」姚振宗隋書經籍志考證云：「梁劉峻世說文學篇注，顧氏譜曰，夷字君齊，吳郡人，祖厥，孝廉，父霸，少府卿，夷辟州主簿，不就。宋書隱逸傳，關康之，字伯愉，河東楊人，世居京口，少而篤學，晉陵顧悅之難王弼易義四十餘條，康之申王難顧，遠有情理，又齊書高隱臧榮緒傳云，康之與榮緒，俱隱在京口，世號二隱。按關康之傳，則是書亦有顧悅之難義及關氏難顧義，並錄在其中，故題曰顧夷等，明非一人之作也。」此外，隋志中類此者，爲數尙多，其理皆同，如經部詩類毛詩序義疏一卷下注云：「劉瓛等撰。」春秋類春秋土地名三卷下注云：「晉裴秀客、京相璠等撰。」史部正史類東觀漢記一百四十三卷下注云：「長水校尉劉珍等撰。」子部天文類星占二十八卷下注云：「孫僧化等撰。」曆數類九章算經二十九卷下注云：「徐岳、甄鸞等撰。」皆是也。姚振宗氏於此，亦多有考證焉。

二五、省文稱各例

孫德謙漢書藝文志擧例云：「一人之書，其卷數相等者，分言之，則嫌其繁重，合言之，則又恐不能淸晰。其道如何？曰，當加一各字，以識別之。書錄解題詩集類中，於施注東坡集下云，年譜目錄各一卷，是蓋權衡於分合之間，而得易簡之理也。漢志易家章句施孟梁丘氏各二篇，書家大小夏侯章句各二十九卷，然則陳氏其本此爲例乎？」其見於隋志者，如經部易類周易乾坤義一卷下注云：「齊步兵校尉劉瓛撰。梁又有齊臨沂令李玉之、梁釋法通等乾坤義各一卷。」春秋類春秋公羊經傳十三卷下注云：「晉散騎常侍王愆期注。春秋公羊音，李軌、晉徵士汪淳撰，各一卷。」論語類爾雅三卷下注云：「漢中散大夫樊光注。梁有漢劉歆、犍爲文學、中黃門李巡爾雅各三卷，亡。」子部農家類春秋濟世六常擬議五卷下注云：「楊瑾撰。梁有陶朱公養魚法、卜式養羊法、養豬法、月政畜牧栽種法各一卷，亡。」天文類天文集占十卷下注云：「梁百卷，梁有石氏、甘氏、天文占各八卷。」五行類易要決二卷下注云：「梁有周易曆、周易初學筮要法，各一卷。」乾坤鏡二卷下注云：「梁天鏡、地鏡、日月鏡、四規鏡經各一卷。」相手板經六卷下注云：「梁相手板經、受版圖、韋氏相板印法指略鈔、魏征東將軍程申伯相印法各一卷，亡。」案孫德謙氏以爲陳氏書錄解題稱各之法，本乎漢志，而所學於漢志者，僅易書之例各一，是則漢志雖首創此例，而至隋志，用之始繁（史集二部則罕見），乃孫氏不擧隋志，而稱書錄解題以爲例，亦可怪也。

二六、一人爲數書作者姓名稱並例

隋志之中，於敘一人爲數書之作者時，輒稱並字，以省繁複，蓋並者兼也、皆也，卽此而知數書皆一人所撰，故不必於每書之下，一一著明也。如經部詩類毛詩辯異三卷下注云：「晉給事郎楊乂撰。毛詩總集六卷，毛詩隱義十卷，並梁處士何胤撰，亡。」小學類古今字詁三卷下注云：「張揖撰。梁有難字一卷，錯誤字一卷，並張揖撰。」子部儒家類顧子新語十二卷下注云：「吳太常顧譚撰。典語十卷，典語別二卷，並吳中夏督陸景撰，亡。」新論十卷下注云：「晉散騎常侍夏侯湛撰。梁有揚子物理論十六卷，揚子太元經十四卷，並晉徵士揚泉撰。」縱橫家鬼谷子三卷下注云：「皇甫謐注。梁有補闕子十卷，湘東鴻烈十卷，並元帝撰，亡。」曆數類景初曆三卷下注云：「晉楊偉撰。梁有景初曆術三卷，景初曆法三卷。又一本，五卷。並楊偉撰。」凡此，皆屬一人爲數書作者，爲省重複，乃稱並以綜言之也，唯史部正史類漢疏四卷下注云：「梁有漢書孟康音九卷，劉孝標注漢書一百四十卷，陸澄注漢書一百二卷，梁元帝注漢書一百一十五卷，並亡。」所稱並字，用法稍異，而意義則亦相若，以其僅得一見，故附記於此，不另別立條例。

二七、稱僞例

隋志史部霸史類小序云：「自晉永嘉之亂，皇綱失馭，九州君長，據有中原者甚衆，或推奉正朔，或假名竊號。」案自晉永嘉以迄宋元嘉間，五胡擾亂中華，其割據僭號者，計有二趙（前趙、後趙）、三秦（前秦、後秦、西秦）、四燕（前燕、後燕、南燕、北燕）、五涼（前涼、後涼、南涼、北涼、西涼）及夏、成漢等十六國，及唐修隋書，於此等竊號僭立者，並以僞字稱之，其見於經籍志者，如史部雜史類拾遺錄二卷下注云：「僞秦姚萇方士王子年撰。」霸史類趙書十卷下注云：「一曰二石集，記石勒事，僞燕太傅長史田融撰。」燕書二十卷下注云：「記慕容儁事，僞燕尚書范亨撰。」南燕錄六卷下注云：「記慕容德事，僞燕中書郎王景暉撰。」涼記八卷下注云：「記張軌事，僞燕右僕射張諮撰。」涼書十卷下注云：「記張軌事，僞涼大將軍從事中郎劉景撰。」涼記十卷下注云：「記呂光事，僞涼著作佐郎段龜龍撰。」雜傳類明氏家訓一卷下注：「僞燕衞尉明岌撰。」地理類珠崖傳一卷下注云：「僞燕聘晉使蓋泓撰。」又霸史類有王度所撰二石僞治時事二卷，記石勒石虎事，凡此，皆是貶其竊號僭立也，故劉昫等撰唐書經籍志，逕易霸史之名，而改以僞史稱之矣。

二八、夾注著錄亡書不署作者例

隋志夾注之中，有著錄存亡殘缺一例，而所記亡佚書籍，又有不署作者姓名者，如經部禮類喪服圖一卷下注云：「崔逸撰。梁有喪服祥禫雜議二十九卷，喪服雜議故事二十一卷。又戴氏喪服五家，要記圖譜五卷，喪服君臣圖儀一卷，亡。」周室王城明堂宗廟圖一卷下注云：「祁諶撰。梁又有冠服圖一卷，五宗圖一卷，月令圖一卷，亡。」孝經類孝經義一卷下注云：「梁揚州文學從事太史叔明撰。梁有孝經玄、孝經圖各一卷，孝經孔子圖二卷，亡。」讖緯類春秋災異十五卷下注云：「郗明撰。春秋內事四卷，春秋包命二卷，春秋祕事十一卷，書易詩孝經春秋河洛緯祕要一卷，五帝鈎命決圖一卷，亡。」孝經內事一卷下注云：「孝經元命包一卷，孝經古祕授神二卷，孝經古祕圖一卷，孝經左右握二卷，孝經左右契圖一卷，孝經雌雄圖三卷，孝經異本雌雄圖二卷，孝經分野圖一卷，孝經內事圖二卷，孝經內事星宿講堂七十二弟子圖一卷。又口授圖一卷。……孔老讖十二卷，老子河洛讖一卷，尹公讖四卷，劉向讖二卷，雜讖書二十九卷，堯戒舜禹一卷，孔子王明鏡一卷，……嵩高道士歌一卷，亡。」小學類勸學一卷下注云：「蔡邕撰。又月儀十二卷，亡。」群玉典韻五卷下注云：「又五音韻一卷，亡。」文字音七卷下注云：「晉蕩昌長王延撰。梁有纂文三卷，亡。」史部霸史類吐谷渾記二卷下注云：「宋新亭侯段國撰。梁有翟遼書二卷，諸國略記二卷，永嘉後纂年記二卷，段業傳一卷，亡。」起居注類晉元康起居注一卷下注云：「梁有永平元康永寧起居注六卷，又有惠帝起居注二卷，永嘉建興起居注十三卷，亡。」凡上所舉，多屬年代遼遠，書又亡佚，其所以不署作者，實不得不爾也。

二九、書有異名稱一曰例

孫德謙漢書藝文志舉例云：「古人著書，有兩人相同者，如桓譚新論，華譚新論，揚雄太玄經，楊泉太玄經是；又有一人撰述，而其名轉異者，若爲藝文作志，不記其別稱，則如鄭樵通志，旣有班昭集，復有曹大家集，將一書而誤作兩書矣。漢志於儒家王孫子云，一曰巧心，可知書有別名者，應稱一曰某某也。夫書名歧出，或其人自爲更定，而後人不知，從其最初者而言，抑或原書名目，經後人之補緝，因而易其舊稱，世多有之。此而不用班氏一曰之例，豈不令人滋疑乎？」考隋志於史部霸史類趙書十卷下注云：「一曰二石集，記石勒事，僞燕太傅長史田融撰。」姚振宗隋書經籍志考證云：「晉書載記曰，石勒據襄，國稱趙，又曰，石勒字世龍，上黨武鄉羯人也，其先匈奴別部羌渠之首，又石季龍（虎），勒之從子也，名犯太祖廟諱，故稱字焉。」史通雜說篇自注云：「田融趙史謂勒爲前石，虎爲後石。」案隋志之中，稱一曰者，僅見於斯，此例雖少，然其體制，則承先啟後，要不可忽，故錄出之，以備省覽。

三十、稱疑稱似例

隋志之中，凡意有所疑，不能遽定，或涉傳本眞僞，書籍宗旨，或關撰人生平，師承淵源者，則多稱疑稱似，是亦守夫子不知蓋闕之義者也。如經部孝經類古文孝經一卷下注云：「孔安國傳，梁末亡逸，今疑非古本。」史部雜史類周書十卷下注云：「汲冢書，似仲尼删書之餘。」子部名家類人物志三卷下注云：「梁有士緯新書十云，姚信撰。又姚氏新書二卷，與士緯相似。」案此謂新書與士緯二書宗旨相近也。醫方類墨子枕內五行紀要一卷下注云：「梁有神枕方一卷，疑此即是。」「療馬方一卷下注云：「梁有伯樂療馬經一卷，疑與此同。」凡此，皆所以疑此書籍傳本眞僞或內容宗旨之大略也。又如經部春秋類春秋穀梁傳十四卷下注云：「段肅注，疑漢人。」子部儒家類公孫尼子一卷下注云：「尼似孔子弟子。」道家類廣成子十三卷下注云：「商洛公撰，張太衡注，疑近人作。」墨家類隨巢子一卷下注云：「巢似墨翟弟子。」胡非子一卷下注云：「非似墨翟弟子。」凡此，皆所以疑此撰人之生平及其師承淵源之大略也。故隋志有稱疑稱似之一例，而義皆相若。

三一、夾注所稱卷數異於正文例

孫德謙漢書藝文志舉例云：「志藝文者，於一書爲若干篇，若干章，及同一刻本，此與彼異者，均須詳注，以闡明之。」今考隋志之中，夾注著錄之卷數，有與書名下著錄之卷數相異者，其曰梁有云云者，多爲七錄及梁代書目之所有；其曰一本云云者，則所見之本不同，蓋皆後人傳寫，卷數分合不同也；其曰亡或本者，則係前有今亡之卷數也；綜而言之，有此三類。如經部禮類禮論要鈔十卷下注云：「王儉撰。梁三卷。」禮答問十卷下注云：「何佟之撰，梁二十卷。」論語類廣雅三卷下注云：「魏博士張揖撰。梁有四卷。」姚振宗隋書經籍志考證云：「揖進表稱，分爲上中下，隋志三卷，與表所言合，七錄作四卷，由後來傳寫，析其篇目，後人又析爲十卷。」五經通義八卷下注云：「梁九卷。」讖緯類易緯八卷下注云：「鄭玄注。梁有九卷。」子部五行類風角要占三卷下注云：「梁八卷，京房撰。」集部別集類漢膠西相董仲舒一卷下注云：「梁二卷。」後漢左中郞將蔡邕集十二卷下注云：「梁有二十卷。」凡此，皆是注明梁有者也。如子部兵家類兵記八卷下注云：「司馬彪撰，一本二十卷。」則屬所見之本有異者也。如史部雜傳類雜傳三十六卷下注云：「任昉撰。本一百四十七卷，亡。」雜傳四十卷下注云：「賀蹤撰。本七十卷，亡。」子部醫方類鍼灸圖經十一卷下注云：「本十八卷。」西域名醫所集要方四卷下注云：

「本十二卷。」新錄乾陀利治鬼方四卷下注云：「本五卷，闕。」凡此，則係書有亡闕，今佚不見者也。

三二、一人時代官銜前後不複注例

隋志之中，於一人時代官銜，往往既注於前，卽略於後，所以避重複而省繁冗也。如經部易類周易十卷下既注云：「晉散騎常侍干寶注。」而於周易爻義一卷下卽注云：「干寶撰。」又如經部易類周易十卷下既注云：「魏衞將軍王肅注。」而於書類尚書十一卷下及詩類毛詩二十卷下卽注云：「王肅注。」論語類孔子家語二十一卷下卽注云：「王肅解。」又如經部易類周易十卷下既注云：「魏尚書郎王弼注。」而於子部道家類老子道德經二卷下卽注云：「王弼注。」又如經部禮類大戴禮記十三卷下既注云：「梁有謚法三卷，後漢安南太守劉熙注，亡。」而於論語類釋名八卷下及子部儒家類孟子七卷下卽注云：「劉熙注。」又如經部論語類廣雅三卷下既注云：「魏博士張揖撰。」而於小學類古今字詁三卷下卽注云：「張揖撰。」又如史部正史類漢書訓纂三十卷下既注云：「陳吏部尚書姚察撰。」而於漢書集解一卷及定漢書疑二卷下卽注云：「姚察撰。」凡此，或同部異部，或同類異類，凡已注時代官銜於前者，率皆不複重注於後，此亦隋志通例之一也。

三三、書有目錄須注明例

漢書藝文志序云：「每一書已，向輒條其篇目，撮其指意，錄而奏之。」案目者篇目，錄者合篇目及序言之，是單言錄者，卽可兼包目矣，故錄又或稱爲目錄。隋志之中，其言目者，如史部刑法類北齊律十二卷下注云：「目一卷。」隋開皇令三十卷下注云：「目一卷。」魏名臣奏事四十卷下注云：「目一卷。」子部儒家類曾子二卷下注云：「目一卷。」醫方類論病源候論五卷下注云：「目一卷。」西域諸仙所說藥方二十三卷下注云：「目一卷。」治馬牛駝騾等經三卷下注云：「目一卷。」金匱錄二十三卷下注云：「目一卷。」養生注十一卷下注云：「目一卷。」其言錄者，如史部刑法類梁令三十卷下注云：「錄一卷。」子部儒家類賈子十卷下注云：「錄一卷。」新序三十卷下注云：「錄一卷。」雜家類尉繚子五卷下注云：「梁并錄六卷。」風俗通義三十一卷下注云：「錄一卷。」五行類光明符十二卷下注云：「錄一卷。」周易林十卷下注云：「梁周易林三十三卷，錄一卷。」醫方類依本草錄藥性三卷下注云：「錄一卷。」集部別集類魏太子文學劉楨集四卷下注云：「錄一卷。」魏衞將軍王肅集五卷下注云：「梁有錄一卷。」案稱錄者，集部最多，幾每集並皆有錄。又其稱目錄者，如經部讖緯類河圖二十卷下注云：「目錄一卷。」史部正史類史記一百三十卷下注云：「目錄一卷。」錢大昕十駕齋養新錄云：「古人書目錄皆在篇末，太史公之自序，班孟堅之叙傳，即目錄也。今史漢目錄出於後人增加，考隋書經籍志，史記一百三十卷之下注云，目錄一卷，則史記之有目錄，隋時已然。」子部五行類新撰占夢書十七卷下注云：「并目錄。」集部楚辭類楚辭十二卷下注云：「并目錄。」要之，隋志於書籍之有目錄者，均加注出，以備後人稽考，意至善也。

三四、著錄書有重出例

章學誠校讐通義云：「古人著錄，不徒爲甲乙部次計，如徒爲甲乙部次計，則一掌故令史足矣，何用父子世業，閱年二紀，僅乃卒業乎？蓋部次流別，申明大道，叙列九流百氏之學，使之繩貫珠聯，無少缺逸，欲人卽類求書，因書究學；至理有互通，書有兩用者，未嘗不兼收並載，初不以重複爲嫌，其於甲乙部次之下，但加互注，以便稽檢而已。」又云：「蓋不知重複互注之法，則遇兩歧牽掣之處，自不覺其牴牾錯雜，百弊叢生。」今案隋志之中，輒有重出之書，卽據鄭樵校讐略，錢大昕隋書考異及姚振宗隋書經籍志考證所述，卽已爲數甚夥，而其體制，則有異於互著之法者。如周易玄品二卷，一見於經部易類，一見於子部五行類。晉裴秀客、京相璠所撰春秋土地名三卷，一見於經部春秋類，一見於史部地理類。李槩戰國春秋二十卷，一見於史部古史類，一見於史部霸史類。正流論一卷，一見於史部簿錄類，一見於集部總集類。新舊傳四卷，裴子野衆僧傳二十卷，王延秀感應傳八卷，皆一見於史部雜傳類，又見於子部雜家類者。諸葛武侯集誡二卷，衆賢誡十三卷，女鑒一卷，曹大家女誡一卷，貞順志一部，皆一見於子部儒家類，又見於集部總集類。此皆一書而重出於不同之部類者也。又有一書而重出於同一部類者，如鄭玄駁何氏漢議二卷，兩見於春秋類。顧夷吳郡記二卷，戴延之西征記二卷（一題戴祚），兩見於地理類。陶宏景天儀說要一卷，兩見於天文類。趙敺甲寅元曆序一卷，兩見於曆數類。張衡黃帝飛鳥曆一卷，庾季才地形志八十七卷（一作八十卷），兩見於五行類。今考鄭樵校讎略云：「隋志最可信，緣分類不考，故亦有重複者。」章學誠校讎通義云：「自班固併省部次，而後人不復知有家法，乃始以著錄之業，專爲甲乙部次之需爾。」又云：「漢志以後，既無互注之例，則著錄之重複，大都不關義類，全是編次之錯謬爾。」言雖過當，要亦不無部份道理，蓋卽前學書籍言之，其一書兼載於兩類之中者，謂之互見，或無不可；其一書重出於一類之間者，則必爲編次之疏漏者也；姚氏振宗於此，亦多有考證，可資參稽。

（原刊於南洋大學學報第四期）

六　鄭樵論「七略」「漢志」語評議

鄭樵所著通志，其校讐藝文諸略，雖有功於簿錄之學，然於劉歆七略、班固漢志，輒過爲譏貶之詞，則似未窺古人之大體者，本文摘取鄭氏所論七略漢志之語，並爲裒集諸家所論，凡分七端，要在勘定是非，俾還劉班之眞義也。

甲、引　言

簿錄之學，自劉向父子與班氏孟堅以下，必首推鄭樵漁仲，鄭氏生乎劉班千載之後，慨然有志於向歆討論之旨，於是作校讐藝文金石圖譜諸略，以部次條別，疏通倫類，其所創建，實頗可觀，然鄭樵於七略漢志之書，輒過爲貶駁之辭，而不能平心以求夫劉班校讐之微意，是以謬於本原之處，亦所在多有，茲謹裒集諸家所評論，並略勘定其是非，勒成斯編，非僅藉申劉班之要義，亦庶乎不沒古人之用心云爾。

乙、評　議

1　論漢志中尉繚子之入類

鄭樵校讎略見名不見書論云：

編書之家，多是苟且，有見名不見書者，有看前不看後者，尉繚子，兵書也，班固以爲諸子類，寘於雜家，此之謂見名不見書。

鄭氏以爲，尉繚子本屬兵書，而班氏乃爲誤移於雜家，故謂之爲見名不見書，考章學誠校讎通義焦竑誤校漢志第十二之十三云：

按漢志，尉繚本在兵形勢家，書凡三十一篇，其雜家之尉繚子，書止二十九篇，班固又不着重複併省，疑本非一書也。

四庫提要於兵家尉繚子云：

漢志雜家有尉繚二十九篇，鄭樵譏其見名而不見書，馬端臨亦以爲然，然漢志兵形勢家，實別有尉繚三十一篇。…………今雜家亡而兵家獨傳，鄭以爲孟堅之誤者，非也。

劉咸炘續校讎通義糾鄭第九亦云：

按此乃七略之舊，七略所收，皆經校定，非如樵之止鈔舊目，安得不見書，兵家雜家，固皆有尉繚，今尉繚子乃僞書，何反以譏劉邪？

今案漢志兵書略形勢家及諸子略雜家皆有尉繚子（兵形勢家僅稱尉繚），其篇數既不相同，恐亦並非重複互載之同一書籍（顧實漢書藝文志講疏於形勢家之尉繚注云：「雜家尉繚子二十九篇，蓋非同書。」），鄭氏唯見雜家之有尉繚子矣，卽以爲班固出彼而入此，是眞所謂「看前而不看後」（漢志諸子略居兵書略之前），顧此而不顧彼者也。

2. 論七略漢志不收律令章程之書

鄭樵校讎略亡書出於後世論云：

古之書藉有不出於當時，而出於後代者，按蕭何律令，張蒼章程，漢之大典也，劉氏七略，班固漢志，全不收，按晉之故事，卽漢章程也，有漢朝駮議三十卷，漢名臣奏議三十卷，並爲章程之書，至隋唐猶存，奈何闕於漢乎？刑統之書，本於蕭何律令，歷代增修，不失故典，豈可闕於當時乎？又況兵家一類，任宏所編，有韓信軍法三篇，廣武一篇，豈有韓信軍法猶在，而蕭何律令張蒼章程則無之，此劉氏班氏之過也。

鄭氏此條，以爲七略漢志不收律令章程之書，乃劉歆班固之過，考章學誠校讎通義補校漢藝文志第十之二云：

鄭樵以蕭何律令、張蒼章程，劉略班志不收，以爲劉班之過，此劉氏之過，非班氏之過也。劉向校書之時，自領六藝諸子詩賦三略，蓋出中秘之所藏也。至於兵法數術方技，皆分領於專官，則兵術技之三略，不盡出於中秘之藏，其書各存專官典守，是以劉氏無從而部錄之也。惟是申韓家言，次於諸子，仲舒治獄，附於春秋，不知律令藏於理官，章程存於掌故，而當時不責成於專官典守，校定篇次，是七略之遺憾也。班氏謹守劉略遺法，惟出劉氏之後者，間爲補綴一二。其餘劉氏所不錄者，東京未必盡存，藝文佚而不載，何足病哉？

鍾肇鵬校讐通義評誤云：

案班志謹守劉略，不收二書，固非班過，然七略不收律令章程，亦非劉過也。蓋向歆司籍，主於校讐，故錄略所登，惟讐校之書在焉。若夫蕭何律令、張蒼章程，乃朝廷政令，懸諸國門，如今憲法條文，不容變更一字，則自不待校理，既未讐校，錄略自不載其書，又于二劉何咎乎？

今案鍾氏之說，深明乎向歆校書之義例，律令章程，乃朝廷政令，亦猶今之憲章律則，要在一一見諸實行，其無訛字異文，何待更爲校理？二劉既未讐定，別錄七略，自復不予登載，漢志沿而未改，然則二劉班氏，皆不得尸其錯謬矣，章氏曲爲漢志作解，以爲漢志承襲七略遺法，不收律令章程，乃劉氏之過，非班氏之過者，是猶未爲洞見古人校書之義例故耳。

3. 論向歆班固之不收圖譜

鄭樵校讎略編書不明分類論云：

七略唯兵家一略，任宏所校，分權謀、形勢、陰陽、技巧爲四種書，又有圖四十三卷，與書參焉，觀其類例，亦可知兵，況見其書乎；其次，則尹咸校數術，李柱國校方技，亦有條理，惟劉向父子所校經傳諸子詩賦，冗雜不明，盡採語言，不存圖譜，緣劉向章句之儒，胸中元無倫類，班固不知其失，是致後世亡書多而學者不知源，則凡編書，惟細分難，非用心精微，則不能也，兵家一略極明，若他略皆如此，何憂乎斯文之喪也。

又通志總序云：

河出圖，天地有自然之象，圖譜之學，由此而興；洛出書，天地有自然之文，書籍之學，由此而出；圖成經，書成緯，一經一緯，錯綜而成文，古之學者，左圖右書，不可偏廢。劉氏作七略，收書不收圖，班固卽其書爲藝文志，自此而還，圖譜日亡，書籍日冗，所以困後學而隳良材者，皆由於此，卽圖而求易，卽書而求難，舍易從難，成功者少。

又圖譜略原學云：

何爲三代之前，學術知彼，三代之後，學術如此……，抑有由也，以圖譜之學不傳，則實學盡化爲虛文矣……由是知圖譜之學，學術之大者，且蕭何，刀筆吏也，知炎漢一代憲章之所自，歆向，大儒也，父子紛爭於章句之末，以計較毫釐得失，而失其學術之大體………劉氏之學，意在章句，故知有書而不知有圖，嗚呼，圖譜之學絕紐，是誰之過與？

又圖譜略索象云：

歆向之罪，上通於天，漢初典籍無紀，劉氏創意，總括羣書，分爲七略，只收書不收圖，藝文之目，遞相因習，故天祿蘭臺，三館四庫，內外之藏，但聞有書而已………唯任宏校兵書一類，分爲四種，有書五十三家，有圖四十三卷，載在七略，獨異於他，宋齊之間，羣書失次，王儉於是作七志以爲之紀，六志收書，一志專收圖譜，謂之圖譜志，不意末學而有此作也。

綜上數條所引，鄭氏之意，皆以後世圖譜日亡，並由於劉班失收圖譜之過也，馴至後世學者，迷於本源，而不復返。然考孫德謙劉向校讐學纂微紀圖卷云：

向之校讐中秘，雖祇爲經傳、諸子、詩賦，兵書則以宏官步兵校尉，故專司其事，實則向與任宏三家，亦猶後世之有總校分校，向乃是總校也，何以知之，每一書校竟，向則作爲敍錄，觀於蹴鞠者，傳言黃帝所作云云，則兵書固係宏所校，要可歸之於向也。故宏之羅列衆圖，似得古人圖書並重之義，與向之但知收書者，若爲有識。然亦安見廣收圖卷，非出於向之意？

不然，兵書敍錄，何以必由向爲之撰述哉？又數術略中山海經一書，有劉歆奏，此亦奏御之序也。豈非兵書三略，仍可屬之向歆父子耶？

又云：

且向所校六藝中易家云，神輸五篇，圖一，而於論語家又載孔子徒人圖法二卷，是確有紀圖卷者矣。縱與兵書比量有多寡之不同，然既有所紀，無論兵書而外，祇此兩種，要不得謂收書而不收圖也。以是議向，向豈順受哉？況漢志、劉向所序六十七篇下，班氏自注云，新序、說苑、世說、列女傳頌圖也。夫列女之圖，志並紀之，則歆亦明於收圖者矣。樵乃痛斥之曰：「歆向之罪，上通於天。」此眞所謂欲加之罪，何患無辭耳。吾獨怪樵竟失之眉睫，特未細考向之校理諸書，自有圖在，而偏以通天之罪，加之於向，何敢於大言若是？

又云：

抑吾猶有說焉，向所校者，皆目睹之書，爲秘閣舊藏，與得之民間者，其時必有書無圖，無從而紀之。若亦如兵家之圖，向豈不能與易圖等備紀其卷數耶？樵又曰：「劉氏之學，意在章句，故知有書而不知有圖。」甚矣，其悖也，夫向博通學術，即就其校讐論，源流得失，剖析詳明，彼章句之儒，能有此別識心裁乎？是故向於圖卷，即全無紀述，尚不足訾毀，矧已紀其一二者哉？

今案孫氏之說，大抵公允持平，無可易者，任宏之收錄譜，要亦出於劉向之意者，至於經傳、諸子、詩賦之中，圖譜既尠，劉氏又何從而校錄之耶？鄭氏以此而責向歆班固，非公論也。

抑鄭氏既知「左圖右書，不可偏廢」，亦盛稱任宏之收錄圖譜，「與書參焉」，然又於所撰藝文略之外，別著圖譜略，專收圖譜，馴至圖與書分，何其矛盾又如是耶？杜定友校讎新義卷一類例條別論一之三云：

> 鄭樵既知圖成經，書成緯，則自當左右參閱，同隸一門，歸附原類，但既立藝文圖譜二略，則地動圖、瑞應翎毛圖、忠烈圖，俱入藝文，又何說耶？其牴牾矛盾之處，可以見也……
> ……七略兵家有圖四十三卷，與書參，故可知兵，鄭樵以圖譜另爲一略，非也。

鍾肇鵬校讎通義評誤亦云：

> 案古左圖右書，圖書本相附麗，圖必有說，說卽書也，漢志圖無專類，故以之附於書後，自爲得體（隋志亦以圖附各類書後，卽仿此例），若離書而列圖於他類，則轉無所承接矣。

案昔王儉於七志之中，專立一志，以收圖譜，阮孝緒七錄序嘗評之云：「竊以圖畫之篇，宜從所圖爲部，故隨其名題，各附本錄，譜既注記之類，宜與史體相參，故載于記傳之末。」竊以爲阮氏之言，最爲洞見本源，蓋圖與書參，各歸本類，左圖右書，並相附麗，不唯取便循覽，逢源之樂，亦在其中，阮氏之說，爲不可易，而杜氏鍾氏之意，亦胥在是矣。

4. 論漢志以揚雄所序四種列於儒家之末

鄭樵校讎略編次不明論云：

班固藝文志，出於七略者也，七略雖疏而不濫，若班氏步步趨趨，不離於七略，未見其失也。間有七略所無而班氏雜出者，則蹟矣，揚雄所作之書，劉氏蓋未收，而班氏始出，若之何以太玄、法言、樂箴三書合爲一，總謂之揚雄所序三十八篇，入於儒家類，按儒者舊有五十二種，固新出一種，則揚雄之三書也，且太玄，易類也，法言，諸子也。樂箴，雜家也，奈何合而爲一家，是知班固胸中，元無倫類。

又編次之訛論云：

班固以太玄爲揚雄所作，而列於儒家，後人因之，遂以太玄一家之書爲儒家類，是故君子重始作，若始作之訛，則後人不復能反正也。

案漢志諸子略儒家類末班氏自注云：「入揚雄一家，三十八篇。」是揚雄所序三十八篇，書本不在七略之內，乃班氏新入之書也，班氏之以揚雄所序各書合列，附於儒家之末，不爲分別入類者，或乃不欲以此混淆七略原書之次第，故以揚雄學術之宗本爲主，列入儒家，要非班氏不知揚雄四種性質各殊，尤不得藉之而謂班氏胸中之原無倫類也。章學誠校讎通義鄭樵誤校漢志第十一之一

云：

鄭樵譏班固敍列儒家，混入太玄法言樂箴三書爲一，總謂揚雄所敍三十八篇，謂其胸無倫類，是樵之論篤矣。至謂太玄當歸易類，法言當歸諸子，其說良是。然班固自注，太玄十九、法言十三、樂四、箴二，是樂與箴本二書也，樵誤以爲一書，又謂樂箴當歸雜家，是樵直未識其爲何物，而强爲之歸類矣。以此譏正班固，所謂楚失而齊亦未爲得也。按樂四未詳，箴則官箴是也，在後人宜入職官，而漢志無其門類，則附官禮之後可也。

案揚雄所序三十八篇，分爲四種，而鄭氏誤爲三書，此非彼所謂「見名不見書」之弊乎？糾評漢志，直並班氏自注，亦未細審，眞所謂工於責人，拙於謀己者矣。鍾肇鵬校讐通義評誤云：

鄭樵以太玄當歸易類，章然其說，不知太玄雖擬易，其體則非經，自係一家之言，隸之儒家，固得其所。（朱一新無邪堂答問曰：「太玄自爲一書，其數並非易數，然其旨固不悖於理，班氏入之儒家，位置最當。」）若以其擬易，遂可入易類，則法言亦擬論語，豈可置法言於論語乎？是二氏皆未達劉班部次之旨也，又章以官箴當入職官，不知職官乃屬典制，官箴意主箴誡，何可牽爲一類？班氏附之儒家，猶較章氏附之官禮爲宜也。

案揚雄所序四種，樂與箴，後世逐漸散佚，而太玄、法言，自隋志以下，諸家著錄，率多入於儒家之中（舊唐書經籍志，新唐書藝文志，宋史藝文志，明史藝文志並同。又隋志儒家類有諸葛武侯集誡、衆賢誡、女鑒、曹大家女誡，取義或與箴類相近），然則，鍾氏所論，實極合理，揚雄諸書，按之事實，又豈能盡如鄭氏之意，以太玄入易類，以樂與箴入雜家乎？

5. 論漢志中方技略之分類

鄭樵校讎略編次不明論云：

漢志於醫術類有經方，有醫經，於道術類有房中，有神仙，亦自微有分別，奈何後之人更不本此，同爲醫方，同爲道家乎？足見後人之苟且也。

考鄭氏所謂「醫術」「道術」，皆非漢志所有類目，故章學誠校讎通義鄭樵誤校漢志第十一之二評之云：

今按漢志方技略，醫經第一，經方第二，房中第三，神仙第四，未嘗別有所謂道術類（止有道家），且以房中神仙屬之也。如謂今本編次失敍，則敍例明云「序方技爲四種」，不知樵因何所見聞而爲此說也（若云一類之中，節次相承，則文法猶欠明晰）。

章氏之評，全據漢志以立論，其說本甚公允，而鍾肇鵬校讎通義評誤云：

案此章氏未詳審漁仲之言耳，「醫術類」「道術類」之言，自係鄭樵所加，漢志序方技爲四種，鄭氏以臆分之，謂前兩類屬醫術，後兩類屬道術耳，何用詫怪耶？章氏不審其言，乃轉疑漢志編次有誤，如章所云，豈徒漢志無「道術類」，漢志又何嘗有「醫術類」耶？案漢志方技略中，不見「醫術」「道術」之名，本爲不爭之事實，鄭氏糾評漢志之謬，不本漢志以立論，乃於漢志之外，別立名目，淆惑視聽，究非漢志之旨也，以此而責班氏，班氏豈肯受之，似此而論古人，漫無標準，「以臆分之」，高下隨心，是非在己，幾何不過爲深刻而入人於罪之弊乎？而鍾氏之說，意在攻章，遂曲爲鄭氏作解，實非持平之論也。要之，鄭氏譏評七略漢志，亦以此條之說，最無理致，此亦由其心有忿嚏，意主攻駁，故不暇作平情之論也。

6. 論漢志中司馬法太公兵法之入類

鄭樵校讐略篇次不明論云：

漢志以司馬法爲禮經，以太公兵法爲道家，此何義也？疑此二條，非任氏劉氏所收，蓋出班固之意，亦如以太玄樂箴爲儒家類也。

鄭氏之意，蓋以漢志中司馬法入禮經，太公兵法入道家，乃班氏錯謬之例。考漢志六藝略禮類末班氏自注云：「入司馬法一家，百五十五篇。」兵書略權謀家末班氏自注云：「出司馬法入禮也。」是司馬法之在禮類，確屬班固有意重爲釐定者也，然而，班固之以司馬法出彼入此，亦豈全無深意哉？章學誠校讐通義鄭樵誤校漢志第十一之三云：

鄭樵譏漢志以司馬法入禮經，以太公兵法入道家，疑謂非任宏劉歆所收，班固妄竄入也。鄭樵深惡班固，故爲是不近人情之論。凡意有不可者，不爲推尋本末，有意增刪遷就，唯坐班氏之過，此獄吏鍛鍊之法……按司馬法百五十五篇，今所存者非故物矣。班固自注，出之兵權謀中而入於禮，樵固無庸存疑似之說也。第班志敍錄稱軍禮司馬法，鄭樵刪去「軍禮」二字，謂其入禮之非，不知司馬法乃周官職掌，如考工之記，本非官禮，亦以司空職掌，附著周官。此等敍錄，最爲知本之學，班氏他處未能如是，而獨於此處能具別裁，樵顧深以爲譏，此何說也？

案史記太史公自序云：「自古王者而有司馬法，穰苴能申明之。」又云：「司馬法所從來尙矣，太王、孫、吳、王子能紹而明之。」又司馬穰苴列傳云：「齊威王使大夫追論古者司馬兵法，而附穰苴於其中，因號曰司馬穰苴兵法。」王應麟漢書藝文志考證云：「周官縣師，將有軍旅會同田役之戒，則受法于司馬，以作其衆庶，小司馬掌事如大司馬之法，司兵授兵，從司馬之法以頒之。此古者司馬法，卽周之政典也。」四庫提要云：「司馬法，隋唐諸志皆以爲穰苴之所自撰者，非也，其言大抵據道依德，本仁祖義，三代軍政之遺規，猶藉存什一于千百，班固序兵權謀十三家，形勢十一家，陰陽十六家，技巧十三家，獨以此書入禮類，豈非其說多與周官相出入，爲古來五禮之一歟？胡應麟筆叢惜其以穰苴所言，參伍于仁義禮樂之中，不免懸疣附贅，然要其大旨，終爲近正，與一切權謀術數，迥然別矣。」然則，司馬法既非穰苴一人所作，又爲古代五禮之一，大要與周官相近，所言並仁義禮樂、政要典制之屬，班氏列之禮類，理正宜然，鄭氏又何所聞見，而必還之於兵家乎？至於太公兵法一書，章學誠校讐通義鄭樵誤校漢志第十一之二云：

太公二百三十七篇，亦與今本不同，班氏僅稱太公，並無「兵法」二字，而鄭樵又增益之，謂其入於道家之非，不觀班固自注：「尙父本有道者。」又於兵權謀下注云：「省伊尹太公諸家。」則劉氏七略本屬兩載，而班固不過爲之刪省重複而已，非故出於兵而强收於道也。（注省者，劉氏本有而班省去也。注出入者，劉錄於此而班錄於彼也。如司馬法，劉氏不載於禮而班氏入之，則於禮經下注云：「入司馬法。」今道家不注入字，而兵家乃注省字，是劉略既載於道又載於兵之明徵，非班擅改也。）且兵刑權術皆本於道，先儒論之備矣。劉略重複互載，猶司馬遷老莊申韓列傳意也（發明學術源流之意）。況二百三十七篇之書，今既不可得見，鄭樵何所見聞而增刪題目？以謂止有兵法，更無關於道家之學術耶？

案漢志諸子略道家與兵書略權謀家並有太公，班氏以爲兩書複重，以學術淵源所本爲主，乃刪省兵書略之太公，然則，以太公入於道家，正屬向歆父子之所收錄，班氏承沿七略而不改，而鄭氏乃謂此非劉氏所收，蓋出班之意，而又混淆書名，於太公之下，妄添「兵法」二字，要之，其於漢志出入刪省之例，全不顧及，以此而譏漢志，其膽大妄作，亦實足駭人也。

7. 論漢志中世本等史書之入類

鄭樵校讎略編次不明論云：

漢志以世本、戰國策、秦大臣奏事、漢著記爲春秋類，此何義也。

鄭氏以爲漢志以世本等史書，入於春秋類中，爲不知校讎義例，考章學誠校讎通義鄭樵誤校漢志第十一之四云：

鄭樵譏漢志以世本、戰國策、秦大臣奏事、漢著記爲春秋類，是鄭樵未嘗知春秋之家學也。漢志不立史部，以史家之言皆得春秋之一體，故四書從而附入也。且如後世以紀傳一家列之正史，而編年自爲一類，附諸正史之後。今太史公書列於春秋，樵固不得譏之矣，……漢志書部無多，附著春秋，最爲知所原本。又國語亦爲國別之書，同隸春秋，樵未嘗譏正國語而但譏國策，是則所謂知一十而不知二五者也。漢著記則後世起居注之類，當時未有專部，附而次之，亦其宜也。秦大臣奏事，在後史當歸故事，而漢志亦無專門，附之春秋，稍失其旨。而世本則當入於曆譜，漢志既有曆譜專門，不當猶附春秋耳。然曆譜之源，本與春秋相出入者也。

案史記秦始皇本紀載始皇三十四年，李斯奏云：「臣請史官非秦紀皆燒之。」又六國年表云：「

秦既得意，燒天下詩書，諸侯史記尤甚，爲其有所譏刺也。」然則秦火之後，史籍焚燬殆盡，書少不復成類，故七略漢志，不立「史書」一門，而以附於春秋類末，蓋亦權時因應之計耳，豈當以此而譏班固者耶？阮孝緒七錄序云：「劉（歆）王（儉）並以衆史合於春秋，劉氏之世，史書甚寡，附見春秋，誠得其例。」又云：「七略詩賦，不從六藝詩部，蓋由其書既多，所以別爲一略。」此說最爲明通，故觀於漢志史書詩賦之入類，則知劉班於典籍多寡分併之道，亦自有其權衡在胸，非漫無標的者也，然則，劉班以史書附見春秋之末，不僅由於「史之大原，本乎春秋」（章學誠文史通義答客問），「劉班部次，位國語、世本、戰國策、史記於春秋之後，明乎其繼春秋而作」（杜定友校讐新義史部源流論），蓋亦由於漢初史籍之寡，未能成類，別立部目也，及至後世，史書則與日俱增，盡附存於六藝之春秋家，其勢不能」（汪辟疆目錄學研究），故自鄭默荀勖以下　史部獨立，蔚成大國，然則，漢志之以史書附春秋者，豈屬劉班智不及此之過歟？

丙、綜　說

昔者，章學誠氏嘗有言曰：「校讐之義，蓋自劉向父子，部次條別，將以辨章學術，考鏡源流，非深明於道術精微，羣言得失之故者，不足與此」，「樵生南宋之世，去古已遠，劉氏所謂七略別錄之書，久已失傳，所可推者，獨班固藝文一志，而樵書首譏班固，凡所推論，有涉於班氏之業者，皆過爲貶駁之辭。蓋樵爲通史而固則斷代爲書，兩家宗旨，自昔殊異，所謂道不同不相爲謀，無足怪也。獨藝文爲校讐之所必究，而樵不能平氣以求劉氏之微旨，則於古人大體，終似有所未窺」，「蓋其涉獵者博，又非專門之精，鉅編鴻製，不能無所疏漏，亦其勢也。」（校讐通義敍）章氏此說，所論鄭樵譏貶劉班之故，校讐一略闕失之由，蓋眞能深中肯綮，得其樞要者也，書洪範之論三德云：「沈潛剛克，高明柔克。」鄭氏爲學，頗趨高明之途，而疏於沈潛之功，是以校讐藝文圖譜諸略，考覈質證，不免忽略，然其神解獨識，目光如炬處，雖千百年下，不能廢也。章學誠氏有言曰：「自劉班而後，藝文著錄，僅知甲乙部次，用備稽檢而已。鄭樵氏興，始爲辨章學術，考鏡源流，於是特著校讐之略，雖其說不能盡當，要爲略見大意，爲著錄家所不可廢矣。」（校讐通義焦竑誤校漢志第十二之一）斯則最爲公允之論，本編之纂，雖事糾評，以還劉班之眞，其於鄭氏之書，亦寧能以小眚而礙其大德者乎？

（原刊於中國學術年刊第三期）

七　校讎通義「道器說」述評

（一）

在章學誠的學術思想中，「道器合一」、「卽器明道」，是一個基本原理，所謂道器合一，章氏說：「易曰，形而上者謂之道，形而下者謂之器，道不離器，猶影不離形。」（註一）換句話說，道是抽象的原理原則，器是具體的存在事物，而抽象的原理原則，却不能離開具體的事物而單獨存在，抽象的原理原則，必需藉著具體的事物才能顯現，這便是道器必需合一，卽器才能明道，卽事才能顯理的緣故了。（註二）

章氏在文史通義中，曾經應用此一基本原理，去解釋他那「六經皆史」「官師合一」等大問題，同樣的，在校讎通義中，也曾應用了此一基本原理，去解釋一些目錄校讎上的問題。（註三）

在校讎通義中，章氏應用「道器合一」這一原理，至少曾對以下三個問題，試圖作出解釋，第一是關於上古圖書目錄的起源問題，第二是關於圖書分類的原則問題，第三是關於圖書目錄類別之間的叙次問題。除了這三個問題之外，章氏還曾根據他那「道器合一」的原理，對於七略漢志等，提出了不少的修正意見。以下，我們就依次對於這些方面，加以討論。

（二）

首先，我們討論章氏利用「道器合一」的原理，對於上古圖書目錄起源方面所作的解釋；在校讐通義（註四）原道第一之一，章氏說：

古無文字，結繩之治，易之書契，聖人明其用曰：「百官以治，萬民以察。」夫爲治爲察，所以宣幽隱而達形名，蓋不得已而爲之，其用足以若是焉斯已矣，理大物博，不可殫也。聖人爲之立官分守，而文字亦從而紀焉。有官斯有法，故法具於官；有法斯有書，故官守其書；有書斯有學，故師傳其學；有學斯有業，故弟子習其業。官守學業皆出於一，而天下以同文爲治，故私門無著述文字。私門無著述文字，則官守之分職，卽羣書之部次，不復別有著錄之法也。

在這一段論述中，章氏從上古結繩爲治，到書契興起，推敘到理大物博，聖人不能殫盡萬民之事，故立官分守；再從而推敘到官守學業皆出於一，私門無著述文字。照章氏的意思，在這裡，官守便該是器，學業便該是道，官守學業合一，便是「道器合一」這一原理的應用了。這些說法，大致是可以被接受的。

可是，接下來，章氏由「官守學業合一」這一說法，引入到圖書的目錄上去，他說：「私門無著述文字，則官守之分職，卽羣書之部次，不復別有著錄之法。」這也就是說，羣書是器，羣書中所記載的學說是道，羣書之道，直接寓於書籍之中，間接便寓於官守之手，這似乎是在官守與學業之間，增加了羣書一項，其實，章氏已經說過：「有官斯有法，故法具於官；有法斯有書，故官守其書；有書斯有學，故師傳其學。」已在「官」與「學」之間，提出了「書」，同時，章氏又說：「有學斯有業，故弟子習其業。」這一「業」字，如果我們依照說文的解釋，訓之爲「大版」，引申爲「簿書」的話，那就更爲恰當更爲明確了。（註五）所以，這仍是「道器合一」那一原理的應用，仍是從「卽器存道」作爲出發點的。

由於章氏主張「道器合一」，主張卽器才能明道，從這一點出發，所以他認爲，上古時代，官守學業合一，是自然存在的事實，官守學業既然合一，圖書學業便掌於官吏之手，同時，官吏既非一人，不同的官吏既然守着不同的圖書，那麼，從全面來看，便恰好是羣書的分類了，有了一個一個的類別，章氏以爲，很自然地，便應該會有一個總最的目錄，這便是上古圖書目錄的起源，這便是最早的「羣書之部次」和「著錄之法」了。

不過，卽使上古圖書分掌官吏之手，是否那就是圖書目錄的肇端呢？對於這一問題，我們覺得仍有懷疑之處。

章氏所謂的上古羣書掌於官守，無疑是藉着周禮而推論的，校讐通義原道第一之二說：

> 後世文字，必溯源於六藝，六藝非孔氏之書，乃周官之舊典也。易掌太卜，書藏外史，禮在宗伯，樂隸司樂，詩領於太師，春秋存乎國史。夫子自謂述而不作，明乎官司失守，而師弟子之傳業，於是判焉。秦人禁偶語詩書，而云「欲學法令者以吏爲師。」其棄詩書，非也，其曰「以吏爲師」，則猶官守學業合一之謂也。由秦人「以吏爲師」之言，想見三代盛時，禮以宗伯爲師，樂以司樂爲師，詩以太師爲師，書以外史爲師，三易春秋，亦若是則已矣，又安有私門之著述哉？

太卜、外史、宗伯、司樂、太師之名，都曾見於周禮，周禮中所記載的它們的職守，也都與章氏所說的相符。（註六）只有「國史」之名，不見於周禮，章氏在此所指的，也許只是一種泛稱，泛指「太史」、「小史」、「內史」、「御史」等等吧！

其實，在周禮中，除了章氏所擧的太卜等官之外，像「太宰」、「小宰」、「司書」、「大司徒」、「保氏」、「太史」、「小史」、「內史」、「御史」、「司險」、「司士」、「職方氏」、「大司寇」、「司民」、「司約」、「小行人」等等，也都掌有圖書典籍。（註七）同時，章氏在和州志藝文略明時篇（註八）中也曾說道：

> 周官之籍富矣，保章天文，職文地理，虞衡理物，巫祝交神，各守成書，以布治法，卽各精

其業，以傳學術，不特師氏保氏所謂六藝詩書之文也。司空篇亡，劉歆取考工記補之，非補之也，考工當爲司空官屬，其所謂記，卽冬官之典籍也。猶儀禮十七篇，爲春官之典籍，司馬法百五十篇，爲夏官之典籍，皆幸而獲傳後世也。當日典籍具存，而三百六十之篇，卽以官秩爲之部次，文章安得散也。

章氏的意思，也以爲周官的典籍，極爲繁富，因此，才設官分守，使周禮中三百六十個官吏，都須掌守典籍，因此，圖書的部次，也就依憑官吏的掌守，而成爲自然的分類。

不過，章氏依藉周禮，去推論這些問題，對於周禮一書，無疑是極爲重視的，但是，周禮是否便是周代之書？是否眞是周公制太平的要典？是否曾是忠實地記錄了周代的政府組織？抑或只是後人依託的理想制度？還是未經肯定的。這個問題，在古代已有不少的爭辯，近代的學者們，却大致都認爲周禮是戰國以後的書籍了。（註九）因此，全憑周禮，推論一切，是否合理，這是值得考慮的。

不過，卽使我們承認周禮所記載的，都是周代政府組織制度方面的實錄，三百六十個官吏，也都如章氏所說的，都曾掌守典籍，同時，對於典籍圖書，「卽以官秩爲部次」，分官執掌，各守其書；然而，那也只能算是一種最原始的圖書分類，却還不是圖書目錄的起源。除非章氏能夠證明，在周代當時，還有一個總最其成的圖書簿錄，（從章氏的文字中，這一點却無法推論出來。）

否則，章氏在這裡所能推論出來的，最多只是上古圖書分類的肇端而已，却還不是他所以爲的「羣書之部次」和「著錄之法」的開始。（所謂「羣書之部次」，「部」還可以說是分類，「次」則必須是總最目錄中羣書的敍次了，而「著錄之法」，則必須先有總最的圖書目錄，然後才有圖書著錄的方法，這更是十分明顯的了。）

因此，章氏想要由此證明周代便已擁有圖書目錄的這一企圖，便很難取信於人了，因此，他由「官守學業合一」到「羣書部次著錄」之間，這一步，便未免跨得太大了些。隋書經籍志史部簿錄類小序曾說：「古者史官既司典籍，蓋有目錄以爲綱紀。」又說：「漢時，劉向別錄，劉歆七略，剖析條流，各有其部，推尋事跡，疑則古之制也。」蓋本是疑辭，史官司有典籍，蓋有目錄，這只是揣測而已，章氏的主張，不知是否曾受隋志這一說法的影響？

（三）

其次，我們討論章氏利用「道器合一」的原則，對於圖書分類原則方面所作的解釋；在校讎通義校讎條理第七之五，章氏說：

> 七略以兵書方技數術爲三部，列於諸子之外者，諸子立言以明道，兵書方技數術皆守法以傳藝，虛理實事，義不同科故也。

章氏提出的「虛理」「實事」，實際上，不過是「道」「器」的異名而已，他的意思，以爲七略之中，兵書方技數術三略之書，不收入九流十家之中，與諸子等列齊觀，這是因爲諸子之學，根本上與兵書方技數術不同，諸子之學，屬於形而上的抽象理論，兵書方技數術三略之書，屬於形而下的具體技藝，所以章氏以「虛理」「實事」來區分它們。（註十）這便是章氏探索到的劉歆七略所以將兵書方技數術三略之書不一起收歸諸子略中的原因，換句話說，是章氏探索所得劉歆對於圖書分類方面的原則。照章氏的解釋，劉歆在七略中所應用的分類原則，便是「道」和「器」不可併列一類，「虛理」和「實事」不應合歸一略了。如果以「道器合一」這一原理而言，則章氏應該以爲道與器不可混淆，宜先有其次第，然後謀其卽器明道。因此，章氏所說的合一，在這裡，想來當是較高層次的合一，「道」與「器」相資爲用吧？

其實，漢志總序上明明說到：「詔光祿大夫劉向，校經傳諸子詩賦；步兵校尉任宏，校兵書；太史令尹咸，校數術；侍醫李柱國，校方技。」又說：「會向卒，哀帝復使向子侍中奉車都尉歆卒父業。歆於是總羣書而奏其七略，故有輯略、有六藝略、有諸子略、有詩賦略、有兵書略、有數術略、有方技略。」所以，七略的分類，不過是劉歆在匆促之間，（註一一）因利乘便，沿用其父在校書時舊有的分工界限而已，談不上與「虛理」「實事」有何關聯。這種看法，許多學者都早已說過。

劉光蕡漢書藝文志注（註一二）說：

兵書數術及醫理均宜爲家，而醫尤要，子政不列十家者，非子政所校也。劉歆卽卒父業而總爲七略，卽當收兵書數術方技於諸子之中，乃因其父分校之舊，錄爲七略，是於子政所校，未嘗用心考核也。

呂思勉經子解題（註一三）說：

兵家數術方技，漢志各自爲略，而後世亦入子部。案兵家及方技，其爲一家之學，與諸子十家同，數術與陰陽家，尤相爲表裡。漢志所以析之諸子之外者，以本劉歆七略，七略所以別之者，以校書者異其人。

鍾肇鵬校讎通義評誤（註一四）說：

竊疑七略諸子、兵書、數術、方技之分，蓋以劉向領校諸子，兵書校自任宏，太史令尹咸校數術，侍醫李柱國校方技，因校理人殊，故歆纂七略，亦各爲部，其於分合之故，初未必有何深意，後人亦不必過事深求，轉失本眞也。

這些意見，都應該是極其正確的，校理書籍與圖書分類，本來是兩件不同的事情，校書只求分工適合校者的專長，分類則必求符合書籍的性質，一以人爲主，一以書爲主，二者雖不必一定衝突，但却並不能完全吻合無間，劉向校書時，以專長分工的六個部門，以人爲主，是極爲明顯的，而劉歆七略，除輯略爲「諸書之總要」，爲別錄所無之外，其餘六略，僅有「六藝」與「經傳」名字的些微差別而已。其爲劉歆在匆促間因利乘便，襲取別錄分工之成規，以爲分類之綱領，這是很自然的事情。劉光賁說劉歆「於子政所校，未嘗用心考核」，鍾肇鵬說七略「分合之故，初未必有何深意」，都不算是過份的批評。（註一五）

同時，章氏以「明道」「傳藝」「虛理」「實事」去分別諸子與兵書數術方技的不同，也未免太過膚泛籠統，因爲，同一類別（同一略中）的書籍，有些雖然很明顯地，可以確定它們是「虛理」或是「實事」，但是，有些書籍，便很難加以確定了，它們往往是既言原理，又敍事實，往往是「虛理」「實事」錯雜在一起，或是部分「虛理」，部分「實事」，因此，章氏指爲是「虛理」的書，有些却含有「實事」的成分，指爲是「實事」的書，有些又兼有「虛理」的成分。像諸子略中儒家的周政六篇，班固注云：「周時法度政教。」周法九篇，班固注云：「法天地立百官。」高祖傳十三篇，班固注云：「高祖與大臣述古語及詔策也。」孝文傳十一篇，班固注云：「文帝所稱及詔策。」這些書籍，何嘗不記事實呢？又如墨家墨子七十一篇，今本城守以下各篇，皆言攻戰之術，何嘗是不傳藝呢？另一方面，像兵書略中的孫子吳子等兵法，數術略中的五行類的書，方技略中的醫經等書，又何嘗不言虛理呢？像這樣「道」類中有「器」，「器」類中有「道」的情形，便會使人感覺得到，章氏的分類原則，未免是太欠精審了。杜定友校讎新義（

註一六）子部第五之三說：

虛理實事，義不同科，純虛純實，自當分別，故有哲學與科學之別，以顯其異，然科學之中，不能絕無原理，故政治有哲學，敎育有哲學，軍事有哲學，歷史有哲學，分類至此，不能因其爲哲學，而入哲學。

同樣的，哲學有史，玄學有史，諸子略中，九流十家，皆可以有其歷史，也不能因爲它們都是歷史，而同歸於歷史之類。

總之，章氏用「明道」「傳藝」「虛理」「實事」這種「道」「器」的立場，試圖去解釋七略中的分類問題，不僅是膚泛不切，而且，在基本上，也和章氏自己的「道器合一」之論，有所扞格。（如果章氏以爲諸子與兵書數術方技之分，在較高的層次上，仍是「道器合一」的話，那麼，這已不是分類問題，而是敘次問題了，那麼，諸子略後，便應該緊接着兵書數術方技三略，而不應中間隔一詩賦略，那才勉强可說是「卽器存道」的敘次原則。）實則，七略中所以要將兵書數術方技與諸子分別獨立爲略，而不一齊歸入諸子略中，道理只在劉歆沿襲別錄校書之舊規而已，却不在章氏所稱的分類原則哩。

（四）

再次，我們討論章氏利用「道器合一」的原理，對於圖書目錄類別之間敍次方面所作的解釋；在校讎通義補校漢藝文志第十之四，章氏說：

「形而上者謂之道，形而下者謂之器。」善法具舉，（徒善徒法，皆一偏也。）本末兼該，部次相從，有倫有脊，使求書者可以卽器而明道，會偏而得全，則任宏之校兵書，李柱國之校方技，庶幾近之。其他四略，未能稱是，故劉略班志，不免貽人以口實也。夫兵書略中孫吳諸書，與方技略中內外諸經，卽諸子略中一家之言，所謂形而上之道也；兵書略中形勢陰陽技巧三條，與方技略中經方房中神仙三條，皆著法術名數，所謂形而下之器也。任李二家，部次先後，體用分明，能使不知其學者，觀其部錄，亦可瞭然而窺其統要，此專官守書之明效也。

章氏的意思，以爲兵書略中，四個小類，（就七略漢志而言，屬於第二級的分類。）權謀類是專言虛理的，屬於形而上之「道」，所以置於兵書之首，其餘形勢、陰陽、技巧三類，是言實事的，屬於形而下之「器」，所以置於權謀類之後，就這四類的位置來看，道在前，器在後，（原理原則在前，具體事實居後，因而使人了解學術的源流。）這便是「道器合一」、「卽器明道」的應用，這便是章氏對於圖書目錄類別之間敍次方面的原則了。（章氏以爲七略中已有的原則）同樣的，方技略中，四個小類，醫經類的黃帝內經外經等書，章氏以爲也是專言虛理的「道」，其餘經方、房中、神仙三類，是專言實事的「器」，所以，醫經類置於方技之首，這也同樣是「道器合一」「卽器明道」那一原理的應用。同時，在校讐通義漢志兵書第十六之六，章氏還有與此類似的意見，他說：

鄭樵言任宏部次有法，今可考而知也：權謀，人也；形勢，地也；陰陽，天也；孟子曰：「天時不如地利，地利不如人和。」此三書之次第也。權謀，道也；技巧，藝也；以道爲本，以藝爲末，此始末之部秩也。

這種關於圖書目錄小類敍次方面的意見，在章氏「道器說」的應用中，確是比較有其價值的，不過，在兩個方面，章氏自己的言論，却又嚴重地影響到他這意見的價值。其一是章氏過分的推崇任宏與李柱國，以爲他們已知利用「道器」關係去作小類之間敍次的原則，而忽略了劉歆在這一方面的功績。其二是論及七略分類時，（本文第三節所論及者）章氏對於道器部分的肯定，因而所造成的矛盾。

一方面，在七略漢志中，章氏選擇了兵書方技二略來推闡他的道器之說，那只是因爲兵書方技二略中的小類，恰巧符合他的理論而已。所以，他對任宏李柱國二人大致推崇之意。不過，任李二人，只是參與劉向的校書工作而已，而七略一書，却是由劉歆所奏上的。校理圖書與圖書分類編目不同，校書只需要粗略的分工，分類編目則需要宏綱細目的畢具，劉向等人校書時的專長分工，固可視爲七略圖書分類（一級分類）的權輿，但是，在討論到別錄與七略的異同時，我們却無法從現存的資料中，找到別錄中已有子目小類的證明，因此，我們可以推論得到，劉向等校書時，「每一書已，向輒條其篇目，撮其旨意，錄而奏之。」（漢志總序）「隨竟奏上，皆載在本書，時又別集衆錄，謂之別錄。」（阮孝緒七錄序）既然是隨竟奏上，當時之人，別集衆錄，恐怕也只能依照劉向校書時的分工，大略收集而已，未必卽有小類。直到劉歆奏七略時，因爲他的工作是「總羣書」（漢志總序），是「總括羣篇」（阮氏七錄序），是「集六藝羣書，種別爲七略」（漢書楚元王傳），因此，才有了三十八個小類，（「種別」二字，正是最好的說明。）所以，別錄只是將圖書作一粗略的分類（取其便於分工校書），七略才是眞正將圖書作出精細的編目。（註一七）因此，任宏李柱國二人，專官校書，但却無預於七略中兵書方技二略的小類之分，因此，像章氏那樣，撇開劉歆，把兵書方技二略中小類敍次的功勞，全歸給任宏李柱國，是說不過去的。

另一方面，章氏自己曾經說過：「七略以兵書方技數術爲三部，列於諸子之外者，諸子立言以明道，兵書方技數術皆守法以傳藝，虛理實事，義不同科故也。」（校讐通義校讐條理第七之五）那麼，依照章氏的意思，無疑是以兵書方技二略之書，都是守法傳藝的實事，也就是形而下之「器」了。但是，章氏却又說到：「夫兵書略中孫吳諸書，與方技略中內外諸經，卽諸子略中一家之言，所謂形而上之道也。」（校讎通義補校漢藝文志第十之四）那麼，依照章氏的意思，無疑是以兵書略中權謀類與方技略中醫經類的書籍，都是立言明道的虛理，也就是形而上之「道」了。

然而，同樣是孫子吳子之書，同樣是黃帝內經外經之書，同樣是權謀類與醫經類之書，章氏忽而說它們是道，忽而說它們是器，雖然，章氏的兩種說法，是就七略漢志中不同層次的分類而言的（一級分類與二級分類），但是，同是一本書籍，忽而是道，忽而是器，忽而形上，忽而形下，總是不易使人信從的。如果我們要問，孫吳諸書，內經外經諸書，就章氏來看，到底是道呢？是器呢？想來章氏也會難以自圓其說的吧！因爲，道與器，形上與形下，依照章氏自己的分別，畢竟是兩種不同涵義的概念。

章氏在校讎條理篇中，已指明兵書方技二略之書是「器」，在補校漢藝文志篇中，又確認兵書略中權謀略類與方技略中醫經類之書爲「道」，那麼，章氏指爲全部都是「器」的書中，却又出現了部分是「道」的書籍，這不是自陷矛盾嗎？

要之，章氏把「道器」之說應用到圖書分類目錄中小類的敍次上去，確是一種極佳的設想，如果他不以七略漢志牽緣作證，以爲古人早已先得我心，同時，立說再減少一些矛盾的地方，那麼，作爲分類目錄敍次時的指導原則，應該是一種極有價値的理論。

（五）

章氏利用「道器合一」的原理，去解釋了一些關於目錄起源以及七略漢志中的分類敍次等問題之後，意猶未盡，又根據同一原理，對於漢書藝文志再提出了一番修正的意見，他以爲，只要將「道器合一」的原理，「充類求之」，充分地加以應用，那麼，班固漢志，便可以更加符合他那「辨章學術，考鏡源流」的理想了。在校讐通義中，他提出了不少這一方面的意見，他的意見，大致可以分爲兩個方面，其一是關於某些圖書或小類重新釐定部次的問題，其二是關於別出某些圖書篇章，另行設立門類的問題。以下，對於章氏這兩種意見，我們便分別加以討論。

甲、關於圖書或小類的重新釐定部次方面：

章氏關於這一方面的意見，在校讐通義之中，先後提出了四條議論：

充類求之，則後世之儀注當附禮經爲部次，史記當附春秋爲部次。縱使篇帙繁多，別出門類，亦當申明敍例，俾承學之士，得考源流，庶幾無憾。而劉班承用未精，後世著錄，又未嘗探索其意，此部錄之所以多舛也。（補校漢藝文志第十之四）

數術一略，分統七條，則天文曆譜陰陽五行著龜雜占形法是也。（案數術略無陰陽，章云七條，乃六條之誤。）以道器合一求之，則陰陽蓍龜雜占三條，當附易經爲部次，曆譜當附春秋爲部次，五行當附尙書爲部次。縱使書部浩繁，或如詩賦浩繁，離詩經而別自爲略，亦當申明源委於敍錄之後也。（補校漢藝文志第十之五）

陰陽二十一家，與兵書陰陽十六家，同名異術，偏全各有所主，敍例發明其異同之故，抑亦可矣。今乃缺而不詳，失之疎耳。第諸子陰陽之本敍，以謂出於羲和之官。數術七種之總敍，又云「皆明堂、羲和、史卜之職也。」今觀陰陽部次所敍列，本與數術中之天文五行不相入，是則劉班敍例之不明，不免後學之疑惑矣。蓋諸子略中陰陽家，乃鄒衍談天，鄒奭雕龍之類，空論其理而不徵其數者也。數術略之天文曆譜諸家，乃泰一五殘日月星氣，以及黃帝顓頊日月宿曆之類，顯徵度數而不衍空文者也。其分別門類，固無可議。唯於敍例，亦似鮮所發明爾。然道器合一，理數同符，劉向父子校讐諸子，而不以陰陽諸篇付之太史尹咸，以爲七種之綱領，固已失之矣。（漢志諸子第十四之十一）

名家之書，當敍於法家之前，而今列於後，失事理之倫敍矣。蓋名家論其理，而法家又詳於事也。（漢志諸子第十四之十九）

章氏在上述的四條議論之中，以爲漢志之內，①儀注當附禮經，史籍當附春秋。②數術略中的陰陽蓍龜雜占當附易經，曆譜當附春秋，五行當附尙書。③諸子略中陰陽家當置於數術略中天文曆譜之首，以爲綱領。④諸子略中名家之書，當置於法家之前。這些意見，都還是章氏「道器合一」那一原理的應用。以下，我們將分別予以討論。

①鍾肇鵬校讎通義評誤說：「以儀注附禮，史記附春秋，七略無史部，附之二家，差無大謬。但後世儀注史記日繁，又何能盡附二家，苟以四部之法例之，則禮春秋固屬經典，所以垂訓，儀注史記，但記典禮實事，本史部之書，又何可附著二家。」就章氏「道器合一」的理想而言，儀注之書，爲漢志所無，如果漢志當時已有儀注之書，而且卷帙又不繁多，那麼，附於禮經，到也可行。如果卷帙繁多，自然便當如詩賦略之脫離詩經一樣，自行獨立了。因爲，就漢志來看，六藝略中，除了載「道」的經典之外，便是經典的傳注解詁之屬，都是一些闡發六經之「道」的書籍，何嘗又有專記實事的「器」呢？所以，如果以儀注附禮經，也只是由於書籍之少，而所作的權宜之計罷了，就本質上言，儀注之書，既然是專記「典禮實事」，那麼，漢志如有史部，儀注之書還是應該入於史部之中的，並非附入禮經，才算合理。所以，就事實來看，自七錄有儀典部，入於紀傳錄(此錄爲後世史部淵源)隋志改爲儀注類，入於史部，下逮新舊唐志，宋志明志，莫不都沿隋志之例，以儀注入史部。這不僅是因爲後世儀注之書日益繁多，更重要的，還是儀注之書，應當入於史部，才是最爲合理之事。

至於章氏以爲史記當附春秋，這在漢志之中，早是已然的事實，春秋類之末，自國語以下，以迄太史公書，以迄漢大年紀，都是史籍。（章氏在此所謂的史記，尋其語意，應是史書的泛稱，而非太史公書之專名。）本已不需討論，而章氏仍然加以提出，不知何故？不過，漢志以史書附在春秋之末，也只是因爲當時書少的權宜之計而已。

②鍾肇鵬校讎通義評誤說：「不知陰陽蓍龜雜占皆數術之書，漢志六藝與數術，界限極嚴，故易類但著易經十二篇，而周易三十八卷、周易明堂二十六卷、周易隨曲射匿五十卷、大筮衍易、大次雜易、於陵欽易吉凶等書，均置數術略。然則何能以陰陽蓍龜雜占附易耶？」鍾氏這意見是極爲正確的，六藝略中，都是載道的經書，或是闡揚經書之道的書籍，都只是虛理之書，易經類尤其如此，這與數術略中之書，屬於應用方面的實事，是有所不同的，章氏的意見，無疑是不合理的。

鍾氏又說：「春秋雖資曆譜爲用，然曆譜自係專門，非出於春秋也。五行本數術專門之學，自古有之，洪範之言五行，猶後世史書五行志之載五行也，以五行源於洪範，猶謂五行出於五行志也，可乎？」這種批評，也是對的。

③諸子略中陰陽一家，章氏既然以爲是「空論其理而不徵其數」的「道」，因此，漢志歸入章氏所謂「立言以明道」的諸子略中，豈不是適得其所？章氏在此，却又要將陰陽家置於

數術略中天文曆法之首，這未免自相牾逆，有所矛盾吧！

④鍾肇鵬在校讎通義評誤中，也曾談到諸子略中各家的先後敍次，他說：「然漢志所列，亦非全無理致，蓋漢時尊儒，以其道最高，故首先之。道家爲君人南面之術，故次之。太極生兩儀，一陰一陽之謂道，三公協理陰陽，助王承天，故陰陽家又次之。法者，原於道德，乃官人所守，故又次之。仁義降而爲禮，名者正名定位，出於禮官，故又次之。……斯漢志之條理也。」敍次圖書，自然應有原則，漢志之中，敍次的方式，有些以學術類聚爲原則，有些以時代先後爲原則；章氏道先器後，理先事後的敍次，雖是章氏以爲漢志所有的一種原則，而鍾氏所說的，也同樣可說是漢志已有的一種原則，而章氏僅以名法兩家先後立論，似不如鍾氏兼顧九流十家的敍次，更爲合理。

乙、關於別出圖書篇章，另行設立門類方面：

章氏關於這一方面的意見，在校讎通義之中，先後提出了三條議論：

至於天文形法，則後世天文地理之專門書也。自立門類，分別道法，大綱既立，細目標分，豈不整齊而有當乎？天文則宣夜、周髀、渾天諸家，下逮安天之論，談天之說，或正或奇，條而列之，辨明識職，所謂道也；漢志所錄泰一五殘變星之屬，附條別次，所謂器也。地理

則形家之言，專門立說，所謂道也；漢志所錄山海經之屬，附條別次，所謂器也。（補校漢藝文志第十之五、六）

後世法律之書甚多，不特蕭何所次律令而已。就諸子中掇取申韓議法家言，部於首條，所謂道也；其承用律令格式之屬，附條別次，所謂器也。後世故事之書甚多，不特張蒼所次章程而已也。就諸子中掇取論治之書，若呂氏春秋，（漢志入於雜家，非也，其每月之令文，正是政令典章，後世會典會要之屬。）賈誼董仲舒（治安之奏，天人之策，皆論治體，漢志入於儒家，泛矣。）諸家之言，部於首條，所謂道也；其相沿典章故事之屬，附條別次，所謂器也。例以義起，斟酌損益，唯用所宜，豈有讀著錄部次而不能考索學術源流者乎？（補校漢藝文志第十之八）

鄭樵言任宏部次有法……然周官大司馬之職掌與軍禮之司馬法諸條，當先列爲經言，別次部首，使習兵事者知聖王之遺意焉。任宏以司馬法入權謀篇，班固始移於經禮。夫司馬之法，豈可以爲權謀乎？宜班固之出此而入彼也。惜班固不知互見之法，與別出部首尊爲經言之例耳。（漢志兵書第十六之六）

章氏在上述三條議論之中，以爲漢志之內，某些書籍，部次失當，因此，主張應將一些漢志所無，或漢志所忽略的書籍，自本書中，裁而出之，或在漢志所有的類目之外，另行命名，「自立門類」，

「別分道法」，然後以漢志所錄之書，分別敍次，別錄於後。章氏以爲，①「天文類」應將宣夜、周髀、渾天、安天、談天之屬，列於此類之首，爲「道」，將數術略天文類之書，附於後，爲「器」。②「法律類」應將申韓議法之言，置於此類之首，爲「道」，將承用的律令格式之屬，附於後，爲「器」。③「章程類」應將呂氏春秋月令篇、賈誼治安策、董仲舒天人三策，列於此類之首，爲「道」，將歷代典章制度之書，附於後，爲「器」。④在「兵書略」中，應將周禮大司馬的職掌之事，與軍禮的司馬法，尊爲「經言」，另立一類，列於此略之首，而不得以「權謀類」列於此略之首。除「天文類」外，其他三類的名稱，都是漢志所無，而章氏以爲應該增添的。要之，這四點意見的提出，都仍然還是「道器合一」那一原理的應用。

由於漢志是分類的史志目錄，分類目錄，以圖書爲主，以書本爲依類而列的基本單位，因此，理應儘量保持一册册圖書的完整性，而不應破壞圖書的原有形式，不應割裂其內容。

然而，如果依照章氏的意思，在漢志之中，「自立門類，別分道法」，則必需從其他某些書籍之中，裁出一些相關的篇章，才能夠另立類目，分條別次，像從呂氏春秋中裁出月令，賈誼（書名）中裁出治安策，便是這種例子；姑不論章氏所擧的書籍，是否適合他所謂的道器涵義，但至少，這樣的作法，必將嚴重地影響到漢志中許多圖書的完整性，這是無法避免的。

依照章氏之說，將一本完整的圖書，割裂它的部分篇章，加以裁出，而另行入於別一門類之中，那便是章氏自己另外一種重要的校讎理論——「別裁說」了。但是，別裁之法，只能應用在專科目錄與特種目錄之中，方才切當；對於以個別圖書爲完整單位的分類目錄，它是無能爲力的。（註一八）

因此，章氏想以「別裁」之法，作爲輔助的工具，去爲他那「道器合一」的理想，作出某些貢獻，這種設想，必致破壞一册册書籍的完整性，至少在分類目錄之中，他的理想，是無法實現的。

總之，章氏想要在漢志之中，「充類求之」，提出了他的兩種修正意見，對於前者（甲），我們覺得，多數是不甚合理，對於後者（乙），我們認爲，恐怕是難以實行；因此，章氏對於漢志的修正意見，其可行的程度，無疑是相當低微的。

（六）

以上，我們討論了章氏利用他那「道器合一」的理論，一方面，去解釋有關圖書目錄起源、圖書分類原則、七略小類敍次等問題，一方面，却又對於漢書藝文志，提出了若干修正的意見。對於章氏修正漢志的意見，我們固然可以視爲，那是章氏根據自己的理論，所作出的一些理想；同時，對於章氏以爲七略漢志之中，早已應用了「道器合一」的理論等等，我們也同樣可以視爲，那仍是章氏根據自己的理論，就七略漢志的成規，去推闡他自己的理想，却並不一定便是劉歆班固本有的體制。

因此，章氏雖然以爲劉歆班固（照章氏的說法，便應該强調任宏和李柱國了。）已經深知「道器合一」的重要，七略漢志之中，也已經實行了「道器合一」的理論，有了「道器合一」的事實。但是，就今天看來，我們寧可說是，七略漢志之中，某些分類與敍次，恰巧符合章氏「道器合一」的理想而已，因此，章氏方才加以緣引，以爲自己理論的佐證。否則，如果劉略班志，已知應用「道器合一」的理論，爲什麼還需要章氏再去「充類求之」，而不大量地加以應用呢？

章氏如果以他那「道器合一」的理論，應用在目錄學上，道先器後，卽器明道，作爲後人在圖書分類、敍次圖書時的一種指導原則，到也不失爲一種很好的構想，但是，章氏却不願在他的書中，開門見山地把這種理論、這種原則、這種理想，直接提示出來，自立新說；而却要去牽緣七略漢志等早期的目錄書籍（除了本文第二節所討論的之外），假託古人，以爲立說的依據，而又將七略漢志，推尊太過，以爲「道器合一」的理論應用，在七略漢志中，本是「古已有之」的事實原則了，這樣，自然不免會有以偏概全，相互抵牾的地方，也就不免有强古人以就己意的嫌疑了。

因此，章氏本欲假借七略漢志，以自高其說，自堅其理，但是，却反而因此處處受到七略漢志成規的拘束，以至動輒得咎，不能暢所欲言，未蒙其利，先受其果，不僅使人懷疑七略漢志中有此理論的可能，且更使人進而懷疑此一理論的可行程度，因而嚴重地影響到他那理論的圓滿性，這不能不說是相當令人惋惜的事情，想來也該是章氏始料所不及的吧！

〔附　注〕

一、見文史通義原道篇。此據一九七三年四月漢聲出版社增訂二版本。

二、章氏文史通義外篇三與陳鑑亭論學書：「道器合一之故，必求端於周孔之分。」案章氏曾說：「周公成文武之德，適當帝全王備，殷因夏監，至於無可復加之際，故得藉爲制作典章，而以周道集古聖之成，斯乃所謂集大成也。孔子有德無位，即無從有制作之權，不得列於一成，安有大成可集乎？」（文史通義原道）因此，他認爲周公才是古代文化思想的集大成者，因此，他認爲「六藝非孔氏之書，乃周官之舊典也。」（校讐通義原道）章氏又說：「後世服夫子之教者自六經，以謂六經載道之書也，而不知六經皆器也。」又說：「夫六藝者，聖人即器而存道。」又說：「夫子明教於萬世，夫子未嘗自爲說也，表章六籍，存周公之舊典。」（文史通義原道）章氏以爲，六經爲後世學術之源，但六經却並非孔子之書，而是周代官吏所掌守的典籍，孔子不過因周之舊典而存其教化理想而已，因此，孔子只是「述而不作」，不過是個述者，而非作者了。因此，他以爲「周公集治統之成，而孔子明立教之極。」（文史通義原道）同時，六藝既是周官的舊典，照章氏的意思，那只是「器」了，而孔子「表章六籍」，「明教於萬世」，所明之「道」，乃是藉「器」而得到的，這便是「即器存道」「道器合一」的來源了，章氏由此而引出「道器合一」的原理，（依章氏自己的說法，便是由「周孔之分」這裡啓發了他那「道器合一」的靈感。）又囘過來以此一原理去解釋許多其他方面的現象。

三、據胡適著姚名達訂補的章實齋年譜，校讎通義成書於乾隆四十四年，文史通義始撰於乾隆三十七年，而原道經解等篇，則成於乾隆五十四年，二書著成，雖有先後之分，而其中許多見解，却往往互相發明，且「道器合一」這一原理，在二書中，都曾充分地加以應用，因此，我們可以推知，在二書寫作之前，「道器合一」這一思想，在章氏腦海之中，該已是相當成熟的了。

四、此據古籍出版社出版劉公純標點本，一九五六年十二月一版。

五、說文：「業，大版也。」這是業的本義，引申之，乃有書牘簿冊之義，禮記曲禮：「請業則起。」鄭玄注：「謂篇卷也。」是其證。

六、周禮說太卜「掌三易之法，一曰連山，二曰歸藏，三曰周易。」外史「掌書外令，掌四方之志，掌三皇五帝之書，掌達書名于四方。」大司樂「掌成均之法。」太師「教六詩，曰風曰賦曰比曰興曰雅曰頌。」而大宗伯爲禮官，更是總持一切禮書了。

七、周禮說太宰「掌建邦之六典。」小宰「掌邦之六典。」司書「掌邦之六典。」大司徒「掌建邦之土地之圖，與其人民之數。」保氏「養國子以道，而教之六藝。」太史「掌建邦之六典。」小史「掌邦國之志。」內史「掌王之八枋之法……凡四方之事書，內史讀之。」御史「掌贊書。」司險「掌九州之圖。」司士「掌羣臣之版。」職方氏「掌天下之圖。」大司寇「掌建邦之三典。」司民「掌登萬民之數，自生齒以上，皆書於版。」司約「掌邦國及萬民之約劑……凡大約劑，書於宗彝，小約劑，書於丹圖。」小行人「掌邦國賓客之禮籍。」

八、見章氏遺書外編卷十七，商務印書館排印本。

九、對於周禮的作者與成書時代，在以前，有人以爲是周公所作，如鄭玄的周禮注便說：「周公居攝，而作六典之職，謂之周禮。」有人以爲是「六國陰謀之書。」何休便是這樣主張的，（引見周禮賈疏），有人以爲是劉歆僞造，如洪邁的容齋續筆、康有爲的新學僞經考及周官證僞，便是這樣主張的。到了近代，張心徵的僞書通考，主張周禮著成於戰國前期，錢賓四先生的周官著作時代考，主張周禮著於戰國末期，史景成教授的周禮成書時代考（載大陸雜誌三十三卷五至七期），主張周禮成書的時代，「在呂氏春秋出世之後，秦始皇統一之前。」

一〇、蔣元卿中國圖書分類之沿革二十八頁也本章氏之義說：「諸子之學，各有本源，卓然一家之言，而皆思以其學易天下者，故諸子之說雖次六藝一等，實與六經相表裡也。至其所論，大都爲宇宙觀、人生觀，以及對於政治經濟之思想，全屬哲理之學。而兵書、術數、方技所論，或屬於社會科學，或屬於卜筮小道，或屬於應用技術。以現代眼光衡之，前者爲學，後者爲術。是所施既異，自不能併爲一談。」

一一、程會昌氏嘗撰別錄七略漢志源流異同考一文（收入所著目錄學叢考），依據漢書成帝紀、楚元王傳，以及前漢紀孝成紀等，探討向歆父子校書之年代，以爲劉向校書，「始於成帝河平三年（西曆紀元前二十六年）秋八月，終於成帝綏和二年春，都十八年有餘。」而劉歆校書，「自綏和二年春，迄（哀帝）建平元年秋，蓋一年有半。」

父子合計，適二十年也。」劉歆既卒父業，遂奏七略，是則劉歆之著爲七略，不過刺取別錄中之書名，轉加過錄，對於敍錄部分，加以刪存的工夫而已。

程氏又云：「向實卒於成帝綏和二年（西曆紀元前七年）。」而錢賓四先生劉向歆父子年譜，則以爲劉向之卒，在綏和元年（西元前八年），未知孰是。

一二、劉氏之書，收入開明書店出版之二十五史補編。

一三、呂氏之書，民國十五年由商務印書館出版，爲國學小叢書之一。

一四、鍾氏此篇，載學原一卷十二期。

一五、就七略看，六藝略次於輯略之後，似乎劉歆也有其「尊經」的意思，只是，七略的敍次，本是因仍劉向等人校書時的分工舊貫而來，（輯略除外）因此，如果說劉歆在七略中有「尊經」的意思，那也只是沿襲劉向等人校書時原有的「尊經」之意而不改，（其實，劉歆眞要「尊經」，大可將六藝略置於最前，將輯略移置最末。）雖然，沿襲前人，也可以解釋爲假借成規，寓寄新義，不過，果眞如此，那麽，劉歆只是消極地去因襲保留，却並沒有積極地去主動創造，至少，劉歆「尊經」的用意，便不十分地突出和明顯了，如果再要將之視爲是七略中敍次的「原則」，那確是太勉強了。蔣元卿在中國圖書分類之沿革一書（頁二十二）中，曾討論到七略的分類，還是用「尊經」的理由去解釋「六藝略爲首的原因」，同時，也把「六藝略爲首」以及「六略之分類」的功勞，全歸給劉歆，（其實，劉歆的貢獻在三十八個小類，而不在六個大類。）而忽略了劉向等人校書時的分工情形，也忽略了七略分類方面的淵源所自，這是不甚公允的。另外，七略之中，以劉向所校之書（經傳、諸子、詩賦）置於前，任宏等人所校之書（兵書、數術、方技）置於後，似乎劉歆也有其「尊親」的意思，不過，七略的敍次，既是因仍劉向等人校書時分工舊貫而來，（輯略除外）因此，如果說劉歆在七略中有「尊親」的意思，那也只是沿襲劉向等人校書時的舊有敍次，因利乘便，加以尊之而已，却並沒有主動積極地去加以強調，因此，劉歆在七略中是否有其「尊親」的意思，還是很難說的，至少，他的意思，到底怎樣，是十分不明顯不突出的。

一六、此據民國五十八年元月，台灣中華書局台一版。

一七、參見姚名達氏中國目錄學史頁五十二，許世瑛先生中國目錄學史頁十八　十九。

一八、請參見拙著「目錄家別裁說平議」一文，載書目季刊六卷三四期合刊。

（原刊於南洋大學學報第七期）

八　論章實齋「互著」「別裁」之來源

「互著」「別裁」，是章實齋持以「辨章學術、考鏡源流」的兩種重要方法，至於這兩種方法的來源，却有着三種不同的說法，第一、根據章氏自己所說，他只是將劉歆七略中原有的義例加以闡明而已。第二、劉申叔先生以爲章氏的「互著」「別裁」，是由鄭樵的啓迪而來。第三，昌瑞卿先生則以爲章氏的「互著」「別裁」，是暗竊自祁承㸁的庚申整書略例。本文對於以上三種說法，作一檢討，首先，筆者認爲七略之中，並無「互著」「別裁」二例，章氏只是憑藉七略，而創爲「互著」「別裁」，却將創作之權，歸諸劉歆而已。其次，劉申叔先生以爲章氏「互著」「別裁」二法是受到鄭樵的啓廸，筆者則認爲無此可能。再次，昌瑞卿先生以爲章氏「互著」「別裁」二法是暗竊自祁承㸁的庚申整書略例，這種說法，筆者則不表同意，筆者認爲，在昌先生所提出的證據之下，章氏暗竊祁氏的說法，頂多只能判爲懸案而已，還不能成爲定論。

（一）

「辨章學術，考鏡源流」，是章實齋討論校讎之旨的最高理想，而「互著」「別裁」，則是章氏持以達到此一理想的兩種重要方法。不過，這兩種方法，到底是章氏戛戛獨創，精心自造？抑或是別有承受，另具來源？這是値得探討的問題。

就筆者所知，對此問題，約有三種說法，第一種是章氏自創——這是根據章氏之言所推斷的；第二種是廸緒鄭樵——這是劉申叔（師培）先生所主張的；第三種是暗襲自祁承㸁氏——這是昌瑞卿（彼得）先生所主張的。筆者的淺見，則較贊成第一種說法。

（二）

首先，我們討論第一種說法，章氏在校讎通義（註一）互著篇中說：

古人著錄，不徒爲甲乙部次計，如徒爲甲乙部次計，則一掌故令史足矣，何用父子世業，閱年二紀，僅乃卒業乎！蓋部次流別，申明大道，敍列九流百氏之學，使之繩貫珠聯，無少缺逸，欲人即類求書，因書究學。至理有互通，書有兩用者，未嘗不兼收並載，初不以重複爲嫌，其於甲乙部次之下，但加互注，以便稽檢而已。古人最重家學，敍列一家之書，凡有涉此一家之學者，無不窮源至委，竟其流別，所謂著作之標準，羣言之折衷也。如避重複而不載，則一書本有兩用而僅登一錄，於本書之體，既有所不全，一家本有是書而缺而不載，於一家之學，亦有所不備矣。

又說：

劉歆七略亡矣，其義例之可見者，班固藝文志注而已。七略於兵書權謀家有伊尹太公管子荀卿子鶡冠子蘇子蒯通陸賈淮南王九家之書，而儒家復有荀卿子陸賈二家之書，道家復有伊尹太公管子鶡冠子四家之書，縱橫家復有蘇子蒯通二家之書，雜家復有淮南王一家之書，兵書技巧家有墨子，而墨家復有墨子之書。惜此外重複互見者，不盡見於著錄，容有散逸失傳之文，然卽此十家之一書兩載，則古人之申明流別，獨重家學，而不避重複著錄明矣。

又別裁篇說：

管子，道家之言也，劉歆裁其弟子職篇入小學，七十子所記百三十一篇，禮經所部也，劉歆裁其三朝記篇入論語。蓋古人著書，有採取成說，襲用故事者，其所採之書，別有本旨，或歷時已久，不知所出，又或所著之篇，於全書內自爲一類者，並得裁其篇章，補苴部次，別出門類，以辨著述源流。至其全書，篇次具存，無所更易，隸於本類，亦自兩不相妨。蓋權於賓主輕重之間，知其無庸互見者，而始有裁篇別出之法耳。

章氏從七略（漢志）中找出了「互著」「別裁」的例證，說明七略之中，已有「互著」「別裁」的存在，因而把「互著」「別裁」的創作權，歸給了劉歆。其實，七略中已有「互著」「別裁」的說法，是不易取信於人的（註二），章氏的這種說法，不過是古代學者們慣用的一種「託古改制」、「以述為作」的方式而已，「互著」「別裁」的創作者，與其說是劉歆，毋寧說是章氏本身，也許更為恰當。

（三）

其次，我們討論第二種說法，劉申叔先生在校讎通義箴言（註三）中曾說：

互著別裁兩事，實亦虵緒鄭樵。

鄭樵對於目錄校讎之學的重要理論，具見於他的校讎略中，而藝文略，則是鄭氏校讎理論的實踐。不過，在校讎藝文二略之中，我們很難看到有關「互著」「別裁」的正面意見，雖然，在校讎略（註四）中，鄭氏曾經說過：

古今編書所不能分者五，一曰傳記，二曰雜家，三曰小說，四曰雜史，五曰故事，凡此五類之書，足相紊亂。（編次之訛論）

又說：

隋志最可信，緣分類不考，故亦有重複者，嘉瑞記、祥瑞記二書，既出雜傳，又出五行。諸葛武侯集誡、衆賢誡、曹大家女誡、正順志、娣姒訓，凡數種書，既出儒類，又出總集。衆僧傳、高僧傳、梁皇大捨記、法藏目錄、元門寶海等書，既出雜傳，又出雜家。如此三種，實由分類不明，是致差互。（編次之訛論）

又說：

隋志於禮類有喪服一種，雖不別出，而於儀禮之後，自成一類，以喪服者，儀禮之一篇也。後之議禮者，因而講究，遂成一家之書，尤多於三禮，故爲之別異，可以見先後之次，可以見因革之宜，而無所紊濫。（編次有敍論）

對於鄭氏所說的前兩條，如果我們牽強一點，似乎也可以解釋爲：鄭氏提出的書籍不易分類，自然是書籍的性質比較複雜，以致難於指明它們該入那一部類；同時，書籍的重見兩類，自然是書籍的性質，與此兩類，多少皆有關聯，以致「分類不考」，重複出現。這種情形，似乎也可以說是，由側面提出了問題，提出了暗示，甚或由此啓發了章氏，因而創造了「互著」之法，以解決鄭氏提出的問題。

如果我們再牽強一點，在前述編次有敍論那一條中，鄭氏所說的「自成一類」、「別出」、「爲之別異」、「喪服者，儀禮之一篇」、「可以見先後之次，可以見因革之宜，而無所紊濫」

等等，似乎也可以解釋爲由側面給予暗示，因而啓發了章氏，以致引申出「別裁」之法，作爲「互著」之輔。

另外，在藝文略中，也有類似的情形出現，四庫提要於別史類通志條下說：

藝文略則分門太繁，又韓愈論語解，論語類前後兩出，張弧素履子，儒家道家兩出，劉安淮南子，道家雜家兩出。

這似乎也可以勉強解釋爲提出了暗示，以致影響了章氏，劉申叔先生所謂的「互著別裁兩事，實亦廸緒鄭樵」，或許便是這樣的「廸緒」法吧！

章氏對於鄭樵，雖然也時致不滿之意（註五），但是，大體上，章氏還是相當推崇鄭樵的（註六）。同時，校讐通義在「求書」、「藏書」、「專官守書」等方面，受到鄭氏很多的影響，也是事實，但是，如果說章氏的「互著」「別裁」，一定是「廸緒鄭樵」的話，那麼，這種「廸緒」和「暗示」，似乎也太過遙遠一點。何況，在校讐通義之中，我們還可以找到一些明顯的反證，章氏說：

著錄之創爲金石圖譜二略，與藝文並列而爲三，自鄭樵始也。就三略而論之，如藝文經部有三字石經、一字石經、今字石經、易篆石經、鄭玄尙書之屬凡若干種，而金石略中無石經，豈可特著金石一略而無石經乎？諸經史部內所收圖譜，與圖譜略中互相出入，全無倫次，以謂鉅編鴻製，不免抵牾，抑亦可矣；如藝文傳記中之祥瑞一條，所有地動圖瑞應翎毛圖之類，名士一條之文翁學堂圖，忠烈一條之忠烈圖等類，俱詳載藝文而不入圖譜，此何說也？蓋不知重複互注之法，則遇兩歧牽掣之處，自不覺其抵牾錯雜，百弊叢生，非特不能希蹤古人，卽僅求寡過，亦已難矣。（校讎通義互著第三之三）

在此，章氏已明確地指出，鄭樵不知「互著」之法了，其實，鄭樵如果已知互著之法，則不僅金石圖譜藝文三略之間的問題，不致遭受章氏的批評，同時，所謂傳記、小說、雜史、故事、文史等不易入類的問題，也就易於解決，而不致鄭重地加以提出了。何況，鄭氏自己也曾說過：「一類之書，當集在一處，不可有所間也。」（校讎略編次之訛論）是鄭氏在基本上卽不贊成諸如「互著」的方法。

校讎通義之所以作，「宗劉」，「由劉氏之旨，以博求古今之載籍，則著錄部次，辨章流別，將以折衷六藝，宣明大道」（校讎通義原道第一之三），應該是最主要的目的。因此，章氏對於七略漢志的重視和探討，必然更在鄭氏校讎略之上，這是無可致疑的。同時，只要比較一下，便可發現，漢志（七略）中關於「互著」「別裁」方面可能提供的暗示，其明顯強烈，不知超出鄭樵的暗示多少倍。因此，章氏的「互著」「別裁」之說，與其說是「虵緒鄭樵」，不如說是章氏直接由漢志中得到啓發，得到靈感，得到（自以爲是的）證據，還更爲直截了當，使人易信。因此，劉申叔先生的說法，便顯得過分迂遠了。

（四）

再次，我們討論第三種說法。明代祁承㸁氏，在他的庚申整書略例中，曾經提出「因」、「益」、「通」、「互」等四種分類的方法，所謂「通」，是「流通於四部之內」，「如歐陽公之易童子問、王荊公之卦名解、曾南豐之洪範傳，皆有別本，而今僅見於文集之中。唯各摘其目，列之本類，使窮經者知所考求」，「今皆悉爲分載，特明註原在某集之內，以便簡閱」。所謂「互」，是「互見於四部之中」，「同一書也，而於此則爲本類，於彼亦爲應收；同一類也，收其半於前，有不得不歸其半於後」，「故往往有一書而彼此互見者，同集而名類各分者」。祁氏的「通」和「互」，內容很接近章氏的別裁和互著，只是章氏說得更具系統而已。許詩英（世瑛）先生中國目錄學史（註七）一五七頁說：

承㸁此論，發古人所未發者兩端，通與互是也。其所謂通，卽後來章學誠之所謂別裁；而其所謂互，亦卽學誠所謂互著。欲使分類恰當，非善用此兩法不可。此古人所未曾識，石破天驚，允推承㸁爲圖書分類學之一大發明家。

許先生肯定祁氏「通」「互」二法的價值。但他只說「通」與「互」就是後來章氏的別裁和互著，只是指明此兩方法的相同，却並沒有直指章氏之說是淵源甚至是抄襲祁氏的，這是非常穩重的說法。因爲，「人同此心，心同此理」，在學術研究上，「閉門造車，出門合轍」的現象，也並非是毫不可能的事情。

昌瑞卿先生或許是受了許先生的影響，變本加厲，先後在好幾篇作品中，都提出了章氏抄襲祁氏的說法。昌先生在所著祁承㸁及其在圖書目錄學上的貢獻（註八）一文中說：

「通」與「互」這兩種部次編目的方法，眞是目錄學上了不起的發明，可以幫助解決編目的人編目時所遭遇到分類無所適從、顧此失彼的困擾，使讀者檢閱書目時，循類查檢，很容易獲得他所需要的全部資料，不致有所遺漏。這兩種方法就是後來章學誠所創的「別裁與互著」，通卽別裁，互卽互著。章氏在所著的校讐通義中，說他所創的方法是推本於劉歆七略而來的，對於祁承㸁却隻字未提。

又說：

章學誠也是會稽人，是祁氏的鄉後輩，其生（章氏生於一七三八年，乾隆三年）不過比祁氏晚一百七十五年。雖然祁氏所著的澹生堂集在清初遭到禁燬，但浙江是我國藏書的淵藪，藏書家中應該不乏秘密收藏的，例如寓居杭州的歙縣鮑廷博就曾自是集卷十四中輯出了藏書訓略等三篇名曰澹生堂藏書約，刻入知不足齋叢書中。以章氏的博學多聞，對於鄉賢尤其是本縣的一位大藏書家，不應該毫無所知。卽令他未能見到全集，但澹生堂是山陰著名的藏書樓，祁承㸁所編的書目，在清代流傳不絕如縷，章氏對他編目的方法，也不應一無所悉。而章氏創別裁互著二法但推本於七略，對於祁氏一字不提，實在難免有掠前賢之美之誚。

昌先生又在所著互著與別裁（註九）一文中說：

庚申整書小記及略例載在祁氏澹生堂集卷十四，其集原刻於崇禎六年，雖然是清初政府禁燬的書，但在藏書家中中想頗不乏暗中密藏的。乾隆四十四年鮑廷博曾自其集中輯出了澹生堂藏書約一卷，刻入知不足齋叢書第五輯，全集以及澹生堂書目現在仍有傳世的，可爲明證。

又說：

七略旣未嘗創立互著與別裁編目法的義例，何以章氏必定要推本於劉歆，而不逕自表示自己的創見？一言以蔽之，他不過是想假託古人來掩飾他掠奪前賢之美的嫌疑，實際上他是竊取了明代祁承㸁的編目方法，而別創了這兩個新的名詞。

昌先生又在所著中國目錄學的源流（註十）一文中說：

清代會稽章學誠所創的「別裁」「互著」二法，說是推衍劉歆七略而來，而隻字不提他的鄉前輩祁承㸁。實則，劉歆旣未運用也不知道這兩種編目方法，章氏所創，乃承襲自祁氏，但更改其名辭而已。「別裁」卽「通」，「互著」卽「互」，內容並無區別。章氏隱沒祁氏不提，不無掠前賢之美之嫌。後人但推尊章學誠，也難免數典而忘祖。

昌先生又在所著中國目錄學的特色（註一一）一文中說：

明代末年有一位目錄學家，浙江紹興會稽人祁承㸁針對這點，首倡了「通」、「互」兩種編目方法。他在萬曆四十八年，也就是泰昌元年，將他家中所藏的近十萬卷書，編了一部澹生堂藏書目錄，此目民國初年刻在紹興先正遺書第二集中。他另寫了一篇庚申整書略例（這一年是庚申年，此篇略例收在澹生堂集），說明他編目採用了四種方法——因、益、通、互。……通、互二法則是他編目的精義所在。清乾隆中會稽章學誠著校讐通義，其中有別裁、互著兩篇。實際上是承襲了通、互二法而改用了意義比較明顯的名詞，不過章氏未承認而已。

又說：

別裁與互著的確是我國圖書編目法中兩項很好的輔助方法，但在前代的目錄書中，應用的很少，察其原因，祁氏死後不久，明代即亡了。祁氏的著作遭到清初禁毀，澹生堂書目明清兩朝未曾出版過。祁氏的集子，清初因禁毀而罕流傳，所以沒有發生影響。

昌先生又在所著章實齋的目錄學（註一二）一文中說：

章氏所創的「別裁」「互著」兩種編目的方法，的確是中國目錄學史上了不起的發明……倘若探本追源，這兩種方法，實淵源於十七世紀初葉，明末一位著名藏書家祁承㸁。

在以上的各篇文章中，昌先生主要的觀點是：

(1)祁氏的澹生堂集，在清初曾遭禁燬，但藏書家應該不乏秘密收藏的，祁氏的澹生堂藏書目，在清代流傳不絕如縷。

(2)章氏是祁氏的同鄉後學，章氏對於祁氏，不應該毫無所知。

因此，斷定章氏一定見過祁氏之書，因而「竊取」「掠奪」了祁氏的「通」「互」二法，而另創了「互著」「別裁」兩個新名詞。

首先，對於第一點，由於祁氏的「通」與「互」兩法，是見於庚申整書略例一文之中，此文又收入澹生堂集和澹生堂藏書目，因此，章氏是否曾經見過此兩種書籍，便是問題的關鍵了。（澹生堂藏書約中，未收整書略例一文。）

關於澹生堂集，昌先生曾說：「祁氏的澹生堂集是清初屬於全燬的禁書。」又說：「祁氏的集子，清初因禁毁而罕流傳，所以沒有發生影響。」又說：「承爍自己的澹生堂集，除了清乾隆間鮑廷博曾從其中輯出藏書訓略等四篇名爲澹生堂藏書約，刻入知不足齋叢書，在清代已流傳外，其全集二十一卷，近代亦傳世。前國立北平圖書舘藏有一部明崇禎間原刻本，恐怕是天壤間僅存的一部孤本。」澹生堂集在清初既屬全燬的禁書，而明崇禎間的原刻本，又是天壤間僅存的孤本，那麼，章氏生當清代乾隆年間四庫開舘禁書猶烈的時代，能否在澹生堂集全面「禁燬」、「罕流傳」、「沒有發生影響」的情形下「必然」曾經見過該書？恐怕也是難於肯定的吧！如果不能「證明」章氏當日眞正見過該書，那麼，又如何能肯定章氏是受了祁氏集子的「影響」而從澹生堂集中「竊取」「掠奪」了「通」「互」二法呢？祁氏的「全集二十一卷，近代亦傳世」，但是，焉知不像北平圖書舘所藏天壤間僅存一部明崇禎間原刻本那樣，一線單傳，間世再現？因此，近代有傳世之本（是何本？），並不能保證章氏在當時便能夠見到，以至必定見到。

關於澹生堂藏書目，目前所能見到的是清光緒十八年會稽徐氏鑄學齋所刻紹興先正遺書的刋本，已晚在章氏卒後（章氏卒於清嘉慶六年），章氏既無法見及，又怎能以之作爲章氏曾經見過該書，從而「竊取」「掠奪」「通」「互」二法的證明？筆者寡識，不知是否尚有較早的澹生堂藏書目板刻行世？但是，昌先生既然說：「澹生堂書目明清兩朝未曾出版過。」那麼，又怎能責備章氏對於祁氏的編目方法，「不應一無所悉」呢？

其次，對於第二點，章氏雖與祁氏同是會稽人，但是否因此便「必然」曾看過祁氏的著作？根據胡適之先生所著、姚名達氏訂補的章實齋先生年譜（註一三），章氏是在乾隆十六年，十四歲時，初次離家隨其父至湖北應城，在乾隆四十四年，四十二歲時，著校讎通義（註一四）。從十四歲初離家門，到四十二歲，二十八年之間，他僅只六度回到會稽，但停留的時間都很短，據年譜記載：乾隆二十七年，「還會稽，不久又北上應順天鄉試」，乾隆三十七年，夏，「過會稽，秋，又在太平」，「歲杪，先生又返會稽，主道墟族兄孟育家」。（乾隆三十八年正月初旬，「訪邵晉涵於餘姚」，是已離會稽）乾隆三十八年，「二月，由寧波過會稽太平至和州」，乾隆三十九年，秋，「過會稽抵寧波」，乾隆四十年，春，「返會稽，初與宗人春社」。

此外，姚名達氏所編的會稽章實齋先生年譜（註一五），只在乾隆三十八年提到：「仲夏，過會稽，遇戴震於寧波道署。」又孫次舟原著，吳孝琳整理的章實齋年譜補正（註一六），在乾隆三十七年提到：「舊譜有歲杪先生又返會稽一條，係誤，先生是年只返會稽一次……與嚴多友侍讀書，有歲杪返浙一語，乃指下年正月初之返浙而言，詳繹之可知。」又在乾隆四十四年著校讎通義以後提到：「秋後，返會稽，旋回京館座師梁國治家。」大體都沒有許多差別。

因此，從章氏十四歲初次離家，到四十二歲著成校讎通義，二十八年之間，他只回過會稽六七次，而且，每次停留的時間都很短，在匆忙之間，他是否會去留心鄉先輩祁氏的著作，進而搜求到手，加以「竊取」「掠奪」？如果不能證明章氏在回會稽時曾經見過祁氏之書，那麼，僅憑同鄉的關係，便肯定章氏「竊取」和「掠奪」，是否過分主觀獨斷？

在學術研究上，「竊取」和「掠奪」，不是一個很輕的罪名，除非是具備了極堅強的證據——但是，昌先生所指認章氏「竊取」和「掠奪」的證據，却都是一些疑似之辭——「應該不乏『秘密』收藏的」、「不應該毫無所知」、「不絕如縷」、「也不應一無所悉」、「『想』頗不乏

『暗中』『密藏』的」。

胡適之先生告訴我們，「拿證據來」，「有一分證據，說一分話」，「有十分證據，說十分話」。在如此重大的事件上，如果僅憑一些「想……」，僅憑一些「應該不……」，僅憑一些「不應該……」，便判人「竊取」「掠奪」的罪名，又怎能取信於世人呢？

昌先生說章實齋是「博學多聞」，其實，章氏爲學所長在「識」，這已是世人的公論，他在由亳州往湖北時的家書中也曾說道：「吾讀古人文字，高明有餘，沉潛不足，故於訓詁考質，多所忽略，而神解精識乃能窺及前人所未到處。」也可作證。說到「博學多聞」，他不但趕不上並時的戴東原、邵晉涵，也更趕不上並時的錢大昕。

昌先生又說：「章氏所創，乃承襲自祁氏，但更改其名辭而已，別裁卽通，互著卽互，內容並無區別。」章氏的「別裁」「互著」，和祁氏的「通」與「互」，在應用的方法上，大致相同（註一七），但在應用的目的上，却有很大的區別，祁氏的「通」與「互」，是用以整理書籍，便於分類。章氏的「互著」「別裁」，是用以辨章學術，考鏡源流。祁氏所重在「書」，章氏所重在「學」。祁氏是以書册分類的取便檢閱爲主，章氏是以學術源流的反映考辨爲主。如果依照劉紀澤的區分（註一八），那麼，祁氏二法所應用的對象是藏書的目錄，章氏二法所應用的對象是史家的目錄。因此，至少在應用此二法的目的上，祁章二人，並不相同。

筆者並不是百分之百的肯定章氏絕對不會「竊取」和「掠奪」，只是，在昌先生所提出的「證據」之下，筆者覺得，這個事件，頂多只可判爲懸案而已，還不能照昌先生的意思，視爲「定讞」。

（五）

以前，淸華大學史學教授雷海宗先生，曾有章實齋與藍鼎元餓鄉記一文，發表在民國二十六年七月出版的淸華學報十二卷三期（註一九），文中提到，藍鹿州（鼎元字）的餓鄉記是淸代一篇奇文，此文後爲世居永淸縣的老秀才賈澎抄改，收入賈氏的耕餘集中，乾隆四十二年，章實齋四十歲時，主持永淸縣志館，賈澎時已七十六歲，以耕餘集稿本就正於章氏，章氏旣不知其抄改他人作品，也不謙辭，盡量代爲批改。次年，賈氏卒，縣志尚未完竣，賈澎竟得章氏爲之立傳，傳中並錄了章氏改正後的耕餘集中餓鄉記一篇，因此，餓鄉記一文，便有了藍氏原作，賈氏抄改，章氏批改，三種不同的文字。章氏手改的耕餘集後來輾轉流落到雷先生父親手中，雷氏遂得據以寫成此文。

雷海宗先生在該文之末，曾說：「所可怪者，此集最少一部出於鈔襲，實齋似絲毫未有所覺，如轅馬說卽方苞之轅馬說，過說卽方苞之原過……最後尙有全部鈔襲之一篇，卽餓鄉記。」又說

：「章實齋一代通人，却無意間如此受騙，可見無公共圖書舘時，書籍流傳的有限與博學的困難。……京師曾經傳誦一時的餓鄉記，實齋亦全不知，頗屬可驚。」

「無公共圖書舘」，是導致章氏受騙於賈澎的原因，同樣的，「無公共圖書舘」，會不會是章氏未曾見過祁氏著作的原因呢？

其實，認爲章氏「互著」「別裁」是襲自祁氏的說法，早在淸代末年，便已出現，文廷式純常子枝語卷二十六（註二〇）說：

章實齋校讐通義一書，互見及裁篇別出之說，目錄家頗謂瓶獲，余閱明祁承㸁書目略例，實開其端；………章氏與祁氏近同里閈，不容不見其書，乃遠述弱侯，而近遺夷度（祁承㸁之字），殆不欲着其相襲之迹乎，若然，則文史通義特重史德，實齋爲有愧矣。

不過，文廷式只是提出懷疑，並沒有直接的證據，證明章氏一定見過祁氏的書，他的懷疑，也同樣可用「無公共圖書舘」、章氏未必見過祁氏之書，來作解答。

昌先生在他的幾篇文章中，都絲毫沒有提到文廷式的說法，爲什麼呢？對於純常子枝語，昌先生是見過而不說？還是未曾見過？前一種情形，想來是不大可能的。後一種情形，則是比較可能的，因爲，在今天，雖然已有公共的圖書舘，但天下之書，不可勝數，一個人的時間精神，畢竟有限，未曾讀遍人間書，也是很自然的事。當然，同樣的，在章實齋那個沒有公共圖書舘的時代，未能讀到已遭禁燬的祁氏的作品，也並非是不可能的事情。

章氏在文史通義中，曾有言公三篇，主要是說，「志期於道，言以明志，文以足言，其道果明於天下而志無不申，不必其言之果爲我有」，在與邵二雲論學書中，章氏說：

鄙昔著言公篇，久有謝名之意，良以立言垂後，無非欲世道之闡明，今旣著有文辭，何必名出於我。

又在與陳鑑亭論學書中說：

原學之篇，卽申明原道未盡之意，其以學而不思爲俗學之因緣，思而不學爲異端之底蘊，頗自喜其能得要領。又以其說混成，不煩推究，誠恐前人已有發此論者，徧詢同人，皆云未見。然鄙著通義，凡意見有與古人不約而同者，必著前人之說，示不相襲，幸足下與同志諸君爲檢先儒緒論，審有似此者否也，如其有之，幸卽寄來，俾得免於雷同勦說之愆，感荷非淺鮮矣。

由於章氏並非是個博極羣書的人，因此，凡有論著，便常「徧詢同人」，希望「同志諸君爲檢先儒緒論」見示，「俾得免於雷同勦襲之愆」，因此，所著「通義，凡意見有與古人不約而同者，必著前人之說，示不相襲。」（章氏在由亳州往湖北時的家書中也曾說過：「至於史學義例，校讐心法，則皆前人從未言及。」）

章氏上述的這些書信，是寫給當時一些朋友看的，希望他們協助檢核，以免躬蹈雷同勦襲而不自知。如果說，章氏寫這些書信，目的是在有意掩飾自己的「竊取」和「掠奪」，那麼，打從章氏在四十二歲著校讎通義「竊取」「掠奪」了祁氏的「通」「互」二法開始，在往後的二十二年中（章氏卒年六十四歲），難道章氏不怕友人檢核資料，指責勦襲？祁氏的著作，當時是在朝廷明令禁燬之列，如果章氏看得到，別人也同樣可以看得到，難道章氏所有的友朋同志，全都助他作僞？何況，還有那些在學術上與章氏意見並不融洽的學者，像袁枚、戴震、汪中、洪亮吉、孫星衍、方苞等人呢（註二一）？

在章氏的學術思想中，「六經皆史」、「官師合一」、「即器明道」，是主要的觀念，由此而形成一個對於古代文化歷史看法的大系統，由「即器明道」運用到校讎的理論上，再加上「宗劉」的啓示，很自然的便易於引發出「互著」「別裁」的技術方法（註二二），因此，「互著」「別裁」，在章氏的學術思想中，正是一個大系統中的某些環節，却並不是零星的片斷，可以完全向外襲取，隨意安排而得來。（從整個學術成就的廣度和深度上來看，章氏具備了足以發明「互著」「別裁」二例的能力，是毋庸置疑的，如果章氏除了孤立地提出「互著」「別裁」之外，在其他的學術方面，一無所有，「掠奪」「竊取」的可能便要大得多了。）

（六）

要之，對於章實齋「互著」「別裁」的有關問題，筆者覺得：

(1)劉歆的七略之中，大約並沒有「互著」和「別裁」之例，這一方面，筆者很贊同昌先生的意見。

(2)七略中有無「互著」「別裁」二例是一件事，章氏以爲七略中有此二例，因而加以闡明，又是一件事，章氏曾經說過：「書有作者甚淺而觀衆甚深。」（文史通義書敎下）這也是爲學路徑上「沉潛」與「高明」的不同，章氏憑藉七略而創造互著別裁，本身便是一個很好的「觀者甚深」的例子。

(3)劉中叔先生以爲章氏的「互著」「別裁」，是「廸緒鄭樵」，那恐怕是不能成立的。

(4)祁承㸁氏整書的「通」和「互」二法，自當有其本身的價値，在目錄學史上也當有其應得的地位。但並不妨礙章氏「互著」「別裁」二法的自行創發，因爲，人同此心，心同此理，在「需要」的推動下，各自創建，以適其用，也是很自然的現象。

(5)昌先生肯定章氏是「竊取」和「掠奪」了祁氏的「通」「互」二法，而更改爲「別裁」「互著」兩個新的名詞，在他所已提出的證據下，筆者並不同意他的看法。

(6)由於祁氏的著作曾遭禁燬，孤本懸隔，難於尋覓，加上章氏回鄉時間短促，因此，筆者以爲章氏未曾見過祁氏著作的可能，遠大於見過的可能。但是，根據以上的理由，筆者並不能「保證」章氏百分之百，絕對不會見到過祁氏之書，所以，筆者只是以爲，對此問題，頂多加以存疑，判爲懸案。

(7)在昌先生所提出的理由下，並不能「保證」章氏百分之百，必然見到過祁氏的著作，因此，筆者以爲，在還未找到更堅強更直接的證據以前，是否暫且存疑，不要立刻便判定章氏「竊取」「掠奪」的罪名，會來得比較妥當？還請再加考慮。

〔附　注〕

一、此據四部備要本。

二、筆者曾撰有目錄家「互著說」平議（載南洋大學學報第五期）、目錄家「別裁說」平議（載書目季刊六卷三四期）、張氏「漢書藝文志釋例」糾繆（載新社學報第五期）等文，討論到七略之中並無「互著」「別裁」的問題，可資參看。

三、見劉申叔先生遺書中左盦外集卷十二。

四、此據四部備要通志二十略本。

五、校讐通義有補鄭、鄭樵誤校漢志等篇。又嘗評鄭氏說：「鄭樵校讐諸論，於漢志尤所疏略，蓋樵不取班氏之學故也。」

（校讎通義補校漢藝文志第十）又說：「獨藝文爲校讎之所必究，而樵不能平氣以求劉氏之微旨，則於古人大體，終似有所未窺。」（校讎通義敍）

六、章氏曾說：「自劉班而後，藝文著錄，僅知甲乙部次，用備稽檢而已，鄭樵氏興，始爲辨章學術，考鏡源流，於是特著校讎之略，雖其說不能盡當，要爲略見大意，爲著錄家所不可廢。」（校讎通義焦竑誤校漢志第十二）

七、中華文化出版事業社現代國民基本知識叢書本，民國四十三年八月初版。

八、見圖書館學報第十一期，民國六十年六月，東海大學出版。

九、見國立故宮博物院圖書季刊二卷四期，民國六十一年四月出版。此文後又收入昌先生所著的中國目錄學講義，民國六十二年十月文史哲出版社初版，文字方面，則略有異同。

一〇、見圖書館學一書一六四頁，民國六十三年三月學生書局出版。

一一、見東海學報第十七卷，民國六十五年六月出版。

一二、見沈剛伯先生八秩榮慶論文集，民國六十五年十二月聯經出版事業公司印行。

一三、此據民國五十七年一月臺灣商務印書館重印本。

一四、章氏四十二歲著成校讎通義四卷，後兩年，遊古大梁時，遇盜，原稿失去，前三卷幸有朋友抄存，得以保全，而「互著」「別裁」，皆在首卷之中。其實，當乾隆三十八年，章氏三十六歲，主編和州志時，在藝文書序例中已經提到「互著」「別裁」二例，他說：「如管子列於道家，而敍小學流別，取其弟子職篇，附諸爾雅之後，則知一家之書，其言可採，例得別出也。伊尹太公，道家之祖（次其書在道家），蘇子蒯通，縱橫家言，以其兵法所宗，遂重錄於兵法權謀之部次，冠冕孫吳諸家，則知道德兵謀，凡宗旨有所統會，例得互見也。」

一五、原載國學月報二卷四期，民國二十六年四月出版，此據一九七〇年香港崇文書店章實齋先生年譜彙編所轉載者。

一六、原載說文月刊二卷九至十二期，民國二十九年十二月至三十五年三月出版。此據一九七〇年十月香港崇文書店章實齋先生年譜彙編所轉載者。

一七、其實，昌先生在祁承㸁及其在圖書目錄學上的貢獻一文中曾說：「祁氏所創的通互二詞，雖然不及章氏用別裁互著來得清晰，但論析這兩種方法的運用，却比校讎通義別裁互著二篇要透徹得多。」祁氏章氏的方法，孰爲透徹，姑且不論，至少，昌先生也已承認了別裁互著與通互之間，並非是完全相等，沒有區別。

一八、劉紀澤在所著的目錄學概論頁十一中，曾將目錄分爲目錄家之目錄、史家之目錄、藏書家之目錄、讀書家之目錄。

一九、此據一九七五年十月香港崇文書店中國近三百年學術思想論集第六編章學誠研究專輯所轉載者。

二〇、錢鍾書的談藝錄（此書民國三十七年由上海開明書店初版，此據一九六五年香港龍門書店影印本）三一六頁曾說：「文芸閣純常子枝語卷二十六，疑實齋校讎通義有襲祁承㸁書目略例而諱之者……姑存疑以俟考定。」筆者先見錢氏之書，據彼說指引，而後始檢得文廷式之說，謹爲說明。純常子枝語，中央圖書館藏有文氏手稿本，民國六十三年八月文海出版社嘗影印於清代稿本百種叢刊（五十四號子部）之中。

二一、羅炳綿先生有章實齋對於淸代學者的譏評一文，載於新亞學報八卷一期，列舉章氏對於當時一些學者如袁枚、戴震、汪中、洪亮吉、孫星衍、馮景、龔元玠、毛奇齡、王士禎、汪琬、方苞、陸隴其、陳熷等人的譏評，可資參看。

二二、筆者有校讎通義「道器說」述評一文，載南洋大學學報第七期，可供參看。

（原刊於中國學術年刊第二期）

九　「四庫提要補正」與「四庫提要辨證」

一、前　言

目錄的體制有三，一是篇目，二是敍錄，三是小序，三者之中，敍錄（又稱解題或提要）的功用，所以考論作者的行事，辨正書籍的眞僞，闡明學術的得失，因此，也特別顯得重要。所惜自漢代的別錄七略失傳之後，敍錄的體制便逐漸衰微，宋代晁公武陳振孫的書目，雖有解題，却簡略過甚，無法振起頹風。及至清代四庫全書總目提要修成，在辨章學術方面，才算將敍錄的功用，發揮到了極點。繆荃孫曾說：「考撰人之仕履，釋作書之宗旨，顯徵正史，僻采稗官，揚其所長，糾其不逮，四庫提要實集古今之大成。」（註一）張之洞也說：「將四庫全書總目提要讀一過，卽略知學術門徑矣。」（註二）都不算是過份的揄揚。

但是，四庫提要一書，因爲撰成於少數學人之手，或因作者識解的囿固，或因所得資料的限制，或因學術門戶的偏見，再加以期限的迫促，絀於時日，草率從事，因此，提要一書，也存在着不少的謬誤闕失，有待後人去補苴罅漏。（註三）不過，因爲提要是清代帝王欽定官頒的書籍，所以，在當時，學者們爲了遠禍避害，也都不敢公然提出糾補的意見，直到清末，陸心源想要著書匡正提要的缺失，俞樾還曾諄諄地勸導他不要發表，以免惹出意外的是非。（註四）

然而，四庫提要撰成於乾隆年間，自乾隆嘉慶以還，考證之學，日益發達，學者們的心思更加縝密，眼界也更爲拓廣，對於各種古籍，也都作出了不少的論述，他們往往根據新的發現或正確的判斷，提出了許多正面的意見，這些意見，雖不標明是針對四庫提要而發，實際上，却對提要做出了許多糾繆補正的工作，足供後代學者參考。可惜這些意見，却都零星地散見於各種日記文集、讀書筆記、或藏書志裏，後世學者在需要加以利用時，實在很難去一一地檢讀無遺，如果有人能將這些零散各處的意見，網羅一編，綱擧目張，各歸本類，且更加以正確的判斷，那麼，不僅便於檢索，人們且可從中得到許多正確的論斷；那樣的書籍，豈不是學者們夢寐以求的嗎？——胡玉縉的四庫提要補正和余嘉錫的四庫提要辨證，正好便是符合這種理想的兩部書籍。

二、作　者

甲、胡玉縉（一八五九——一九四〇）

胡玉縉，字綏之，江蘇元和人，生於清咸豐九年，清末元和併入吳縣，因此遂隸吳縣，十九歲時，肄業於正誼書院，與潘錫爵、葉昌熾、許克勤、曹元忠、王仁俊等人相友善，及後，轉調江陰南菁書院，研治經義兼詞章，爲山長黃以周所激賞。光緒十四年，江蘇布政使黃彭年創辦學古堂，聘雷浚爲學長，胡氏與章鈺爲齋長，十七年，以優貢中式江南鄉試舉人，二十九年，應經濟特科考試，錄取高等，改官爲湖北知縣，次年，奉兩湖兩江會派前往日本，考察政學，着有甲辰東游日記，宣統二年，應京師大學堂之聘，講授周禮，著有周禮學。辛亥革命後，任教於北京大學，努力著書，孜孜不倦，數十年如一日，「旅京師四十年」，與柯劭忞、王樹枏、夏孫桐、江瀚、邵章、孫雄、盧弼等人最爲莫逆。俟蘆溝橋事變起，日寇入犯，胡氏已年將八十，痛心國事，遂南歸吳下，卜宅於光福鎮的虎山橋，專心從事著述，所著之書，及身刊行的，有穀梁大義述補闕七卷、說文舊音補注一卷、補遺一卷、續一卷、改錯一卷、甲辰東游日記六卷，卒後，由友人王欣夫所編刊的，有許廎學林二十卷、四庫全書總目提要補正六十卷、四庫未收書目提要補正二卷、四庫未收書目提要續編二十四卷、許廎經籍跋二十卷，其中四庫全書總目提要補正一書，尤爲傑作，辨正四庫提要書籍共達二千三百餘種，一九六四年一月，由上海中華書局排印出版。

（註五）

乙、余嘉錫（一八八三——一九五五）

余嘉錫，字季豫，湖南常德人，生於清光緒九年，從幼年起，就由其父教習督課，五經、楚辭、文選卒業以後，便閱讀四史、通鑑，並學作詩古文，而不使學八股時藝，十四歲時，作孔子弟子年表，十六歲時，注吳越春秋，後得見張之洞的書目答問，駭其浩博，不免茫然失據，未知學所從入，及讀張氏輶軒語，有云：「今爲諸生指一良師，將四庫全書總目提要讀一過，卽略知學問門徑矣。」不禁雀躍萬分，歎說：「天下果有是書耶！」十七歲時，購得四庫提要，大喜，日夜閱讀，遇有疑難，乃隨時檢尋家中藏書，分別考證，將有關文字寫於提要書頁上方，一年以後，遂錄爲一册，這是余氏從事提要辨證的開始，其後五十多年之間，余氏又陸續寫定了四庫提要辨證共四百九十篇，蔚爲中國目錄學上的鉅著。

民國十七年，余氏往北平定居，在輔仁大學講授目錄學、古籍校讀法、世說新語研究等課程，並曾兼任中文系主任及文學院長，又曾在北京大學兼授目錄學，同時，也致力於四庫提要辨證的撰寫，集中心力於史部子部諸書。抗日戰起，日軍侵佔北平，余氏自念平生精力，萃於是書，深懼亡佚，於是乃取史子兩部寫定之稿二百二十多篇，排印數百部，以當錄副。三十六年，以四庫提要辨證一書，當選爲中央研究院院士。自二十六年至四十一年，更先後寫定了經部稿六十多篇，集部稿一百多篇，史子兩部稿一百多篇，合以前所刊印的，共爲四百九十篇，彙爲一書，於四十三年付刊，這便是四庫提要辨證的定本了，自序曾說：「漢唐目錄書盡亡，提要之作，前所未有，足爲讀書之門徑，學者捨此，莫由問津。」「余之略知學問門徑，實受提要之賜，逮用力之久，遂掎摭利病而爲書。」「余治此書有年，每讀一書，未嘗不小心以玩其辭意，平情以察其是非，至於搜集證據，推勘事實，雖細如牛毛，密若秋荼，所不敢忽，必權衡審愼，而後筆之於書，一得之愚，或有足爲紀氏諍友者。」余氏於民國四十四年（一九五五年）病歿北平，享年七十三歲。其婿周祖謨又將他的單篇論文彙印爲余嘉錫論學雜著二册，余氏其他的著作，尚有目錄學發微、古書通例、世說新語箋疏等。（註六）

三、功用

四庫提要的功用與價值，上文已加述及，至於四庫提要補正及四庫提要辨證的實用功能，又將如何？以下，我們就二書各舉一例，以作參考。

甲、新序十卷

此本雜事五卷，刺奢一卷，節士二卷，善謀二卷，卽曾鞏校定之舊。崇文總目云：「所載皆戰國、秦、漢間事。」以今考之，春秋時事尤多，漢事不過數條，大抵採百家傳記，以類相從，故頗與春秋內外傳、戰國策、太史公書互相出入。高似孫子略謂「先秦古書，甫脫燼刼，一入向筆，採擷不遺，至其正紀綱，迪教化，辨邪正，黜異端，以爲漢規監者盡在此書」，固未免推崇已甚，要其推明古訓，以衷之於道德仁義，在諸子中，猶不失爲儒者之言也。葉大慶考古質疑摘其昭奚恤對秦使者一條，所稱司馬子反在奚恤前二百二十年，又摘其誤以孟子論好色好勇爲對梁惠王，皆切中其失。（提要）

汪之昌青學齋集有是書書後云：「本書十篇，雜事居首，舜耕稼陶漁外，若刺奢篇，桀作瑤臺，紂爲鹿臺，節士篇，述伯成子高在堯、舜、禹時事，繼以桀爲酒池，紂作炮烙之刑，皆唐、虞、三代間事，其他亦春秋時事居多，崇文總目云云，亦非其實。高似孫子略云云，考開卷引舜事，證以孔子『孝弟之至通於神明光於四海』之文，並引孔子居闕黨、仕魯國諸事，以爲『其身正不令而行』之證。刺奢篇，宋子罕告荊士尹條，以『修之於廟堂之上而折衝於千里之外』孔子之語爲折衷。晉宣子觴魯獻子條，特引孔子所云『孟獻子之富可著於春秋』。節士篇，齊攻魯求岑鼎條，引孔子云：『大車無輗，小車無軏，其何以行之哉？』又明見論語。是向撰新序，大致闡明聖訓，俾見此書者無惑於他歧。且綜全書而論，自首篇至第九篇，率稱舉唐、虞以迄戰國時事，其第十篇則始漢高之入咸陽，終主父偃之削宗室，莫非當代故實，意在鑒戒甚明。」玉縉案：摘新序、說苑之誤者，考古質疑外，如黃朝英靖康緗素雜記、王應麟困學紀聞、顧炎武日知錄、虞兆漋天香樓偶得諸書，皆有若干條。朱一新無邪堂答問云：「劉子政作新序、說苑，冀以感悟時君，取足達意而止，不復計事實之舛誤。蓋文章體

制不同，議論之文，源出於子，自成一家，不妨有此。」（補正）

胡氏引用資料，對於四庫提要作出了補充的意見，使人們對於劉向撰著新序一書的態度，以及新序一書的內容，有著更爲明確的了解。

乙、詩集傳八卷

宋朱子撰，朱子注易，凡兩易稿，注詩亦兩易稿，凡呂祖謙讀詩記所稱朱氏曰者，皆其初稿，其說全宗小序，後乃改從鄭樵之說，（原注云，朱子改序用鄭樵說，見於語錄）是爲今本。楊愼丹鉛錄，謂文公因呂成公太尊小序，遂盡變其說，雖意度之詞，或亦不無所因歟。（提要）

嘉錫案：成蓉鏡駉思堂答問云：「提要謂集傳廢序，成於東萊之相激，偏考語類文集，並無此說，蓋本之丹鉛錄，此升庵臆度之詞，元以前無言此者。夫考亭詩序辨說，後儒以負氣求勝譏之，固所不免，然謂成於東萊之相激，亦考之未審耳。庚子凡三答呂伯恭書，玩其辭氣，皆無彼此相激之語，其甲辰答潘文叔書云：『舊說多所未安，見加刪改，別作一小書，庶幾簡約易讀，若詳考則有伯恭之書矣。』此豈與呂相難者乎？語類葉賀孫錄云：『鄭漁仲詩辨妄，力詆詩序，始亦疑之，後來仔細看一兩遍，因質之史記國語，然後知詩序之果不足信。』然則集傳之廢序，亦文公自廢之耳，其不因成公之尊序而盡變其說亦明矣。又案壬寅序呂氏家塾讀詩記云：『此書所謂朱氏者，實熹少時淺陋之說，其後自知其說，有所未安，或不免有所更定，則伯恭父反不能不置疑於其間，熹竊惑之。』黃氏日鈔亦云：『晦庵先生因鄭公之說，盡去美刺，其說頗驚俗，雖東萊先生，不能無疑。』據此則朱呂論詩，誠有不合焉者。然因廢序而有異同，非因有所不合而乃廢序也。」成氏之說善矣，然所引諸書，作提要者皆嘗見之，如語類葉賀孫錄，提要此條引之，呂氏家塾讀詩記序，讀詩記條下提要引之，黃氏日鈔之語，詩總聞條下提要引之，是朱子所以廢詩序之故，提要非不知也，知之而仍信丹鉛錄之臆說者，因紀文達諸人，不喜宋儒，讀楊愼之書，見其與己之意見相合，深喜其道之不孤，故遂助之張目，而不暇平情以核其是非也。（辨證）

余氏的辨證，不僅指出了四庫提要的錯誤，並且，還找出了提要作者所以致誤的原因。從另一方面看，余氏這一篇辨證，也把朱子對於詩序看法轉變的原因，簡單明瞭的揭示出來，實不啻是一篇濃縮精練的朱子對於詩序看法的「變遷考」，人們如能就此基礎，踵事增華，益加推衍，所得的成果，一定會越發令人滿意的。

由以上所舉的兩個例子，或可略見補正和辨證二書功用的一斑。

四、比較

胡氏的補正和余氏的辨證，都是針對四庫提要的闕失，所作的工夫，然而，這兩部書，到底何者較勝？它們各自的優劣，又如何呢？

四庫全書總目提要，共收書籍凡一萬零二百二十三種，（其中四庫著錄書籍三千四百五十七種，僅存書名，四庫未收其書者六千七百六十六種。）胡氏所曾補正的書籍近兩千種，佔提要五分之一。余氏所曾辨證的書籍，則為四百九十種，約佔提要二十分之一。如果要比較胡氏余氏二人書籍的得失，我們只能且就二人都曾致力的書籍，去作考察，以下，我們分別以兩種情形去作比較。

甲、實例比較

1　胡氏之說較勝之例

老學庵筆記十卷續筆記二卷（宋陸游）

文獻通考列之小說家中，今檢所記軼聞舊典，往往足備考證，惟以其祖陸佃為王安石客，所作埤雅，多引字說，故於字說無貶詞，於安石亦無譏語，而安石龍睛事，併述埤雅之謬談，不免曲筆。（提要）

武億授堂文鈔有是書書後云：「其書於當時遺制多所存錄，而中亦多疵繆，四卷內云：『舊制，丞相署敕皆著姓，官至僕射則去姓，元豐新制，以僕射爲相，故皆不著姓。』考之敕賜壽聖禪院額牒，在熙寧元年二月，後署銜左僕射兼門下平章事已不著姓，則必非元豐新制始然。又五卷內云：『本朝進士，初亦如唐制，兼採時望，眞廟時，周安惠公起，始建糊名法。』予綜其實，亦非篤論也。東坡集題伯父謝啓後：『天聖中，伯父中都公始擧進士於眉，年二十有二，時進士法寬，未有糊名也。』東坡題其家集如此，蓋皆得之目見，而又在陸氏前，宜其言之不苟，陸氏反謂糊名自眞廟，何也？陸氏嫻於掌故，猶有不可依據，況世之影聞者歟！」

李慈銘桃花聖解盦日記辛集第二集八三云：「此書在南宋時，足與猗覺寮雜記、曲洧舊聞、梁谿漫志、賓退錄諸書並稱，其雜述掌故，間考舊文，俱爲謹嚴，所論時事人物，亦多平允，提要譏其以其祖右丞之故，於王氏字說俱無貶辭，不免曲筆；今考其書，於荊公亦無甚稱述，如云輕沈文通以爲寡學，誚鄭毅夫不識字，又不樂滕元發，目爲『滕屠鄭酤』，及裁減宗室恩數諸條，俱不置斷語，而言外似有未滿意。惟一條云：『先右丞言荊公有詩正義一部，朝夕不離手，字大半不可辨，世謂荊公忽先儒之說，蓋不然也。』則荊公本深於經學，所記自非妄說。其言字說亦祇一條，云『字說盛行時，有唐博士耜、韓博士兼，皆作字說解數十卷，太學諸生作字說音訓十卷，劉全美作字說偏旁音釋一卷，字說備檢一卷，又以類相從爲字會二十卷』，以及故相吳元中、門下侍郎薛肇明等詩文之用字說，而亦未嘗加論斷，至所舉『十目視隱爲直』，則本說文義也。其論詩數十條，亦多可觀，劍南於此事本深，尤宜其談言微中。」又以掌故最多，歷舉二十餘事，謂「提要所稱頗寥寂，故類而錄之，以見放翁學識過人，卽以此書而論，亦說部之傑出也」，玆略之。又荀學齋日記云：「筆記中有『賜無畏』一條，謂唐季五代功臣多賜無畏，引韓偓金鑾密記云云，當是始於唐末，案唐孟棨本事詩，載玄宗召李白賦宮中行樂詩，白頓首曰：『寧王賜臣酒，今已醉，倘陛下賜臣無畏，始可盡臣薄技。』是唐初早有此語也。無畏盖卽漢時『入朝不趨』等事之遺意。」（補正）

嘉錫案：李慈銘桃華聖解盦日記辛集二云：「放翁此書，在南宋時，足與猗覺寮雜記、曲洧舊聞、梁谿漫志、賓退錄並稱，其雜述掌故，間考舊文，俱爲謹嚴，所論時事人物，亦多平允，四庫提要譏其以其祖右丞之故，於王氏及字說俱無貶詞，不免曲筆，今考其書於荆公，亦無甚稱述，如云輕沈文通以爲寡學，誚鄭毅夫不識字，又不樂滕元發，目爲『滕屠鄭酤』，及裁減宗室恩數諸條，俱不置斷語，而言外似有未滿意，惟一條『先右丞言荆公有詩正義一部，朝夕不離手，字大半不可辨，世謂荆公忽先儒之說，蓋不然也』，則荆公本深於經學，所記自非妄說。其言字說，亦祇一條云：『字說盛行，唐博士耜、韓博士兼，皆作字說解數十卷，太學諸生作字說音訓十卷，劉全美作字說偏旁音釋一卷，字說備檢一卷，又以類相從，爲字會二十卷』，以及故相吳元中門下侍郎薛肇明等詩文之用字說，而亦未嘗加以論斷，至所舉『十目視隱爲直』，則本說文義也。其論詩數十條，亦多可觀，劍南於此事本深，尤宜談言微中。」（辨證）

在此篇提要中，由於胡氏所引的資料，較余氏爲多，所以論證的說明，也較爲清晰。

2 余氏之說較勝之例

忠經一卷

舊本題漢馬融撰，鄭元注，其文擬孝經爲十八章，經與注如出一手，考融所述作，具載後漢書本傳，元所訓釋，載於鄭志，目錄尤詳，孝經注依託於元，劉知幾尙設十二驗以辨之，其文具載唐會要，烏有所謂忠經注哉？隋志唐志皆不著錄，崇文總目始列其名，其爲宋代僞書，殆無疑義，玉海引宋兩朝志，載有海鵬忠經，然則此書本有撰人，原非贋造，後人詐題馬融，掩其本名，轉使眞本變僞耳。（提要）

丁晏尙書餘論云：「崇文總目五行類有絳囊經一卷，馬融撰，桐鄉金錫鬯云：『融，唐居士，非漢馬融也。』余觀忠經序云：『臣融巖野之臣。』當亦唐居士所撰，後人誤爲南郡太守耳。若果漢之馬氏，乃貴戚豪家，不得云巖野之臣矣。又忠經兆人章云：『此兆人之忠也。』冢臣章云：『正國安人。』武備章云：『王者立武以威四方，安萬人也。』改民人，唐人避太宗諱也。天地神明章『昔在至理』，又『國一則萬人理』，政理章『夫化之以德，理之上也，施之以政，理之中也，懲之以刑，理之下也』，『德者爲理之本也』，改治作理，唐人避高宗諱也。益信爲唐人所撰。是時梅氏書盛行已久，其五引僞古文書，不足異矣。」論語孔注證僞同。朱一新無邪堂答問云：「忠經廣至理章，有『邦國平康』之語，漢人諱邦，邦國未有連文者。」足見丁氏之言，信而有徵，提要疑爲鵬所作，然書中諱民字、治字，當以丁說爲正。（補正）

嘉錫案：丁晏尚書餘論云：「惠松崖云：『今世所傳馬融忠經一卷，宋藝文志著于錄，其書間引梅氏古文，馬季長東漢人，安知晉以後書，此皆不知而妄作者。』錢竹汀宋史考異云：『忠經，隋唐志皆不著錄，爲宋人僞託。』晏按此書亦非依託，當別一馬融，與漢馬融同姓名，非東京扶風馬氏也。崇文總目五行類，有絳囊經一卷，馬融撰，桐鄉金錫鬯云：『融，唐居士，非漢馬融也。』余觀忠經序云：『臣融巖野之臣。』當亦唐居士所撰，後人誤爲南郡太守耳，若果漢之馬氏，乃外戚豪家，不得云巖野之臣矣。又忠經兆人章云：『此兆人之忠也。』冢臣章云：『正國安人。』武備章云：『王者立武以威四方，安萬人也。』改民作人，唐人避太宗諱也。天地神明章『昔在至理』，又『國一則萬人理』，政理章『夫化之以德，理之上也，施之以政，理之中也，懲之以刑，理之下也』，『德者，爲理之本也』，改治爲理，唐人避高宗諱也，益信爲唐人所撰，是時梅氏書盛行已久，其五引僞古文書，不足異也。」提要以爲海鵬撰，丁氏以爲唐馬融撰，二說不同，考宋志儒家類有馬融忠經一卷，小說家類又有海鵬忠經一卷，通志藝文略諸子類，儒術有忠經一卷，注云：「海鵬撰，失其姓名。」（按既云海鵬，又云失其姓名者，蓋海鵬乃作者之字也。）而無馬融忠經，則提要謂今書卽海鵬撰者，理自可信，宋志蓋一書兩收，不足擔也。丁氏據崇文總目輯釋，以絳囊經爲馬融撰，因謂作忠經者，卽此馬融，不知崇文總目原無撰人姓名，此馬融撰三字，乃金錫鬯輯書時所補，輯釋之例，凡書名下有陰文原釋二字者，乃總目原文，無者，皆錢東垣等所補釋，故錢侗序云：「侗家舊藏天一閣鈔本，只載卷數，時或標注撰人，然惟經部十有一二，其餘不過因書名相彷，始加注以別之，此外別無所見，讀者疑焉，乃爲博考史志，補釋撰人。」其文甚明，可覆案也。考新唐志五行類有馬雄絳囊經一卷，注云：「雄稱居士。」通志略五行家有絳囊經一卷，唐居士馬雄撰，宋志五行類亦有馬雄絳囊經一卷，然則唐居士作絳囊經者，是馬雄，非馬融，金錫鬯題爲馬融，且附案語云：「宋志作雄，誤。」實不知其何所本，丁氏不考全書體例，誤以爲總目原文，遂據之以立說，執不根之言，以考古書，不可爲訓，惟其詳徵書中所避唐諱，以證其爲唐人所撰，非漢之馬融，則頗足補提要所不及，故仍錄之，資參考焉。」（朱一新無邪堂答問卷一云：「忠經，世以爲僞，丁儉卿論語孔注證僞，謂是唐馬融所作，今案忠經廣至理章，有『邦國平康』之語，漢人諱邦，邦國未有連文者，足見丁氏之言，信而有徵，四庫提要謂玉海引宋兩朝志載有海鵬忠經，疑此書爲鵬所作，然書中諱民字治字，似當以丁說爲正，後人誤題爲南郡太守耳。」此亦誤信丁氏之說也。）（辨證）

對於忠經一書的作者問題，比較之下，辨證的說法，無疑是較補正來得確切與可信。

乙、引書比較

以上，我們就胡氏余氏二人之書，擧出兩例，以見二書，也各具所長，以下，我們將再擧例比較一下胡余二人對於提要中同一書籍，同一問題，蒐羅資料的多寡。雖然，資料的蒐羅堆積，如不能善加剪裁洗汰，別具心裁，也並不就代表問題的解決，研究的成功。不過，資料豐富，在考證方面，畢竟是易於判斷，易於爲功。

1 胡余二人所引資料相同之例

① 毛詩講義十二卷、宋林岊撰

胡氏——陸氏儀顧堂題跋

余氏——儀顧堂題跋

② 三家詩拾遺十卷、清范家相撰

胡氏——李慈銘荀學齋日記

余氏——李慈銘荀學齋日記庚集上

③ 春秋比事二十卷、宋沈棐撰

胡氏——陸氏儀顧堂續跋

余氏——儀顧堂續跋

2. 胡氏所引資料略勝之例

① 尚書精義五十卷、宋黃倫撰

胡氏——陸氏儀顧堂題跋——王詠霓函雅堂集

余氏——儀顧堂題跋

② 書蔡傳旁通六卷、元陳師凱撰

胡氏——瞿氏目錄——陸氏儀顧堂題跋

余氏——儀顧堂題跋

3. 余氏所引資料較勝之例

① 爾雅注疏十一卷、晉郭璞注、宋邢昺疏

胡氏——邵晉涵爾雅正義自序

余氏——錢大昕潛研堂集跋爾雅單行本——陳鱣經籍跋文——王國維觀堂集林宋刋本爾雅疏跋

② 鄧析子一卷

胡氏——瞿氏目錄——丁氏藏書志——嚴可均鐵橋漫稾

余氏——荀子宥坐篇——呂氏春秋離謂篇——說苑指武篇——劉向上鄧析子——荀子不苟篇——莊子天下篇——崇文總目——嚴可均鐵橋漫稾

③ 老子注、晉王弼撰

胡氏——武億授堂金石跋

余氏——錢大昕潛研堂金石跋尾卷五唐景龍二年老子道德經跋——錢大昕二十二史考異——武億授堂金石文字續跋——武億授堂文鈔卷二老子道德經書後——洪亮吉曉讀書齋二錄——俞正燮癸巳存稿——董逌藏書志——孫詒讓札迻——世說新語文學

篇——北周書王褒傳——唐寒山詩——釋道宣集古今佛道論衡——册府元龜——宋邢昺孝經疏——葉夢得避暑錄話——宣和書譜——日本具平親王弘決外典鈔

由以上引用資料多寡的例子中，大致也可看出，余氏的辨證，甄採的書籍，較胡氏爲多，論斷方面，自然也容易較胡氏來得謹嚴和精當。

五、結論

從以上粗略的比較中，我們大致可以知道，對於提要中胡余二人都曾致力過的一些書籍而言，補正和辨證，相同的地方雖然不少，相異的地方也有很多。關於補正和辨證相同的地方，我們以說，在考證學上，同樣的問題，如根據類似的資料，應該可以得到相近的結論。

至於二書對於同一問題，而有不盡相同的見解，我們也可以說，由於補正一書，所涉及的書籍種類較廣，（超出余氏四倍以上）因此，胡氏的精神力量，自然較爲分散，加以胡氏尙有份量極重的著作多種，自然不能像余氏那樣，終生以辨證四庫提要爲職志，「平生精力，盡於此書」，因此，對於余氏也曾致力過的一些部份，相較之下，資料就往往不如余氏蒐羅得完備，斷制也就遠不如余氏來得精確可信了。

不過，胡氏的書，在補正書籍的數量上，畢竟超過余氏甚多，對於余氏所不曾辨證過的一千多種書籍而言，胡氏所補正的，不僅格外可貴，同時，卽使是二人都曾致力的書籍，胡氏的補正，也時有新義，往往可以彌補余書的不足。

要之，人們在利用到四庫提要時，如果也同時參考比較一下胡余二人的補正和辨證，那麼，就更加理想了，也將能得到不少的資料和啓發。

荀子說：「君子性非異也，善假於物也。」在學術的研究上，「善假於物」，畢竟也是相當重要的事情，在這一方面，四庫提要補正和四庫提要辨證，確已爲人們提供了極佳的服務。

六、附　考

四庫提要補正與四庫提要辨證這兩部書，內容雖有不少相似之處，胡氏與余氏，又幾乎屬於同一時代的人物，然而，對於這兩位著名的學者，我們却深信他們的補正和辨證，是在不相爲謀的情形下，各自撰著而成的，當無互相參考的可能。以下，我們想要考察的，只是胡氏與余氏在撰寫補正與辨證的過程中，是否已曾知道對方也正從事與己相似的工作？

胡氏自從任教於京師大學堂，以至後來的北京大學，四十年間，一直居在北平，「及日寇入犯，時先生年將八十，痛心國事，遂浩然而歸，卜宅光福鎭（在太湖邊）虎山橋。」（見王欣夫撰吳縣胡先生傳略）許廎學林卷前有楊樹達先生「送綏之先生南歸並題雪夜校書圖」七絕兩首，署爲「丙子秋日長沙後學楊樹達遇夫敬題」，查丙子爲民國二十五年，正當七七事變前一年。許廎學林之末，收有胡氏「覆王欣夫大隆書」及「再覆王欣夫大隆書」兩通，分別題「丁丑」及「戊寅」（民國二十六年及二十七年），詳其語氣，並是南歸以後所作，因此，比勘推算，胡氏自北平南下，約在民國二十五年秋季之後，二十六年春夏以前，且綏之先生卒於民國二十九年（一九四〇年），享年八十二歲，則二十五、六年離開北平南歸，正是七十八、九，「年將八十」的時候。

另外，余氏自民國十七年定居北平以後，一直未曾離開，以迄去世。余氏於民國二十六年七月，曾取所撰四庫提要辨證史子二部稿，排印數百部，以當錄副，其時，胡氏已經南歸，或許未能見及，但是，在此以前，國立北平圖書館館刋、輔仁學誌及天津大公報圖書副刋，先後曾刋出余氏的辨證十餘篇。（註七）玆就國立北平圖書館館刋及輔仁學誌所曾刋載的辨證稿，依其發表先後，列舉如下：

甲、見於國立北平圖書館館刋者：

1 劉向新序提要辨證（三卷四期，民國十八年十月出版）

2. 荆楚歲時記辨證（九卷五期，民國二十四年九、十月出版）

3. 四庫提要辨證——呂氏春秋（九卷五期，民國二十四年九、十月出版）

4. 四庫提要辨證——蒙求集注（九卷六期，民國二十四年十一、十二月出版）

5. 四庫提要辨證——北史（十卷三期，民國二十五年五、六月出版）

6. 四庫提要辨證——能改齋漫錄（十卷三期，民國二十五年五、六月出版）

7. 四庫提要辨證——洛陽伽藍記（十卷三期，民國二十五年五、六月出版）

乙、見於輔仁學誌者：

1. 四庫提要辨證——孟子正義（四卷一號，民國二十二年十二月出版）

胡氏留居北平期間，至少應見及「新序」、「荆楚歲時記」、「呂氏春秋」、「蒙求集注」、「孟子正義」等數篇辨證，況且，胡氏與余氏也是北京大學的先後同事，又同寓舊京，嗜好相同，似乎不應對於余氏所撰的辨證，絲毫不加留意，但是，比較一下補正和辨證二書中關於上述八篇的內容，除了「荆楚歲時記」爲胡氏所不曾補正者之外，其餘七篇，胡余二書，在補正和辨證的內容上，都相差極大，這種情形，比較合理的解釋是，余氏的八篇辨證，胡氏可能因爲年事已高，精力已衰，不復見及，或者雖曾見及，也已不復據以追改舊稿了。

王欣夫是胡氏四庫提要補正一書的整理編定刋印者，王氏本是曹元忠的弟子，曹氏又是胡氏的少年同學兼好友，王欣夫所撰的吳縣胡先生傳略曾說：「欣夫少受經於曹先生，得略窺門徑，曁（胡）先生晚歸吳下，屢摳衣晉謁，盛德謙衷，無言不盡，獲益良多，並許爲畏友，又以草稿叢殘，多未寫定，約相助爲理，曾幾何時，忽示微疾，猶鄭重致書，以身後編刋之役爲託。」王氏既以後輩之禮見於胡氏，並受委爲胡氏整理舊稿，並且「於戎馬倉皇歷年兵火之際，仍保持綏之遺稿，如護頭目，十餘年中，編校繕寫，心力交瘁，百折千回，始終不懈。」（盧弼許廎遺書序）因此，胡氏的一些著作能夠流傳後世，王氏的功勞是不可磨滅的。

在余嘉錫論學雜著中，有一篇黃顧遺書序，曾經說道：「吳縣王君欣夫，博學好古，覃思著述，尤善網羅放失，輯刻昔賢遺書，自甲戌起，歲歲繼承勿絕，已得百數十種，又輯黃蕘圃、顧千里經籍題跋及雜著集外文，都六種，顏曰黃顧遺書，刻既成，索余爲之序。」余氏此序，不著撰寫年代，甲戌爲民國二十三年，中國叢書綜錄著錄王氏所輯黃顧遺書，計蕘圃藏書題識續錄四卷，蕘圃雜著一卷，一九三三年刋印，蕘圃藏書題識再續錄三卷，一九四〇年刋印，思適齋集補遺三卷，再補遺一卷，一九三六年刋印，思適齋書跋四卷，補遺一卷，一九三五刋印，共計七種。余氏序所謂六種，照刋印的先後而言，可能蕘圃藏書題識再續錄三卷，爲余氏之序撰成以後，方始刋印，而加入黃顧遺書之內者，因此，由余氏序文「都六種」「刻既成」二語推之，余氏此序，可能撰於一九三六年至一九四〇年（民國二十五年至二十九年）之間。由此觀之，當綏之先生晚年南歸之時，王氏不僅與胡氏常相過從，且其時，王氏與余氏也已相當熟稔了。由於王氏的居中往返，胡余二人，當也可能相互慕名心儀，知道對方正在從事與己相似的研究工作，至於胡余二人是否曾經謀面，則無法詳知了。只是，在余氏的黃顧遺書序中、四庫提要辨證自序中，都不曾提到胡氏的補正一書，再則，王欣夫在四庫提要補正及許廎學林的跋文中，在綏之先生的傳略中，都不曾一言提及余氏的辨證，這都是不免令人費解的事情。

要之，四庫提要補正與四庫提要辨證的刋印，使得目錄學界同時出現了兩部空前的鉅著，而這兩部鉅著，體例內容，又極其相似，這在中國目錄學史上，也不失爲是一段佳話，所以別爲附考於此。

〔附　注〕

一、見繆氏所撰丁氏善本書室藏書志序。

二、見輶軒語語學。

三、李慈銘越縵堂讀書記（由雲龍輯）：「總目雖紀文達（昀）陸耳山（錫熊）總其成，然經部屬之戴東原（震），史部屬之邵南江（晉涵），子部屬之周書倉（永年），皆各集所長。書倉於子，蓋集畢生之力，吾鄉章實齋爲作傳，言之最悉，故是部綜錄獨富，雖間有去取失宜，及部敍未當者，要不能以一疵掩也。耳山後入館而先歿，雖及見四部之成，而目錄頒行時，已不及待。故今言四庫者，盡歸功文達，然文達名博覽，而於經史之學實疏，集部尤非當家。經史幸得戴邵之助，經則力尊漢學，識詣既眞，別裁自易，史則耳山本精于考訂，南江尤爲專門，故所失亦尠，子則文達涉略既偏，又取資貸園，彌爲詳密，集部頗漏略乖錯，多滋異議。」黃雲眉從學者作用上估計四庫全書之價值：「就形式觀之，提要似爲多人心血之結晶品，其實此書經紀氏之增竄刪改，整齊畫一而後，多人之意志已不可見，所可見者，紀氏一人之主張而已。」（見國立北平圖書館館刊七卷五期）

四、兪氏春在堂尺牘與陸存齋云：「大著正紀二卷，議論持平，考訂該洽……惟鄙意竊有所未安者，提要雖紀文達手筆，而實是欽定之書……世道多艱，人言可畏，吾輩生平又不爲俗人所喜，得無有持其後者乎！」

五、胡氏生平，參考盧弼許廎遺書序，王欣夫吳縣胡先生傳略、許廎學林跋（以上並見許廎學林），何廣棪胡玉縉（見傳記文學二十五卷二期）。

六、余氏生平，參考余氏四庫提要辨證自序，陳垣余嘉錫論學雜著序，吳相湘先生余嘉錫著四庫提要辨證（見所著民國百人傳第一冊）。

七、吳相湘先生所撰余嘉錫著四庫提要辨證一文嘗云：「在此（七七事變）以前，北平圖書館館刊及天津大公報圖書副刊也曾刊出余氏手寫提要辨證十餘篇。」（見民國百人傳第一冊）

（原刊於南洋大學學報第八及第九期）

專科目錄之利用與編纂

一、引　言

從事研究工作，除了掌握問題的基本材料之外，同時，也需要將問題有關的論著，廣泛地加以蒐集，作爲參考比較的資料，而在資料蒐集的過程中，目錄索引，則是不可缺少的工具。

隨著學術的分工越來越爲細密，問題的研究也越來越加專門，一般綜合性的目錄索引，有時已不敷應用，在需求的力量推動之下，專科目錄便逐漸產生。

所謂專科目錄，是針對某些專門而自成系統的學科，所編纂而成的目錄，此種目錄的編纂，主要是希望能將某一學科有關的論著資料，在目錄之中，巨細靡遺，網羅殆盡，以便使用的人們，一編在手，對於所需的資料，能夠達到按圖索驥、檢索即得、省時省事的目的，從而了解過去，策勵將來，在學術的研究上，取得更好的成績。

二、當前常見之專科目錄

在我國的歷史上，最早的專科目錄，也許要推張良與韓信所編纂的軍事書目，漢書藝文志曾經記載：「漢興，張良韓信，序次兵法，凡八十二家，刪取要用，定著三十五家。」這似乎是最早專爲一種學科所編纂而成的目錄。

專科目錄，直到清代，才出現較多，種類也逐漸增加，像朱彝尊的「經義考」、謝啓昆的「小學考」、胡元玉的「雅學考」、黎經誥的「許學考」等，都是非常實用的專科目錄。

到了近代，由於學術的研究日趨專精，專科目錄的需求也日益迫切，數量也大爲增多，即以文史哲學等方面而言，如王重民的「老子考」以及「敦煌古籍敍錄」、嚴靈峰的「老列莊三子知見書目」、「墨子知見書目」、馬森的「莊子書錄」、阮廷焯的「荀子書錄」、「大戴禮記書錄」、邱燮友的「選學考」、饒宗頤的「楚辭書錄」、「詞籍考」、姜亮夫的「楚辭書目五種」、王熙元的「歷代詞話敍錄」、賀次君的「史記書錄」、林明波的「清代許學考」、「清代雅學考」、邵子風的「甲骨書錄解題」、胡厚宣的「五十年甲骨論著目」、丁介民的「方言考」、梁容若的「中國文學史書目」、余秉權的「中國史學論文引得」、鄺利安的「魏晉南北朝史研究論文書目引得」、羅聯添的「唐代文學論著集目」、宋晞的「宋史研究論文索引」等等，都是當前常見的一些專科目錄。

三、專科目錄之利用

在學術研究的過程中，目錄索引，如同人之耳目，使人們在最經濟的時間內，了解學術發展的狀況，前人研究的成果，作爲自己的參考，因此，專科目錄，至少能爲人們提供下列的幾種服務：

1. 蒐集參考資料

屈翼鵬先生談到國人對於文史的研究時，曾經說道：「國人研究文史的，除了極少數學術研究機關和極少數大學的人員外，一般的情形，是知古而不知今（對於現代人研究的成果多不知道），知中而不知外（對於外國人研究漢學的情形多無所知）。由於不了解學術的行情，於是他們自己所選擇的研究題目，或指導學生所作論文的題目，常常是早已有人研究過，而且已經得到正確結論的。因爲自己不知，於是花上幾年寃枉功夫，所得的結論，不是人家早就說過了，就是還遠不及人家的水準，這豈僅是浪費了時間，還必然會受到國際學者的輕視。」（引見朱仁袛「圖書館的理論與實際」一文，載東海大學圖書館學報十一期）從事研究工作，要避免這種現象，只有儘量利用專科目錄，將研究有關的資料論著，涓滴無遺地蒐集起來，作爲參考，在詳細比較之下，然後再從前人研究的成果上面，累積一點自己的創見，這樣，研究的成績，才能推陳出新，向前邁進。

例如人們要研究孔雀東南飛，僅僅在陳璧如的「文學論文索引初編」之中，便已臚列了不少學者們研究這一方面的成果，可供參考，像胡雲翼的「孔雀東南飛辨異」、張文昌的「再論孔雀東南飛」、田楚僑的「研孔雀東南飛的我見」、陸侃如的「孔雀東南飛考證」、黃晦聞的「孔雀東南飛之討論」、胡適的「孔雀東南飛年代」、張爲麒的「孔雀東南飛年代祛疑」、伍受眞的「論孔雀東南飛」等等，如果人們按圖索驥，從各種期刊中，找到自己所需的資料，詳加研讀，自然可以拓展見聞，了解這一問題進展的程度，而不致於閉關自守，知己而不知彼了。

2. 分析學人成就

檢索專科目錄，不僅可以了解到，在某一學科內，有那些重要的作品和那些重要的學者，同時，還可以從一些專科目錄之中，了解到某些學者在學術研究上的歷程和成就，例如余秉權所編纂的「中國史學論文引得」，他的編製方式，和一般以學術論文性質爲分類的方法，不太一樣，他是以論文的作者或譯者姓名筆劃作爲編排敍次的標準，在作者譯者之下，將其所著譯的論文，依發表先後，加以排列，根據這種指引，我們可以了解到作者譯者在某些方面研究的成就，也可以了解其學術路向的轉變，像「中國史學論文引得」，在胡適之先生名下，列舉了「許怡蓀傳」、「清代漢學家的科學方法」、「研究國故的方法」、「科學的古史家崔述」、「書院制史略」、「詞的起源」、「古史討論的讀後感」、「漢初儒道之爭」、「宋元學案補遺四十二卷本跋」、「論左傳之可信及其性質」、「建文遜國傳說的演變」、「壇經考之一——跋曹溪大師別傳」、「

三年喪服的逐漸推行」、「銷釋眞空寶卷跋」、「與周叔迦論牟子書」、「評柳詒徵中國文化史」、「校勘學方法論」、「說儒」、「葉天寥年譜」、「羅壯勇公年譜」、「記北宋本的六祖壇經」、「跋館藏王韜手稿七册」、「元典章校補釋例序」、「顏李學派的程廷祚」、「楞伽宗考」、「再談關漢卿的年代」、「顏習齋哲學及其與程朱陸王之異同」、「易林斷歸崔篆的判決書」、「趙一清的水經注的第一次寫定本」、「所謂全氏雙韮山房三世校本水經注」、「新校的敦煌寫本神會和尚遺著兩種」、「說史」、「注漢書的薛瓚」、「神會和尚語錄的第三個敦煌寫本南陽和尚答徵義：劉澄集」、「跋淸代學人書札詩箋十二册」、「從二千五百年前的弭兵會議說起」，一共是三十六篇學術論文，這些論文的出版時間，從民國八年到四十九年，從這些論文篇目之中，我們可以大致了解，胡適之先生在這四十一年之間的研究重點，與趣轉變，我們也可以藉此分析一下胡適之先生在學術硏究上的成就，甚至，我們還可以從胡適之先生的那幾年「著述空白」中（民國三十年至三十七年），看出他在抗日軍興，轉任公職，爲國宣勞方面的一些消息。

3. 考察學術進展

從目錄中去辨章學術，考鏡源流，是目錄學上的一種理想，也是一種切實可行的辦法，例如隋書經籍志的經部禮類之中，著錄了有關「喪服」的書籍共有五十種，一百二十六卷，加上亡佚的書籍二十三種，一百七十六卷，則共有書籍七十三種，三百零二卷，數量非常龐大，梁啓超就曾據此以為可以反映魏晉南北朝時代人們重視孝道的精神（見梁氏「圖書大辭典簿錄之部」），這種藉目錄以考察學術進展的情形，專科目錄的作用，尤其顯得重要，例如在饒宗頤的「楚辭目錄」和邱燮友的「選學考」中，我們很快就能系統地了解到歷代「楚辭」和「文選」方面的書籍論著，進而由那些書籍論著的提要中了解到該種學術的源流得失。

又如從羅聯添的「唐代文學論著集目」之中，我們檢出有關「韓愈」、「柳宗元」、「李白」、「杜甫」的論著部分，加以排比分析，則不僅可以了解到歷代學者們對於韓柳李杜所作的研究，而且，我們還可以從中比較一下三十年來，臺灣和大陸的學者們對於韓柳李杜研究的進展，同時，也可以比較一下彼此在研究上的趨勢與方向；甚至，人們在不同的社會制度下，能否充分地享受學術自由的情形，也可從中窺見一斑。

4.比較研究方法

在王重民的「清代文集篇目分類索引」中，我們檢閱一下有關「莊子」的部分，可以看到諸如「莊子跋」、「讀莊子書後」、「南華眞經跋」、「書校本莊子後」、「敦煌本莊子郭象注殘卷跋」、「莊子闕誤跋」、「莊子章義序」、「讀徐注莊子」、「南華眞經殘卷校記序」、「書先太史緱公手批莊子後」等這一類的文章。

在馬森「莊子書錄」所附的「民國以來莊子論文目錄」之中，我們可以看到「莊子大義」、

「莊子哲學」、「藝術家的莊子」、「屈原莊周比較觀」、「莊子的形而上學的理論的根據」、「莊子天學論」、「莊子通論」、「逍遙遊向郭義及支遁義探源」、「誰是齊物論的作者」、「莊子內外篇分別之標準」、「莊子三十三篇本成立之時代」、「莊子向郭注異同考」、「郭象莊子注是否竊自向秀檢討」這一類的論著。

在王重民「清代文集篇目分類索引」中，我們檢閱一下關於「荀子」的部分，可以看到諸如「讀荀子」、「書荀子後」、「宋本荀子跋」、「讀謝校荀子」、「書荀子楊注後」、「荀子集解序」、「書荀子性惡篇後」、「荀子引道經解」、「荀卿毛公兼傳穀梁春秋證」等這一類文章。

在阮廷焯「荀子書錄」所附的「民國以來荀學論文」之中，我們可以看到「荀子名學發微」、「荀子人性的見解」、「荀子與霍布士」、「大學爲荀學說」、「荀子的認識論」、「荀子性論之新闡釋」、「荀子之經驗主義」、「荀子心理學說研究」、「荀子禮樂論發微」、「荀子的人本哲學」這一類的論著。

比較一下清代與民國以來，學者們對於「莊子」與「荀子」的論文，我們自然便會發現，由於時代的進步，學者們研究的方法和態度，已經大不相同，從這種比較之中，我們可以尋找出學術研究的過往痕迹，也可能據以推測出學術探討的未來途徑。

5. 啓廸寫作靈感

在專科目錄的檢閱之中，人們所看到的，不只是一些前人在學術園地上踏過的足印，也更是一些學者專家們心血的結晶，這些成果，在層層累積之下，把學術的研究，逐步推向智慧的高峰。讀者們檢閱目錄，在前人豐碩成果的環照之下，見賢思齊的心理，油然而生，也是很正常的情形，何況，人們也許還能從前人研究成果的臚列中，觸發一己的靈感，啓廸自身的興趣，因而尋找出研究的方向，選擇出值得探討的問題，加以研究，從而得到更好的成績，也可未知。

總之，專科目錄雖然只是一種刻板的工具，但是，運用之妙，存乎一心，只要善加利用，所能獲得的益處，也將是不可限量的。

四、專科目錄之編纂

編纂一個專科目錄，大約需有以下幾個原則和步驟：

1. 確定凡例

凡例的確立，只是給目錄編纂的工作，定下一些遵循的標準，這些標準，包括題目範圍的大小程度，題目內容的時間年限，資料取材的來源根據，以及分類編目的原則規律等等。

例如馬森的「莊子書錄」，既然是「莊子」的「書錄」（實際上應該是「莊子書」的「錄」），則有關「老子」的論著，自然不宜闌入，而某些以「老莊」爲名的資料，則不妨加以附入，這是關於題目範圍大小程度方面的標準。

又如胡厚宣的「五十年甲骨論著目」，所指的五十年，起於一八九九年，光緒二十五年，訖於一九四九年，民國三十八年，因此，該書的取材，只能收錄此五十年之間的論著，而不能漫無標準地在時間上超越此一上限與下限，這是關於題目內容時間年限方面的標準。

又如余秉權的「中國史學論文引得」，在書前「編輯說明」中，曾經說道：「本引得收錄論文，主要根據香港大學馮平山圖書館所藏期刊及縮影膠片，而旁及其他團體與香港大學中文系同事庋藏。」又在該書「本引得所收期刊一覽表」中，列舉了該「引得」所收期刊三百五十五種的名稱及卷數期數，這些，都是該「引得」在資料取材來源根據方面的標準。

又如余秉權的「中國史學論文引得」，此書的分類編次，與一般的目錄索引以資料性質區分的方式不同，余氏在該書的「編輯說明」中，曾經說道：「著錄體例，每篇順次爲作譯者，論文題目，期刊名稱，將有關資料，出版年月，頁號起訖及附註等項目。論文按作譯者編排，而以姓名筆畫多少據康熙字典字序定先後，每一作者，務行編號，以便翻檢，同一作者諸文，則以發表先後爲序。」這就是該「引得」在分類編目原則規律方面的標準。

2. 蒐集資料

凡例確立之後，標準已定，權衡在握，然後可以廣泛地去蒐集資料，專科目錄的精神，是希望能在一編之內，將有關資料，涓滴無遺，網羅殆盡，所以，在資料的蒐集上，專科目錄的目標，是求全求備，因此，目錄的編製者，在既定的「凡例」「標準」之內，應該是無權作出「以意取捨」、「任意廢書」、「自行裁斷有用無用」的行爲。

資料的蒐集，最好的方式，自然是在圖書館中，親見其書，將各種書籍論著，逐一地依次檢覈，從容抄錄，製成卡片，以作分類編目的準備。但是，受到時間空間、人力資料的限制，想要在預期的時間之內，求全求備，將所有論著書籍，檢覈一過，勢不可能，加以每個圖書館的收藏，都有其一定的限制，卽使編製者能專據一館，或者是轉益多館的收藏，所得的資料，也並不一定就能完備無缺，因此，從事目錄編纂工作，資料的轉錄引用，因前人已有的成果，踵事增華，後出轉精，也是在不得已時，比較可行的一種方式，只是，其所轉錄引用的資料，必需根據較爲精確的目錄，如果再能稍加覆檢，抽樣核對，就更理想些。

3.分類編目

資料蒐集，無論是專册著作，或是單篇論文，最好都用卡片逐一記載，各自作一獨立單位，加以著錄，著錄的次序，一般都依書名篇名、作者、出版書局、期刊名稱、卷期、出版年月等項，加以登錄，這樣，分類的時候，也自然便是以書籍或論文的性質作爲區分的標準。書籍分類，雖然可以有許多不同的標準，但是，仍然是以學術性質內容作爲區分的標準，最爲理想。

資料記錄成一張張的卡片之後，便可將衆多的卡片，根據學術性質的異同，分爲幾個大類，再從每一大類之中，逐漸地再細分爲一些小類。書籍（論文）的分類，原則上，應該根據性質的異同，加以歸類，自然地區分出一些類別，而不是編製者心中預定好規模，先區分類別，然後再將一張張的卡片，勉強地分配在各個類別之中，在專科目錄的編纂中，這種情形，尤爲重要，因爲，專科目錄，力求詳備，力求細密，在分類時，或許要視其資料的特殊情況，自出機杼，擬定類目，却並不一定就有現成的「分類法」或「編目法」，可以依據。

4. 別裁互著

淸代章學誠，在他所著的校讐通義之中，提出了兩種整理圖書的方法，「互著」和「別裁」，這兩種方法，應用在目錄之中，都有很好的作用，尤其是「別裁」，在專科目錄之中，其應用的情形，更爲普遍。

有些書籍，包羅比較廣泛，性質比較複雜，置於此類固然可以，置於他類也很適合，因此，在分類時，便將這種書籍，同時著錄於兩個類別之中，以便讀者在檢索不同類別時，都可以充分地利用到目錄中相關的資料，這就是「互著」的方法。

另外，有些書籍之中，只有一小部分篇章，性質與全書不同，爲了讀者能夠充分利用這少數的篇章，專科目錄的編製者，便特別將這些篇章提出，而登錄於與其性質相同的另一類別之中，這就是「別裁」的方法，專科目錄在蒐集資料時，欲涓滴無遺，更特別需要利用「別裁」的方法，像王重民的「老子考」、嚴靈峰的「老列莊三子知見書目」中，便都曾大量地應用到「別裁」的方法，去蒐集資料。

5. 索引輔助

一般的目錄，多以書籍或論文的性質異同，作爲分類的標準，根據性質異同作分類的目錄，本身就是一個很好的索引，讀者可以據其類別，按圖索驥，尋檢資料。有時，這種以性質異同分類的目錄，也會附上一個「作者索引」，將書籍或論文的作者，根據姓名的筆劃或拼音，列擧出來，作爲檢索資料時的幫助。

另外，像余秉權的「中國史學論文引得」，是以論文的作者譯者作爲敍次分別的標準，因此，在該書之末，便附加了一種「標題檢字輔助索引」，以便讀者可以根據某些專題或某些時代，檢索研究資料。該書之末，並且附有另外一種「卷期及年月輔助索引」，讀者也可以據之以檢尋某一期刋的各種論著，或某一年代，不同刋物的各種論文。

總之，專科目錄成書之後，爲了充分發揮易檢易用的功能，多具備幾種輔助索引，就如同字典多具備幾種檢字的方法一樣，自然是很需要的。

五、結　語

黃宗羲曾經說過：「學問之道，以各人自用得著者爲眞。」（明儒學案凡例）目錄之學，也不例外，目錄索引，雖然只是治學的工具，然而工欲善其事，必先利其器，因此，初學之人，甚或是成學之士，如果能各就本身研究的範圍，自行編纂一些專科的目錄，那麽，不但於己有用，也是一種造福他人的工作。

一九六九年（民國五十八年），南洋大學中文系設立榮譽學位制度，由三年制大學畢業生中，甄選出百分之二十左右的學生，選讀四門課程，撰寫論文一篇，考試及格，授予不同等級的榮譽學位，當時的課程中，有「中國目錄學」一科，由筆者擔任，課程的安排，上半年偏重目錄學的理論與源流，下半年偏重有關問題的研討。當時，榮譽班共有九位學生，筆者乃與彼等議定，各人編纂專科目錄一篇，作爲下半年研討的資料，也作爲修讀目錄學的課外作業，專科目錄的性質，則儘量與彼等各人撰寫的畢業論文相配合，俾收相輔助相成的效果，當時編成的目錄，計有謝世涯的「李後主詞書目」、郭四海的「納蘭詞書錄」、廖元華的「中國哲學思想史書目」、楊金星的「公孫龍子書錄」、雲惟利的「孫子書錄」、連金水的「近六十年文字學研究論文分類索引」，李成貴的「近六十年聲韻學研究論文分類索引」、陳清水的「近六十年語法學與修辭學研究論文分類索引」、陳斯標的「近六十年易經研究論文分類索引」，這些目錄，當時都曾加上「初稿」二字，油印成册，也曾寄送某些圖書館收藏參考，這些目錄，對於編製者論文的撰寫，相信都曾有著或多或少的幫助，這是初學者編纂專科目錄的例子；至於學者專家們所編纂的專科目錄，對於學術研究的貢獻，自然更爲鉅大。

總之，當前的學術研究，分工已日趨專精，效率也益求迅速，在工具方面，各種專科的目錄，也愈加需求迫切，就目錄學的發展而言，如果說，「專科目錄」的時代已經來臨，應該不算是過甚其辭的說法。

（原刊於書評書目九十四期）

余氏「中國史學論文引得」平議

甲、引　言

余秉權先生的「中國史學論文引得」，一九六三年在香港出版，此書將一九〇二年至一九六二年，凡六十年之間，三百五十五種期刊中近萬篇學術論文，彙爲一編，目的是要「藉之以探索此一期間之中國史學及其發展過程」，但是在內容方面，「其性質則不必限於純粹的史學，舉凡以國學爲範圍，或以社會科學之眼光，討論遠古至清末之中國社會，或述清末以來學者在學術上之貢獻，敍某一時期學術動態之文章，均在收編之列」，因此，此書「不但可供研究中國史學者搜集材料之資，卽從事文學、哲學、經濟、社會、政治科學及其他人文現象之研究者，亦可以此爲參考」。這是近二十年來，流行較廣，實用價值較高的一部綜合性的目錄索引，不過，此書仍然有著一些值得商榷的地方，玆謹略加評論，記述於下。

乙、平　議

一、體制方面

在目錄之中，論文的編列敘次，雖然可以有不同的原則和方式，一般說來，仍然要以根據論文性質作爲區分，較爲方便，較常爲人們所採用，但是，余先生此書，却並不如此分類編排，余氏在此書的「編輯說明」中曾說：「著錄體例，每篇順次爲作譯者、論文題目、期刊名稱、出版年月、頁號起訖及附註等項目。論文按作譯者編排，而以姓名筆畫多少據康熙字典字序定先後，每一作者，均行編號，以便翻檢。同一作者諸文，則以發表先後爲序。」又說：「本引得所以按作者編列論文，而不從類目區分，亦以史家大多有其專研之時代，獨擅之方面。欲得某一時代或某一專題之研究資料，固可就本書篇末輔助索引標題檢字之部檢索；倘就作者姓名爲指引以探索，尤易得知史學界於此方面之成績。其於同一作者，更可因諸文排列之先後，考見其學術路向之大體，或其兼及其演變情況與旁及之方面。」

因此，余氏之書，所以按作者編列論文，主要有兩個目的，第一，讀者利用該書，「倘就作者姓名爲指引探尋，尤易得知史學界於此方面之成績。」第二、讀者利用該書，「其於同一作者，更可因諸文排列之先後，考見其學術路向之大體，或兼及其演變情況與旁及之方面。」對於這兩方面，我們不妨加以檢討一下。

關於余氏第一個目的，余氏以爲，「史家大多有其專研之時代，獨擅之方面」，「倘就作者姓名爲指引探索，尤易得知史學界於此方面之成績」，這種看法，原則上是可行的，只是首先，余氏的「論文引得」不收「專書」，而史學家重要的作品，以「專書」形式發表的又不在少數，像蕭一山的「清代通史」、陳寅恪的「唐代政治史述論稿」、「隋唐制度淵源略論稿」、湯用彤的「漢魏兩晉南北朝佛教史」、王國維的「殷周制度論」、董作賓的「殷曆譜」、胡適之的「中國哲學史大綱」，都是余氏「論文引得」中未曾收入的「專書」，然而，缺少了這些「專書」，僅就論文而言，則史學界六十年關於「清史」、「隋唐史」、「佛教史」、「殷周史」、「哲學史」方面的「成績」，是否會大爲遜色？是否能正確地加以「得知」？恐怕是很有問題的吧！

其次，即使專就論文索引而言，如果人們想從論文的敍次之中，得知史學界在某一方面的成績，最方便的辦法，仍然是查考根據論文性質區別敍次的分類索引，那種索引，將性質相同的論文類聚一處，使人們一目了然，盡知其詳。反之，像余氏的「論文引得」，根據作者編次，不免將性質相類的論文，化整爲零，散居各處，在使用時，爲了查考性質相同的論文，却又不憚其煩地再去展轉「就作者姓名爲指引以探索」、「就標題檢字之部檢索」（詳後文），捨其便利，就其艱難，則不免是本末易置，治絲益棼的事了。

關於余氏的第二個目的，「同一作者，更可因諸文排列之先後，考見其學術路向之大體，或兼及其演變情況與旁及之方面」，這種情形，在原則上，自然也是相當可行的，只是，由於余氏的「論文引得」，既已不收「專書」，在論文資料的蒐集上，遺漏的部分又復很多，同一作者所發表的論文，有時，失收的數量相當龐大（詳後文），因此，作品既非全貌，從而據以管窺，對於考見作者「學術路向之大體」，其效果自然就不會十分彰明。

同時，某一史學家，其發表的論文，如果數量稍多，人們才比較容易從他的論文敍次中，去「考見其學術路向之大體，或兼及其演變情況與旁及之方面」，反之，如果僅從所收的三五篇論文中，是很難去「考見其學術路向之大體」的，更不用說去「兼及其演變情況與旁及之方面」了。筆者大約計算了一下，在余氏的「論文引得」之中，著錄十篇以上論文的學者，僅有一百六十人左右，在所收全部三千九百九十二位「史家」之中，僅佔二十五分之一，而近四千位作者之中，僅只著錄其一二篇論文的，仍然是佔了絕對地大多數，在這種懸殊的比率之下，爲了要遷就去考見極少數作者學術路向之目的，乃遂捨「性質分類」而取「作者敍次」，似乎是一種輕重倒置，得不償失的作法。

其實，眞要考見某些有特殊成就的學者們的「學術路向」，或其「演變情況」，或其「旁及方面」，最節單的方法，莫若專爲這些學者們編輯其個人的「著述目錄」或「作品年表」，不但收錄論文，也收錄專書，按年月先後，依次敍列，像「書目季刊」近年來所刊登的「文史學人著作目錄」，就是一種很明確也很實用的索引，這種索引，也眞正能夠達到「考見其學術路向之大體，或兼及其演變情況與旁及之方面」的目的。

採用「以作者編次」的方式，也許，在範圍極爲狹窄的「專科目錄」或「特種目錄」之中，還可以偶一行之，至於一般範圍廣泛的綜合性的論文目錄，仍以採取性質分類，易於檢索，較爲理想。

二、資料方面

目錄索引，主要的功能，在於排比資料，以供人們參考，因此，資料蒐羅的是否豐富完備，便直接影響到目錄索引本身的價值。

余氏的「中國史學論文引得」，一共收錄了三百五十五種期刊中的論文，較之章群的「民國學術論文索引」（出版於民國四十二年，早余書約十年），僅收錄期刊七十三種而言，余書所涉及的層面，確實要廣大得多，因此，余氏之書，在資料蒐羅方面，理應是相當豐富完備，但是，余氏書中，對於學術刊物的卷期部分，却有著不少的遺漏，因此，「論文引得」中，也就失收了許多不該遺漏的論文。

余氏在「論文引得」的「編輯說明」中曾經指出：「本引得收錄論文，主要根據香港大學馮平山圖書館所藏期刊及縮影膠片，而旁及香港大學中文系同事庋藏。」余氏所指香港大學中文系之同事，計有林仰山、徐匡果、饒宗頤、羅香林等諸位先生，以及余氏本人，旁及新亞書院、星島日報資料室的庋藏，編輯一個範圍如此廣泛的綜合性的目錄，取材的來源，竟然是如此窄小，資料的遺漏，自屬難免，況且，余氏之書，又堅持著「在編訂時須逐一自原刋物查考」的原則，這樣，收錄的資料雖然精確可信，但是，因此也就「未能取得轉錄之便利」，從而自行限制了該書資料的蒐羅。

如果在一個資料豐富完備的環境中，編輯一部綜合性的「論文引得」，根據資料，「逐一自原刋物查考」，親自手檢目驗，那自然是最可徵信的事情，但是，如果僅在一個窄小的環境之內，資料欠缺，所見不廣，却仍然堅持資料的「不加轉錄」，從而犧牲了資料的完備，這種情形，是否適當，也是值得斟酌的。」

至於余書中對於期刋「遺漏」「失收」的情形，只要將余氏書前的「本引得所收期刋一覽表」及書末的「卷期及年月輔助索引」，加以對照，從錄出的所收期刋卷期之中，便可以了解到余氏之書在遺漏失收期刋卷期方面的嚴重現象，像大陸上早年或近年出版的期刋，也許蒐尋不易，無法完備，這是可以諒解的，但是，近年來港台一帶的出版物，如「人生」、「民主評論」、「中國文字」、「學原」等，也失收不少，以致論文遺漏甚多，則未免使人感到詫異。

「中國史學論文引得」失收論文極多的情形，只要稍加比較，便可了解一斑。余氏之書，所收的論文，自一九〇二年至一九六二年十月爲止，茲據「書目季刋」的「文史界學人著作目錄」，略舉其例，加以比較，其所列舉的學人，則以論文發表於較爲常見的學術期刊，而又在一九六二年十月以前刊出者爲準。

屆至一九六二年十月以前，學者們所曾發表的作品，舉例來說，「書目季刊」六卷一期的「文史界學人著作目錄」著錄王叔岷先生的論文三十四篇，而余氏的「中國史學論文引得」僅著錄五篇，「季刊」六卷一期著錄戴君仁先生論文三十六篇，「引得」僅著錄六篇，「季刊」六卷一期著錄鄭騫先生論文十八篇，「引得」僅著錄三篇，「季刊」六卷二期著錄石璋如先生論文七十三篇，「引得」僅著錄二十三篇，「季刊」六卷三四期著錄屈萬里先生論文三十九篇，「引得」僅著錄九篇，「季刊」八卷一期著錄凌純聲先生論文六十篇，「引得」僅著錄二十一篇，「季刊」八卷四期著錄周法高先生論文六十六篇，「引得」僅著錄四篇，「季刊」九卷一期著錄金祥恒先生論文二十篇，「引得」僅著錄四篇，「季刊」十二卷四期著錄勞幹先生論文一百零二篇，「引得」僅著錄七十七篇，「季刊」六卷三四期著錄錢穆先生論文三百六十六篇，「引得」僅著錄一百一十篇，兩相比較，數目相距，委實太遠。

被余氏之書遺漏失收的論文，其實，有很多，既不是「不重要」的作品，也不是發表在「不重要」的期刊之上，例如「中國史學論文引得」著錄王叔岷先生「淮南子斠證上」（文史哲學報）、「淮南子斠證下」（文史哲學報）、「韓非子斠證」（中研院院刊）、「跋元刻本晏子春秋」（

中研院院刊）、「顏氏家訓斠注補錄」（大陸雜誌特刊）等五篇論文，「書目季刊」則除去上述四篇文章之外（「顏氏家訓斠注補錄」未收），並著錄「莊子向郭注異同考」（中央舘舘刊）、「莊子通論上」（學原）、「莊子通論下」（學原）、「茆泮林莊子司馬彪注考逸補正」（史語所集刊）、「論鍾嶸評陶淵明詩」（學原）、「鍾嶸詩品疏證」（學原）、「南宋蜀本南華眞經校記」（史語所集刊）、「莊子校釋後記」（史語所集刊）、「跋日本高山寺舊鈔卷子本莊子殘卷」（史語所集刊）、「論今本列子」（大陸雜誌）「論校古書之方法及態度」（文史哲學報）、「校讐通例」（史語所集刊）、「倫敦博物舘敦煌莊子殘卷斠補」（傅故校長斯年紀念論文集）、「錢穆先生的莊子纂箋」（自由中國）、「日本高山寺舊鈔卷子本莊子卽成玄英疏本試證」（文史哲學報）、「商君書斠補」（中研院院刊）、「跋日本古鈔卷子本淮南鴻烈兵略閒詁第廿」（史語所集刊）、「文子斠證」（史語所集刊）、「淮南子斠證補遺」（文史哲學報）、「晏子春秋斠證」（史語所集刊）、「淮南子斠證續補」（文史哲學報）、「莊子校釋補錄」（文史哲學報）、「管子斠證」（史語所集刊）、「墨子斠證」（史語所集刊）、「經驗與材料—斠讐學問題之一」（文史哲學報）、「淮南子與莊子」（清華學報）、「說郛本韓非子斠記」（史語所集刊外編）、「論檢驗古注類書與斠定古書之關係」（文史哲學報）、「劉子集證自序」（史語所集刊）、「論語斠理」（孔孟學報）等三十篇論文。

又如余氏的「論文引得」著錄戴君仁先生「蔑曆解」(輔仁學誌)、「橫渠學述」(學術季刊)、「宋人圖書之學及圖書的傳授」(民主評論)、「春秋三傳名氏稱謂例辨正」(孔孟學報)、「春秋公羊傳時月日例辨正」(孔孟學報)等五篇論文,「書目季刊」則除去上述五篇文章之外,並著錄「讀馮注李義山詩偶記」、「蔡琰悲憤詩考證」、「石鼓的時代文字及其字體」、「朱子與陸象山的交誼及辯學的經過」、「大學格物致知之義與中庸明善相通」、「孟子精察識」、「孟子知言養氣章」(以上大陸雜誌)、「吉氏六書」(學術季刊)、「釋敬」(中國哲學史論集),「原敬」、「易傳之釋經」、「易傳與道家」、「漢代易學概況」、「漢易裏的幾個重要名目」、「漢易裏的幾個重要名目—卦變」、「漢易裏的幾個重要名目」(以上民主評論)、「古文尚書冤詞再評議」(東海學報)、「鄭氏易禮」、「王輔嗣的易注」、「圖書溯原」(以上民主評論)、「第一個蒐集證據證明僞古文尚書的人—梅鷟」(新時代)、「古文尚書作者研究」(孔孟學報)「伊川易傳」(民主評論)、「春秋時月日例辨正總論」(東海學報)、「部分代全體的象形」(文史哲學報)、「談易自序」、「春秋辨例後記」、「閻毛古文尚書公案序」(以上民主評論)、「談宋易」(新時代)、「累增字」(文史哲學報)、「春秋穀梁傳時月日例辨正」(孔孟學報)等三十一篇。

又如唐君毅先生,著作等身,「書目季刊」八卷三期著錄唐先生一九六二年以前之學術論文一百六十九篇（其有關一般教育文化者經已除外），這一百多篇論文，有些因爲發表的時間較早或是發表在較爲冷僻的期刋上，蒐尋已經不易，但是，余氏「史學論文引得」僅著錄了「張橫渠之心性論及其形上學之根據」（東方文化）、「論中國哲學思想史中理之六義」（新亞學報）、「中國歷史之哲學的省察」（人生）、「孟墨莊荀之言心申義」（新亞學報）、「先秦思想中的天命觀」（新亞學報）、「世界人文主義與中國人文主義」（人生）等六篇論文，其實，唐先生在一九六二年以前所發表的學術論文，除了上述六篇之外，像「王船山之性與天道論通釋」、「泛論陽明學之分流」、「王船山之文化論」、「道德意識通釋」（以上學原）、「宗敎精神與人類文化」、「中國近代學術文化精神之反省」、「孔子與人格世界」、「中國藝術精神」、「中國文學精神」、「論中國之人格世界」、「如何了解儒家精神在思想界之地位」、「論接受西方文化思想之態度」、「中西社會人文與民主精神」、「羅近溪之理學」、「科學與中國文化」、「略說中國佛敎教理之發展」、「印度與中國宗敎道德智慧之方向」（以上民主評論）、「論人生中之毀譽現象」、「說仁」、「中西文化之一象徵」、「中國文學家藝術家之人格型」、「論孔學精神」、「儒家之形上學之道路」（以上人生）、「論價值之存在地位」、「論知識中之眞理之意義與標準」、「智慧之意義及其性質貫論」、「論智慧與德行之關係」（以上新亞學術年刋）、「墨子小取篇論辯辨義」（新亞學報）等等，至少是不該遺漏和失收的，何況，唐先生三十年來，一直居住在香港，而「學原」、「民主評論」、「人生」、「新亞學術年刋」、「新亞學報」，又是在香港出版的期刋，卽使主動蒐求，也不會花費太多精神，編輯一部性質廣泛的綜合索引，如果僅能就少數圖書館的現成收藏，閉戶造車，總是不應該的，因此，像這種遺漏的例子，也是說不過去的。

余氏在「中國史學論文引得」的「編輯說明」第十二條之中，也曾說道：「本編所錄，期刋以外，兼及特刋，論文以外，並及資料及序跋、書評。所錄論文，精審者固多，而浮泛之作，亦爲存目。蓋編輯索引，不同於著述，著述可自由揀汰材料，索引則宜兼收並蓄，故所錄論文，不代表編者之評價。」目錄索引的編輯者，對於資料，在旣定的範圍之內，只能客觀地蒐集，却無權主觀地評價列等，任意廢書，這是很正確的原則，但是，編輯索引，原則雖佳，如果對於資料方面，蒐集不力，失收的期刋卷期過多，遺漏的論文篇目數量甚夥，那麼，其弊病和結果，也與「自由揀汰材料」，相差不遠。

總之，編輯目錄索引，體制方面，雖然重要，更重要的，仍然是資料能否完備，以供人們參考使用，如果資料的遺漏太多，人們使用檢尋已經不便，更不易據之以「得知史學界於此方面之成績」，進而去「考見其學術路向之大體，或兼及其演變情況與旁及之方面」了。

三、索引方面

一般依性質爲分類的目錄，根據論文的性質，作爲區分，本身就是一個很好的索引，人們可以根據學科的類別，按圖索驥，檢尋所需的資料。這種分類的索引，爲了檢尋的更加便利，有時，也附加一個作者的索引，作爲輔助。

余氏的「中國史學論文引得」，因爲是以作譯者爲編次敍列，因此，便在書末附加了「卷期及年月輔助索引」與「標題檢字輔助索引」，以爲檢索之助。

「卷期及年月輔助索引」的作用有三，「甲、以年代爲中心，檢索同一年代不同刊物之論文，而考究特定時期之史學家及史學研究趨勢。乙、以某一期刊爲中心，考察各期之撰稿人及各期之研究重點與特色。丙、欲檢查某一論文，知其發表於某一期刊，但不確知其卷期、年月者。」

就甲項而言，人們在利用索引時，主要是爲了檢尋某一學術問題的相關資料，至於爲了要去「檢索同一年代不同刊物之論文，而考究特定時期之史學家及史學研究趨勢」的，這種情形，並不多見，而且，人們眞要去檢索「同一年代」的各種情形，應該去檢查年出一册，專門記錄當年出版論著，諸如「東洋史文獻類目」那種目錄索引，才易於爲功，反之，人們利用余氏之書，想要檢索「同一年代」的論文，考究史學趨勢，由於資料的零星分散於作譯者名字之下，眞的檢索起來，翻檢之後的抄錄彙集工作，也必然是煩瑣不堪，令人望而却步的。

就乙項丙項而言，人們想要考察「某一期刊」的研究重點及檢索發表於「某一期刊」中的「

某一論文」，最好的方法，莫過於檢索一種專門記錄期刊論文詳目的索引，十餘年前，南洋大學圖書館在鄭衍通先生主持下，編印了一種刊物——「册府」，曾將該館所藏微捲中的期刊，如清華學報、燕京學報、金陵學報、嶺南學報等，依年代卷期次序，登錄其論文的詳目，在那種詳目中，由於論文資料的集中排列，不但易於考察期刊的研究重點，而且，想要檢查某一期刊中的某一論文，也只要對某一期刊的論文詳目，騁目上下，便可一覽無遺，從容檢得。

至於「標題檢字輔助索引」，乃是爲了根據內容性質以檢索論文之用，由於論文內容的錯綜複雜，因此，「標題」的名目，自然也就隨著花樣繁多，變化莫測了，余氏在「標題檢字輔助索引」的「說明」中指出，「標題」的內容，「包括人名、種族名、地名、物名、書名、典章制度、重大史事及朝代名稱等項目」，卽就「朝代名稱」一項而言，余氏自己指出，在「宋」代，就有「北宋」、「南宋」、「兩宋」、「唐宋」、「宋金」、「宋遼」、「宋元」、「宋明」之異；在「漢」代，就有「西漢」、「東漢」、「前漢」、「後漢」、「兩漢」、「秦漢」、「漢唐」之異，每一異名，人們在檢索資料時，都要多作一次查考，多花一份工夫，去多作「互見」，「一併檢索有關連之名目」，以便展轉追索，這樣，自然會使人們倍增困擾、深感不便的。

余氏在「標題檢字輔助索引」的「說明」中曾經說道：「本索引標記論文出現於本引得之方式，不用頁數行數，而用作（譯）者號碼及刊行年份表示。」又說：「用此方式標記，除達成翻檢作用外，復可知對某項目曾有若何史學家作研究，又可得知某項目在若何年份曾爲研究之對象。此於近代史學研究成績之考查，未嘗不無一助。」其實，余氏的目標，在分類的索引中，仍然可以達成，在分類的論文目錄中，不僅「可知對某項目曾有若何史學家作研究」，而且，如果論文的卷期之下，注出了年月，則同樣「又可得知某項目在若何年份曾爲研究對象」，當然，分類論文索引書末，如果再行附加一個「作者輔助索引」，查考起來，就更加便捷。余氏之書，既以「作者」爲編次，則不得不反以「標題」爲輔助之索引，在使用上，誠不免令人有本末倒置，化簡爲繁的感覺。

丙、結　語

目錄索引，都是治學的工具，主要的功能，在於使人們應用便利，而各種不同的目錄索引，自然也都有其不同的應用目標，像一般綜合性的「論文分類索引」，可以查考各種學術的研究成果與參考資料。像編輯一人撰著作品的「學人著述目錄」，可以查考某一學人的學術成就，研究方向及演變情況。像逐錄期刊論文篇名的目錄，可以查考某一期刊的研究重點及撰人學者。像滙集當年資料，年出一編的「東洋史文獻類目」，可以查考當年的學術趨勢及研究成果。要之，體制既然不同，目標因之各異，而余氏的「中國史學論文引得」，却希望在一書之內，兼具各種索引的功用，這種設想，目標雖然是十分可貴，在應用上，恐怕是不易成功的。

其實，余氏之書，如果仍然是依論文性質作爲分類，每篇論文，加注編號、期刊卷期、出版年月，然後，在書末加附一種「作者輔助索引」，將該作者的論文號碼，依論文發表先後，彙集在作者名下，則可據以查考作者「學術路向之大體，或兼及其演變情況與旁及之方面」，而論文依性質的分類，本身就是一個很好的索引，人們依類而求，可以「得知史學界於此方面之成績」，同時，論文期刊之下，既已注明發表的年月，如果在書末再加附一種「年月輔助索引」，以年代爲準，而彙集該一年代論文的編號，略依發表先後排列，則也同樣可以「考究特定時期之史學家及史學研究趨勢」，如此，則余氏「中國史學論文引得」，在一書之內兼具多書功用的目標，也許還更易實現。

編輯目錄索引，是一種燃燒自己，照亮他人的艱苦工作，工作的本身，就是一種值得尊敬的行爲，同時，任何一種目錄索引，都不可能盡善盡美地完備沒有缺失，人們只要善於利用它的長處，都能從書中取得相當的助益，余氏此書，雖然有著一些使用方面的不便，却仍然是極有價值的一部綜合性的論文索引，何況，在資料方面，余氏之書，更蒐集了許多其他索引中罕見的期刊與論文，對於人們在拓廣見聞，多方參考上，提供了極大的便利，更是值得人們深深感謝的。

丁、附　論

余氏的「中國史學論文引得」出版之後，在一九七〇年左右，余氏又有「中國史學論文引得續編」之印行，「續編」的資料，乃余氏就一九六四及一九六五年分別在美國及歐洲漢學圖書舘手錄卡片編製而成，收入期刊五百九十九種，收錄論文二萬五千題，故該書又以「歐美所見中文期刊文史哲論文綜錄」爲副題。該書著錄體例，一如前編「中國史學論文引得」，論文仍按作譯者姓氏筆劃編列，唯該書之末，不附「卷期及年月」與「標題檢字」兩種輔助索引，因此，該書在使用方面，僅能就作譯者之編次，加以檢索。

一般上，人們在使用目錄索引時，檢尋某一學術問題的參考資料，居於多數，檢尋某一作者的某篇論文，情形較少，在分類的論文目錄中，據類以求，相關的資料，自然集中眼前，不僅查考起來，易檢易索，而且參考資料，也很少會有遺漏，像劉修業等的「國學論文索引」、章群的「民國學術論文索引」，人們都樂於使用，除了檢索方便之外，主要也是因爲人們根據「問題」去找資料的多，根據「作者」去找資料的少，自然對於這些「分類」的索引，多加利用了。

余氏的「中國史學論文引得」，雖然是根據作譯者姓氏筆劃編列敍次，但是，在需要檢尋某一學術問題的參考資料時，仍然可以利用「標題檢字輔助索引」去展轉追索，多方尋求，仍然可以保持「論文引得」的某些使用價值，但是，「中國史學論文引得續編」既已不附加任何輔助索引，在使用時，當人們並不想檢尋某一作者的論文，而只是希望檢尋某一學術問題的參考資料時，由於「續編」以作譯者姓氏編列的體例限制，性質相類的論文，遂亦散居各地，而無法彙集一處，因此，頗有令人「無從下手」的感覺，眞要尋檢某一問題的資料，也許只有將七百頁的「引得續編」，自首至尾，逐一翻閱；那種艱困和不便，是可以想像的。反之，「續編」如果按照論文性質分類編列，卽使不附任何輔助索引，人們仍然可以從各方面去多加利用，至少，找尋「問題」資料，不會那樣艱苦困難。

余氏在「中國史學論文引得續編」的「編輯說明」中曾經提到：「本續編及前編，共錄論文三萬五千題，已另編就英文之綜合索引，將於一九七一年由哈佛大學燕京圖書館出版。」兩部「引得」，網羅了一千種期刊，三萬五千題論文，人們可以想像得到，余氏爲此，付出了多大的心血和力量，經歷了多少困難和艱辛，照理，「引得」的使用，也當發揮應有的功效和價值，功不唐捐，才不辜負余氏所費的苦心；余氏兩書，旣已另行編就英文之「綜合索引」，筆者則也希望，余氏能將兩書的中文資料，綜合成爲一編，改依論文性質區分類別，另附作者、年月、標題等輔助索引，俾能使綜合後的「引得」，發揮其更加易檢易查的作用，兩書中的論文資料，也眞正能夠發揮其貢獻學術研究的最大功能。

（原刋於國立中興大學文史學報十一期）

「全國博碩士論文分類目錄」中有關「中國文史哲學論文」之分析

一、引　言

「全國博碩士論文分類目錄」一書，是由國立政治大學社會科學資料中心的林玉泉先生與王茉莉小姐所編輯，於民國六十六年七月由天一出版社印行，此書收輯了民國三十八年至六十四年（包括六十五年一部份）之間的全國各大學研究所的畢業論文，計有八千餘篇，按照「中國圖書分類法」，區分類別，並且視其實際需要，酌分細目。此項工作，在國內似屬創舉，這種目錄，不僅便於檢索，同時對於了解國內高等學術的研究成果與研究方向，也是極有幫助的。

此書分爲總類、哲學、自然科學、應用科學、社會科學、史地、語文、藝術等八大類，八類之中，又區分出一些小項，例如「哲學類」中區分爲哲學與心理學兩項，「自然科學類」中區分爲數學、地球物理、物理、化學、地質、海洋、生物、植物、動物、解剖、生理等項，「史地類」中區分爲歷史、地理、邊政、考古人類等項，「語文類」中區分爲語言文字、中國文學、東方文學、西洋文學、新聞學等項；類別的區分，僅至於第二級的分類，少數則增至第三級爲止，這樣的學科分類，在類別上，不免顯得粗疏，加上此書對於論文的敘列方式，又是根據作者姓名的筆劃多少爲編次（註一），因此，人們如果想要藉著此書直接去「辨章學術，考鏡源流」，效果便不易十分地顯著，但是，如果我們能就此一目錄，進行分析，則此書對於學術情況的反映，其效果仍然是非常章明的。

本文擬就此一目錄中的有關中國文史哲學論文部分，作一嘗試性的統計與分析，以期能夠從中探索出一些學術方面的消息。

二、文學論文之分析

文學論文的統計分析，主要是根據「全國博碩士論文分類目錄」一書「語文類」中「中國文學」一項的論文，也卽該書作者編號，自七四八四號至八一八八號，共計七百零五篇論文，作爲資料。在以下的論述之中，大略區分爲「分期現象」、「學科性質」、「書籍或人物」、「研究方法」等四個主題，加以分析。

甲、分期現象

「中國文學」項中的七百零五篇論文，有部分因爲缺乏明顯的時代特性，並不適合此一項目的分析，在此暫不加以統計，在所餘的六百六十六篇論文之中，根據時代區劃，可以歸隸爲以下的現象：

①屬於「先秦」時代的研究論文，如「殷禮考實」、「惠施研究」、「毛詩考釋」之類，計有一百三十四篇，在總數六百六十六篇論文之中，約佔二〇・一二%。

②屬於「宋遼金」時代的研究論文，如「歐陽修之經史學」、「蘇東坡與秦少游」、「宋話本的研究」之類，計有一百一十七篇，約佔論文總數的一七・五六%。

③屬於「隋唐五代」的研究論文，如「唐代傳奇研究」、「元白比較研究」、「唐代邊塞詩研究」之類，計有一百零五篇，約佔論文總數的一五・七六%。

④屬於「兩漢」時代的研究論文，如「方言考」、「賈誼研究」、「王充思想研究」之類，計有八十八篇，約佔論文總數的一三・二一%。

⑤屬於「魏晉南北朝」時代的研究論文，如「劉劭人物志研究」、「魏晉遊仙詩研究」、「阮步兵詠懷詩研究」之類，計有七十八篇，約佔論文總數的一一・七一%。

⑥屬於「元明」時代的研究論文，如「琵琶記考述」、「三言研究」、「水滸傳研究」之類，計有六十六篇，約佔論文總數的九・九〇%。

⑦屬於「清代」的研究論文，如「清代詩學研究」、「袁枚的文學批評」、「老殘遊記研究」

之類，計有六十二篇，約佔論文總數的九・三〇%。

⑧屬於「民國」的研究論文，如「中國現代語音之探討」、「中國新文學運動發凡」、「中國新詩發展述論」之類，計有十六篇，約佔論文總數的二・四〇%。

從以上論文所屬時代的分析看來，一般情勢仍然是偏重在古代的研究，尤其是先秦的研究，越靠近現代，研究的論文也越見稀少，尤其是以「當代」作對象的研究論文，僅佔百分之二・四，比率未免太低，不免令人有「厚古薄今」之感。

乙、學科性質

在七百零五篇論文之中，有部分論文因爲較難肯定其屬性，在此暫不論列，其餘六百八十八篇論文，就其資料性質而言，可區分爲下列一些類別：

①屬於「語言文字語法」之類的論文，如「廣韻集韻切語上字異同考」、「說文字根衍義考」、「孝經語法研究」等，計有一百五十一篇，在全部六百八十八篇論文之中，約佔二一・九四%。

②屬於「詩」的研究，如「李杜詩比較研究」、「唐人絕句研究」、「王維詩研究」之類的論文，計有九十七篇，約佔論文總數的一四・〇九%。

③屬於「子學」研究的論文，如「子游學案」、「莊子補述」、「韓非子思想評述」之類，計有九十篇，約佔論文總數的一三・〇八%。

④屬於「經學」研究的論文，如「漢易闡微」、「馬融之經學」、「三禮鄭氏學發凡」之類，計有五十八篇，約佔論文總數的八・四三%。

⑤屬於「詞學」研究的論文，如「片玉詞校箋」、「兩宋詞論研究」、「小山詞箋注」之類，計有五十二篇，約佔論文總數的七・五五%。

⑥屬於「傳記年譜」之類的論文，如「劉勰年譜」、「蘇東坡年譜會證」、「袁宏道評傳」之類，計有四十九篇，約佔論文總數的七・一二%。

⑦屬於「小說」研究的論文，如「六朝小說之研究」、「宋代小說考證」、「孽海花研究」之類，計有三十六篇，約佔論文總數的五・二三%。

⑧屬於「史書」方面研究的論文，如「史記屈賈列傳疏證」、「史記司馬相如列傳疏證」、「竹書紀年繫年證僞」之類，計有三十二篇，約佔論文總數的四・六五%。

⑨屬於「史實」探究方面的論文，如「井田問題重探」、「西周初期之對殷政策初探」、「慶元黨案之研究」之類，計有二十二篇，約佔論文總數的三・一九%。

⑩屬於「雜劇傳奇」之類的研究，如「元雜劇中夢的使用及其象徵意義」、「元明雜劇穿關

考」、「明傳奇聯套研究」等，計有二十一篇，約佔論文總數的三・○五%。

⑪屬於「曲」方面的研究，如「元散曲訂律」、「張喬二家散曲研究」、「李笠翁十種曲研究」之類，計有十九篇。約佔論文總數的二・七六%。

⑫屬於「目錄學」方面的論文，如「清代許學考」、「清代尚書著述考」、「清代焚燬書目研究」之類，計有十四篇，約佔論文總數的二・○三%。

⑬屬於「文學批評」方面的論文，如「詩品彙註」、「文心雕龍批評論發微」、「司空圖詩品研究」之類，計有十二篇，約佔論文總數的一・七四%。

⑭屬於「散文」研究的論文，如「韓昌黎文體研究」、「韓柳文比較研究」之類，計有八篇，約佔論文總數的一・一六%。

⑮屬於「曆法」研究的論文，如「漢朔閏考」之類，計有六篇，約佔論文總數的○・八七%。

⑯屬於「變文」方面的論文，如「敦煌講經變文研究」之類。屬於「哲學」方面的論文，如「王陽明致良知說」之類，各有五篇，各佔論文總數的○・七二%。

⑰屬於「楚辭」方面的研究，如「楚辭招魂篇研究」之類，計有四篇，約佔論文總數的○・五八%。

⑱屬於「版本」研究的論文，如「蘇東坡著述版本考」之類，計有三篇，約佔論文總數的○

・四三%。

⑲屬於「新文學」方面的研究，計有二篇，約佔論文總數的○・二九%。

⑳屬於「漢賦」、「讖緯」方面的論文，各有一篇，各佔論文總數的○・一四%。

從以上的區分看來，「詩」、「詞」、「經傳」、「諸子」，傳統中的學術主流，仍然是今天博碩士們致力探究的重心，至於「語言文字語法」之類的高居各類學科之首，也可反映出各研究所在基礎訓練上的強調和厚植。

丙、人物或書籍

在七百零五篇論文之中，有些論文並沒有明顯地以人物或書籍作爲研究的對象，例如「破音字研究」、「唐詩形成的研究」之類，就是例子，除去了這一類的論文之外，其餘以人物或書籍作研究對象的論文，計有五百三十八篇，約可分爲以下的類別：

①以「說文」爲研究對象者，如「說文讀若釋例」、「說文解字重文諧聲考」、「說文聲訓考」之類，計有三十二篇，在五百三十八篇論文之中，約佔五・九四%。

②以「荀子」爲研究對象者，如「荀子學術淵源及其流衍」、「荀子禮論之研究」、「荀子成聖成治思想研究」之類，計有十四篇，約佔論文總數的二・六○%。

③以「詩經」、「尚書」、「史記」爲研究對象者，如「毛詩考釋」、「毛詩用韻考」、「尚書鄭氏學」、「尚書周書考釋」、「史記老莊申韓列傳疏證」、「史記語法研究—變換律語法初探」之類，各有十二篇，各佔論文總數的二・二三%。

④以「莊子」爲研究對象者，如「莊子學述」、「莊子通假文字考」之類，計有九篇，約佔論文總數的一・六〇%。

⑤以「廣韻」爲研究對象者，如「廣韻又音研究」、「廣韻韻類考正」之類，計有八篇，約佔論文總數的一・四八%。

⑥以「墨子」、「孟子」、「韓非子」、「禮記」、「蘇軾」爲研究對象者，如「墨子兼愛思想研究」、「孟子著述及孟學顯晦考」、「韓非法政思想之探討」、「禮記正義引佚書考」、「蘇東坡與詩畫合一之研究」之類，各有七篇，各佔論文總數的一・三〇%。

⑦以「杜甫」、「湯顯祖」爲研究對象者，如「杜甫詩史研究」、「湯顯祖與牡丹亭還記魂」之類，各有六篇，各佔論文總數的一・一五%。

⑧以「周易」、「儀禮」、「左傳」、「論語」、「老子」、「楚辭」、「李白」、「歐陽修」、「周邦彥」爲研究對象者，各有五篇，各佔論文總數的〇・九二%。

⑨以「文心雕龍」、「詩品」、「經典釋文」、「集韻」、「鄭玄」、「韓愈」、「白居易」

爲研究對象者，各有四篇，各佔論文總數的〇・七四%。

⑩以「春秋」、「淮南子」、「廣雅」、「文選」、「世說新語」、「水滸傳」、「謝靈運」、「柳宗元」、「杜牧」、「元稹」、「辛棄疾」、「袁枚」、「戴震」爲研究對象者，各有三篇，各佔論文總數的〇・五五%。

其餘以人物或書籍作研究對象，而以數量僅有一或二篇的論文，爲數較多，此處即不再一一枚舉其名目。而就以上的統計情形看來，一般上，博碩士們研究的興趣，仍然是偏重在先秦的幾部古籍，如「詩經」、「尙書」、「史記」、「荀子」、「莊子」之類，而「說文解字」的獨佔鰲頭，也顯示了大家對於此一文字學要籍的重視，以及大家對於根基培養方面的重視，三十二篇論文，在比率上雖嫌偏高，但是，對於「說文」一書要義的研究，也可以說是闡發無遺了。

丁、研究方法

撰寫論文的方法，雖然不易區分爲一些明顯的類例，但是，我們仍然可以從論文的「名稱」上，去進行探索，以「顧名思義」的方式去考察論文的撰寫方法，在七百零五篇論文之中，除了少數難以統計之外，其餘六百九十四篇論文，依其外在的名稱，約可區分爲下列的情形：

①以某某「研究」、「探究」等爲名者，如「中晚唐詩研究」、「唐代傳奇研究」、「荀子

指稱詞探究」之類，計有二百零五篇，在全部六百九十四篇論文之中，約佔二九・五三%。

②以某某「論」、「說」、「評論」、「論評」、「申論」、「批評」等爲名者，如「文心雕龍之創作論」、「王陽明致良知說」、「袁枚的文學批評」之類，計有九十六篇，約佔論文總數的一三・八三%。

③以某某「考」、「考述」、「考略」、「考徵」、「考異」等爲名者，如「方言考」、「慢詞考略」、「韓詩外傳考徵」之類，計有六十一篇，約佔論文總數的八・七八%。

④以某某「校注」、「校訂」、「校箋」、「校釋」、「集校」、「校證」、「校議」、「校理」、「斠正」、「斠理」等爲名者，如「淮南子校訂」、「風俗通義校注」、「老子河上公注斠理」之類，計有五十四篇，約佔論文總數的七・七八%。

⑤以某某「疏」、「疏釋」、「疏證」、「箋釋」、「箋注」、「箋證」、「釋義」、「疏要」、「綜釋」等爲名者，如「新序疏證」、「說文草木疏」、「彊村語業箋注」之類，計有三十五篇，約佔論文總數的五・〇四%。

⑥以某某與某某之「比較」爲名者，如「沈景與湯顯祖之比較研究」、「李杜詩比較研究」、「韓柳文比較研究」之類，計有二十二篇，約佔論文總數的三・一七%。

⑦以某某「引書考」爲名者，如「先秦典籍引尚書考」、「水經注引書考」、「玄應一切經

音義引說文考」之類，計有二十篇，約佔論文總數的二・八八%。

⑧以某某「考證」、「考辨」、「辯證」、「評議」、「商榷」、「質疑」等爲名者，如「說文解字段注質疑」、「陳澧切韻考考辨」之類。以某某「評傳」、「學記」、「學案」等爲名者，如「王勃評傳」、「章實齋學記」之類。各有十八篇，各佔論文總數的二・五九%。

⑨以某某「用韻考」爲名者，如「夢窗詞用韻考」、「玉田詞用韻考」之類。以某某「語法」研究爲名者，如「世說新語語法研究」、「孫子語法研究」之類，各有十七篇，各佔論文總數的二・四四%。

⑩以某某「釋例」、「舉例」、「辨例」等爲名者，如「金文釋例」、「閩南方音證經學例」之類。以某某「敍錄」、「提要」、「著述考」、「概觀」等爲名者，如「歷代詞話敍錄」、「歐陽修著述考」之類，各有十六篇，各佔論文總數的二・三〇%。

⑪以某某「集釋」、「集證」、「會證」、「集說」、「纂疏」、「彙註」、「彙箋」等爲名者，如「論語異文集釋」、「戰國策集證」之類。以「探討」、「重探」、「新探」、「探賾」等爲名者，如「說文省聲探賾」、「虛字作用新探」之類，各有十三篇，各佔論文總數的一・八七%。

⑫以某某「假借字」研究爲名者，如「荀子假借字譜」、「詩經國風通假文字考」之類。以某某「史」、「史略」、「演變」、「發展」等爲名者。如「古文運動史略」、「五四以後中國散文的發展」之類，各有九篇，各佔論文總數的一．二九％。

⑬以某某「年譜」爲名者，如「楊億年譜」、「范石湖年譜」之類。以某某「影響」、「關係」等爲名者，如「漢字對於越南文學之影響」、「朴趾源文學與中國之關係研究」之類，各有八篇，各佔論文總數的一．一五％。

⑭以某某「發微」、「發凡」、「探微」、「撢微」、「闡微」等爲名者，如「古音學發微」、「呂氏春秋撢微」之類。某某「蠡測」、「蠡說」等爲名者，如「上古聲調之蠡測」、「詩序蠡說」之類。以某某「分析」爲名者，如「稼軒詞用典分析」、「經典釋文所見早期諸家反切結構分析」之類，各有七篇，各佔論文總數的一％。

⑮以某某「考佚」、「遺籍考」等爲名者，如「魏晉南北朝易學考佚」、「今存唐代經學遺籍考」之類，計有六篇，約佔論文總數的〇．八六％。

⑯以某某「補正」、「校補」、「補述」、「補箋」等爲名者，如「說苑補正」、「飲水詞補箋」之類，計有五篇，約佔論文總數的〇．七二％。

⑰以某某「版本考」爲名者，如「蘇東坡著述版本考」之類，以某某「辨僞」爲名者，如「

列子辨僞」之類，各有三篇，各佔論文總數的〇・四三%。

⑱以某某「解題」爲名者，如「國風解題」，僅有一篇，約佔論文總數的〇・一四%。

就以上的區分類別而言，所反映的現象，似乎是博碩士們的論文，一般上，仍然是強調了「功力」方面的加深，基礎方面的訓練，「面」的研究，較之「點」的探討，仍然是超過很多，在人文科學方面，或許這也是不可避免的現象，只是，使用較爲新穎的方法，如「比較」「分析」之類的作品，比率上未免顯得過分低落。

三、史學論文之分析

史學論文的統計分析，主要是根據「全國博碩士論文分類目錄」一書「史地類」中「歷史學」一項的論文，也卽該書作者編號七一四三號至七四一零號，共計二百六十八篇論文，而除去其中與我國無關的純粹外國史論文約二十五篇，共得二百四十三篇，而加以分析論述，至於論述的重點，則區分爲「分期現象」、「學科性質」、「人物或書籍」、「研究路向」等四個主題，加以分析。

甲、分期現象

中國史學部分有明確時代性質的論文計有二百三十八篇，歸納的結果，可得到下列一些現象：

①屬於「清史」部分者，如「魏源對西方的認識及海防思想」、「清乾嘉時代之史學與史家」、「忠王李秀成年譜」之類，計有七十二篇，在全部二百三十八篇論文之中，約佔三〇・二五%。

②屬於「民國史」部分者，如「朱執信與中國革命」、「民國初期的國語運動」、「中華革命黨與討袁運動」之類，計有三十六篇，約佔論文總數的一五・一二%。

③屬於「宋史」（遼、金、契丹附）部分者，如「南宋中興四鎮」、「呂祖謙及其史學」、「契丹族系考」之類，計有三十一篇，約佔論文總數的一三・〇二%。

④屬於「元明史」部分者，如「明代的馬政」、「明代的鹽法」、「元代戶計制度研究」之類，計有二十五篇，約佔論文總數的一〇・五%。

⑤屬於「隋唐史」部分者，如「唐代蕃臣蕃將考」、「唐代婦女的服飾」、「隋代佛教史述論」之類，計有二十三篇，約佔論文總數的九・六六%。

⑥屬於「先秦史」部分者，如「先秦史官制度考略」、「春秋的晉國」之類，計有二十一篇，約佔論文總數的八・八二%。

⑦屬於「兩漢史」部分者，如「漢代縣制研究」、「司馬遷的史學方法與歷史思想」之類，

計有二十篇，約佔論文總數的八・〇四%。

⑧屬於「魏晉南北朝史」部分者，如「北朝時期的胡漢問題」、「永嘉亂後的北方豪族」、「拓跋氏的漢化」之類，計有十篇，約佔論文總數的四・二%。

從以上的統計看來，很明顯的，博碩士們的興趣，是偏重在近代史部分，也許，史事的比較接近，史料的蒐羅較易，歷史教訓對於國人的感受也更較深切，歷史事件對於民族的影響也格外重大，這些都是史學家們特別重視近代史學的原因。

乙、學科性質

中國史學論文，除了少數篇章性質難於確定之外，其餘二百四十二篇論文，依學科問題的性質區分，大致可以歸屬成以下一些類別：

①屬於「學術」研究方面者，如「從公羊學論春秋的性質」、「近代的墨學復興」、「南宋永嘉學派的經世思想」之類，計有三十四篇，在全部二百四十二篇論文之中，約佔一四・〇四%。

②屬於「外交」研究方面者，如「唐宋時代中國與非洲的關係」、「洪武建文年間明與朝鮮的關係」、「歐戰時期中國對德外交關係之轉變」之類，計有二十七篇，約佔論文總數的

一一·一五%。

③屬於「經濟」方面研究者，如「唐代南方的經濟發展」、「西漢重農抑商的經濟政策」、「民初列強銀行集團與善後大借款」之類，計有二十五篇，約佔論文總數的一〇·三三%。

④屬於「政治」研究方面者，如「南宋中興四鎮」、「戊戌變法之原因及其影響」之類。屬於「制度」研究方面者，如「先秦史官制度考略」、「八旗制度研究」之類，各有二十四篇，各佔論文總數的九·九一%。

⑤屬於「社會」研究方面者，如「漢代人口研究」、「永嘉亂後的北方豪族」、「民國元年至十四年的中國勞工運動」之類，計有二十三篇，約佔論文總數的九·五%。

⑥屬於「人物」研究方面者，如「李慈銘與清議」、「譚嗣同評傳」、「民間傳說與歷史中的狄青」之類，計有十九篇，約佔論文總數的七·八五%。

⑦屬於「教育」研究方面者，如「清季自強運動時期的新教育」、「京師大學堂」、「中華民國大學院之研究」之類，計有十三篇，約佔論文總數的五·三七%。

⑧屬於「種族」研究方面者，如「北朝時期的胡漢問題」、「拓跋氏的漢化」之類，計有十二篇，約佔論文總數的四·九五%。

⑨屬於「軍事」研究方面者，如「宋元襄樊戰役之研究」、「中法戰爭與臺灣」之類，計有

十篇，約佔論文總數的四・一三％。

⑩屬於「革命」研究方面者，如「同盟會時代革命志士的活動」之類，計有九篇，約佔論文總數的三・七一％。

⑪屬於「史書」研究方面者，如「史記孔子世家疏證」之類；屬於「宗教」研究方面者，如「唐代的道教」之類，各有七篇，約佔論文總數的二・八九％。

⑫屬於「交通」研究方面者，如「中國早期的電報經營」之類，計有四篇，約佔論文總數的一・六五％。

⑬屬於「宦官」研究方面者，如「明代的宦官」之類，計有三篇，約佔論文總數的一・二三％。

⑭屬於「神話」研究方面者，如「禹神話的研究」，僅有一篇，約佔論文總數的〇・四一％。

從以上的現象顯示，「學術」、「外交」、「經濟」、「政治」、「制度」，仍然是歷史研究的重心，只是，「史書」的專門研究，「交通」的普遍探究，爲數極少，却是使人不易索解的現象。

丙、人物或書籍

歷史離不開人物，史學離不開史料，因此，人物及史書，在史學研究方面，佔了極重要的地位，如果就此角度加以探索，也可導引出一些史學界所專注研究的訊息。史學論文中明顯地涉及人物或書籍的論文，僅有五十九篇，可得如下區分：

①有關「史記」或「司馬遷」的研究論文，計有五篇。

②有關「梁啓超」的研究論文，計有三篇。

③有關「孫中山」、「玄奘」、「司馬光」或「資治通鑑」的研究論文，各有兩篇。

④其餘有關「詩經」、「春秋」、「周禮」、「左傳」、「墨子」、「竹書紀年」、「大禹」、「蘇秦」、「張儀」、「漢武帝」、「范曄」、「魏徵」、「楊國忠」、「李林甫」、「王安石」、「呂祖謙」、「王弇州」、「許衡」、「朱德潤」、「姚瑩」、「柯九思」、「王船山」、「顧炎武」、「歸玄恭」、「方以智」、「崔述」、「方虛谷」、「李慈銘」、「魏源」、「薛福成」、「郭嵩燾」、「李秀成」、「清帝戴湉」、「那拉氏」、「恭親王奕訢」、「劉銘傳」、「張謇」、「譚嗣同」、「蔡鍔」、「章炳麟」、「朱執信」、「黎元洪」、「段祺瑞」、「張君勱」、「趙恒惕」的研究論文，各有一篇。

以上專就研究中明顯地涉及「人物」或「書籍」的論文五十九篇，加以統計，但是就以上的情況看來，博碩士們對於史學的研究，在層面上，所涉及的人物或書籍的範圍都並不十分廣泛，實則，除了上述的情況之外，歷史上值得探討的「人物」及「典籍」，相信爲數尙夥，在學術研究的寶藏裏，好學之士，仍然儘多足供馳騁神思的廣濶園地，有待開闢拓展。

丁、研究路向

史學方面的論文，其研究時所採用之方法，在論文的「名稱」上，一般不似前述「文學類」的作品來得明顯，而史學家之研究，離不開蒐羅史料，推尋事實，在此，逼不得已，僅能就史學論文的題目性質，主觀地去判斷其研究的路向，就其可資統計的二百三十篇論文，區分爲下列幾個類別：

①屬於「史實重建」方面的研究，如「漢代之長安與洛陽」、「金海陵帝伐宋與采石戰役考實」、「甲午之戰」之類，計有四十六篇，在二百三十篇論文之中，約佔二〇%。

②屬於「制度研究」方面的論文，如「宋代市舶司的設置與職權」、「元代監察制度研究」、「元代戶計制度研究」之類，計有三十九篇，約佔論文總數的一六・九五%。

③屬於「人事觀察」方面的研究，如「梁蔡師生與護國之役」、「章炳麟與辛亥革命」之類。屬於「關係探討」方面的研究，如「宋代太學學風與國運的關係」、「元代經略雲南與越緬泰諸國的關係」之類，各有三十四篇，各佔論文總數的一四・七八%。

④屬於「學術闡揚」方面的研究，如「中國上古史學的萌芽期」、「漢樂浪時代之銘文研究」、「唐玄奘譯經的研究」之類，計有二十七篇，約佔論文總數的一一・七三%。

⑤屬於「現象分析」方面的研究，如「一九〇〇年至一九一一年之民意」、「中國抗日戰爭前的學生運動（一九三一—一九三六）」、「近代中國社會之變遷及其分析（一九〇五—一九一四）」之類，計有二十五篇，約佔論文總數的一〇・八六%。

⑥屬於「史料疏釋」方面的論文，如「詩經史料分析」、「甲文選銓」、「左傳中關於禮的史料分析」之類，計有十一篇，約佔論文總數的四・七八%。

⑦屬於「問題討論」方面的論文，如「北朝時期的胡漢問題」、「漢代田賦與土地問題」之類，計有九篇，約佔論文總數的三・九一%。

⑧屬於「因果考索」方面的論文，如「戊戌變法的原因及其影響」、「辛亥革命成敗之因果」之類，計有五篇，約佔論文總數的二・一七%。

從以上的統計看來，近三十年來的史學界，博碩士們對於「史實重建」、「制度研究」方面的興趣，遠大於「因果考索」等方面，自然，在「以科學方法整理國故」、「史學就是史科學」的影響之下，探究歷史發展的前因後果，關心史學經世的研究態度，自然也逐漸式微了，只是，「歷史不僅僅是一種科學」，歷史研究在「疏通知遠」、「鑑往知來」方面，似乎仍然是值得學者們去深思致力的。

四、哲學論文之分析

哲學論文的統計分析，主要根據「全國博碩士論文分類目錄」一書「哲學類」中「哲學」一項的論文，也卽該書作者編號零零九零號至零三零一號，共計二百一十二篇論文，而扣除其中西洋哲學的問題，加以分析論述，至於論述的重點，則區分爲「分期現象」、「學科性質」、「人物或書籍」、「研究態度」等四個主題，加以分析。

甲、分期現象

有關中國哲學的論文，其有明顯時代可資統計者，計有一百二十三篇，約可分爲下列現象：

①屬於「先秦」時代的研究論文，如「先秦儒家社會哲學之研究」、「公孫龍子研究」、「先秦儒家孝的研究」之類，計有七十四篇，在全部一百二十三篇論文之中，約佔六〇·一六%。

②屬於「宋代」的研究論文，如「張載哲學思想研究」、「陸象山思想研究」之類，計有十二篇，約佔論文總數的九·七五%。

③屬於「明代」的研究論文，如「陽明心學三綱領之研究」、「陳白沙哲學思想之研究」之類，計有十篇，約佔論文總數的八・一三%。

④屬於「魏晉南北朝」時代的研究論文，如「研究王弼思想」、「肇論淺釋」之類，計有九篇，約佔論文總數的七・三一%。

⑤屬於「清代」的研究論文，如「康有爲之大同思想」之類。屬於「民國」的研究論文，如「國父的知難行易學說之研究」之類，各有六篇，各佔論文總數的四・八七%。

⑥屬於「兩漢」時代的研究論文，如「王充的哲學思想」之類。屬於「隋唐」時代的研究論文，如「孔穎達周易正義質疑——第一部：論評周易正義序之哲學思想」之類，各有三篇，各佔論文總數的二・四三%。

從以上的現象看來，博碩士們研究中國哲學的興趣，很明顯地是偏重在上古時期，先秦以上的論文，竟然佔了百分之六十以上。這種現象所反映的事實，到底是我們的老祖宗特別聰穎而且有創造力呢？還是漢代以後華夏民族的創造力已日趨衰微，所從事的只是抱殘守缺的維護工作？仰或是我們當前的研究者太過於「厚古薄今」？這些似乎也是值得我們再三深思的問題。

乙、學科性質

在學科性質的區分上，可資統計的論文，計有一百二十一篇，可歸納為以下的現象：

①屬於「哲學思想」方面的研究，如「列子哲學思想研究」、「韓非哲學研究」之類，計有三十七篇，在全部一百二十一篇論文之中，約佔三〇・五七%。

②屬於「佛學」方面的研究，如「宗鏡錄法相唯識之研究」、「大乘起信論人生論之研究」之類，計有十二篇，約佔論文總數的九・九一%。

③屬於「人生哲學」方面的研究，如「莊子的人生哲學」、「墨子的人生哲學」之類，計有十一篇，約佔論文總數的九・〇九%。

④屬於「形上學」方面的研究，如「中國古代之天道觀」、「先秦儒道兩家形上思想的研究」之類。屬於「心性哲學」方面的研究，如「陸王心學辨微」、「朱陸心性哲學辨微」之類，各有十篇，各佔論文總數的八・二六%。

⑤屬於「道德哲學」方面的研究，如「墨子基本道德哲學」、「荀子道德哲學之研究」之類，計有九篇，約佔論文總數的七・四三%。

⑥屬於「政治哲學」方面的研究，如「孔子政治思想研究」、「孟子政治哲學研究」之類，計有八篇，約佔論文總數的六・六一%。

⑦屬於「人性論」方面的研究，如「孟子性善論研究」之類，計有五篇，約佔論文總數的四

一三%。

⑧屬於「教育哲學」方面的研究，如「胡適教育哲學思想及其對於現代中國教育改革運動之影響」之類。屬於「宗教哲學」方面的研究，如「墨子宗教哲學研究」之類，各有四篇，各佔論文總數的三・三%。

⑨屬於「論理學」方面的研究，如「墨家思想論證形式的研究」之類。屬於「天人關係」方面的研究，如「天人和諧——中國先哲有關天人學說之研究」之類，各有三篇，各佔論文總數的二・四七%。

⑩屬於「歷史哲學」方面的研究，如「王船山的歷史哲學」之類。屬於「社會哲學」方面的研究，如「先秦儒家社會哲學之研究」之類，各有二篇，各佔論文總數的一・六五%。

⑪屬於「傳略」方面的研究，如「王陽明評傳」僅有一篇，約佔論文總數的○・八二%。

在哲學論文方面，有不少的論文，是以某某「哲學研究」、某某「思想研究」爲名的，「哲學研究」、「思想研究」，有時可作某一人物、某一專著的全面性研究，有時，也可以偏重在某一特殊部門，如「形上學」、「人生哲學」等方面之研究，根據論文目錄，加以統計，對於這一類的論文，則無法窺見其內容，僅僅能將其類聚一處，這也是不得已的作法，也因此，本項第一類中，屬於「哲學思想」方面的論文，便多到百分之三十以上了。

丙、人物或書籍

除了純粹的哲學問題，不牽涉人物或書籍之外，其餘涉及人及書的論文，共有一百一十一篇，歸納的結果如下：

①有關「莊子」研究的論文，如「莊子齊物論抉微」之類，計有十四篇，約佔論文總數的一二・六一%。
②有關「老子」研究的論文，如「老子道之研究」之類，計有十一篇，約佔論文總數的九・九%。
③有關「王陽明」研究的論文，如「王陽明致良知哲學之研究」之類，計有九篇，約佔論文總數的八・一%。
④有關「墨子」研究的論文，如「墨子思想研究」之類，計有八篇，約佔論文總數的七・二%。
⑤有關「荀子」研究的論文，計有七篇，約佔論文總數的六・三%。
⑥有關「孟子」研究的論文，計有六篇，約佔論文總數的五・四%。
⑦有關「易經」、「陸象山」研究的論文，各有五篇，各佔論文總數的四・五%。

⑧有關「孔子」、「韓非子」、「朱子」研究的論文，各有四篇，各佔論文總數的三・六%。
⑨有關「王船山」研究的論文，計有三篇，約佔論文總數的二・七%。
⑩有關「公孫龍子」、「列子」、「王充」、「張載」、「康有為」、「孫中山」、「論語」、「學庸」研究的論文，各有二篇，各佔論文總數的一・八%。
⑪有關「董仲舒」、「王弼」、「胡瑗」、「二程」、「陳白沙」、「顏元」、「梁啓超」、「胡適」、「熊十力」、「蔣中正」、「公羊傳」、「肇論」、「大乘起信論」、「宗鏡錄」研究的論文，各有一篇，各佔論文總數的〇・九%。

從以上的現象看來，博碩士們研究的興趣，仍然是偏重在先秦時代，尤其偏重在「老」「莊」「孟」「荀」等思想家的身上。

丁、研究態度

在顧名思義的情況下，文學論文的研究方法，尚有「名稱」可以依據，史學論文的研究方法，也尚有其路向途轍，可資觀察，但是，哲學論文的研究方法，從論文的名目上，則頗難了解其方式，在這一部分，筆者本不欲多作統計，以免產生誤解，只是，由於文學史學兩類皆有「研究方法」、「研究路向」，此處缺略，似不適宜，在此，只得強為區分，轉從「研究態度」著手，只希望能夠儘量減少錯誤。以下將可資區分的一百五十四篇論文加以歸納區分。

①屬於「闡述性」的論文，如「老子學述」、「莊子內篇思想」、「熊十力的新唯識論發凡」之類，計有一百一十三篇，約佔論文總數一百五十四篇的七三・三七％。

②屬於「分析性」的論文，如「老子哲學『道』概念的分析」、「公孫龍子指物論與莊子齊物論之分析」之類，計有二十七篇，約佔論文總數的一七・五三％。

③屬於「評論性」的論文，如「荀子論理學說評議」之類，計有十篇，約佔論文總數的六・四九％。

④屬於「比較性」的論文，如「墨子兼愛與耶穌博愛之比較」之類，計有四篇，約佔論文總數的二・五九％。

以上的歸類區分，自然是頗憑主觀，極爲粗疏，難得精確，因爲，所謂「闡述性」的研究，其中自然也有不少「分析」、「評論」、「比較」的成份，不過，大體來說，「闡述性」的論文，可能仍然是佔據了較大、甚至極大的部分，「述而不作」，誠然是中國學人傳統的美德和習慣，但是，從另外一個角度而言，也未嘗不是一種缺點和弱點，尤其哲學的研究，更重創發。此外，西學東漸之後，採用比較的方法研究哲學，兼論中西之長，應該也是一條可行的坦途，但是，在近三十年來的博碩士們的論著中，這方面的研究態度、研究論文，似乎仍然是過於稀少。

五、結　論

經過以上的統計分析之後，筆者尚有一些感想，寫在下面：

①統計和分析，基本上，自然希望結論精確可信，只是，一則，文史哲學的論文，在「見名不見書」的情況下，「顧名思義」地去進行判斷，雖然，很多論文都已可明確予以歸類，少數論文便難以精確區分，統計所據的資料既已不易完全判斷，統計所得的結果自亦不能十分精當，一一檢覈論文的原書，勢不可能，因此，統計的工作，對於精確的目標，自然也就有了距離。其次，「全國博碩士論文分類目錄」的分類，似乎是根據全國各大學研究所的「名稱」而定，（如中國文學研究所的畢業論文全部歸入「中國文學」類），但是，像「中國文學」項內，便有不少可以屬於「歷史」及「哲學」項內的論文。另外，像「政治」項內，便有不少也可屬于「歷史」的論文。「教育」項內也有不少可以屬於「哲學」的論文。在統計時，那些資料都未加收入，則對於文史哲學界的「情況反映」、「辨章學術」而言，未免就容易陷入以偏概全的現象。不過，縱然資料的統計不易非常精確，所獲的結論也並非十分理想，但是，分析的工作，筆者却認爲仍然是值得去進行，也覺得有其進行的必要。

②文史哲三方面的論文名稱，一般而言，直接稱之爲某某「研究」「探究」的，（例如「墨子研究」）佔了相當大的數量，「研究」的時候，可以是全面的，也可能是部分的，因此，「研究」的名稱，內容較不固定，詞面的含義，也較欠明晰，理想的情形，是在「研究」之上，多加限制之詞，（例如「墨子的宗教哲學研究」）以便讀者「顧名思義」，從題目上便可以比較明確地辨認論著的內容大要。改進的方向，筆者以爲，不妨從「縮小題目範圍」、「加強論文深度」、「強調心得見解」、「提出明確結論」等四個重點，去逐步致力。

③性質相同的論文，甚至題目相同的論文，佔了不少份量，這種情形，只要翻閱「全國博碩士論文分類目錄」中所附的「論文篇名索引」，即可了然，例如「孟子性善論研究」（文化哲學、五十九年）、「孟子性善論的研究」（輔仁哲學、五十九年）、「孟子性善說之學術價值蠡測」（輔仁哲學、六十一年）、「孟子性善說之探討」（文化中文、六十三年）。又如「老子哲學」（輔仁哲學、五十六年）、「老子哲學之研究」（輔仁哲學、五十六年）（註二）、「老子思想研究」（輔仁哲學、五十七年）、「老子研究」（文化哲學、五十八年）、「老子學述」（文化哲學、六十年）、「老子思想研究」（輔仁哲學、六十二年）。又如「老子哲學中『道』概念的分析」（台大哲學、五十七年）、「老子『道』之研究」

（文化哲學、六十一年）。

又如「莊子哲學」（台大哲學、四十七年）、「莊子思想探微」（台大哲學、五十四年）、「莊子哲學之探微」（輔仁哲學、五十四年）、「莊子哲學之體系」（輔仁哲學、五十八年）、「莊子思想之研究」（文化哲學、五十九年）、「莊子思想之研究」（師大國文、六十二年）。

又如「墨子宗教與政治思想研究」（文化哲學、五十六年）、「墨子宗教哲學研究」（輔仁哲學、五十九年）、「墨子的宗教思想」（台大中文、六十四年）。以上這些名稱類似的論文，不知他們的內容是否有其雷同的部分？也不知以上這些名稱類似的論文，在撰寫時，後撰的論文作者，是否曾經參考過了稍前撰寫的論文？了解到前人論文的精華？（在論文印刷並不普遍的情形下，相信多數是不曾見到，甚至不曾知道上述在前撰寫的論文。）

誠然，在研究時，相同的論題，可以有許多不同的研究方法、研究觀點，也可以有許多不同的結論，但是，同一題材的論文，如果能夠參考前人的成果，再加上自己的努力，既可避免雷同部分的重複，又可把問題更加向前推進，層層累積，後出轉精，在那種「接力式」的努力之下，學術的研究，豈不更加容易有所進展，更加容易「迎頭趕上」？否則，如果大家所從事的，仍然都是「從起跑點出發」的起步工夫，在大的環境之中，那種情形，畢竟不免是一種心力的浪費。

因此，筆者覺得，我們實在需要一種刊載「論文摘要」的「學術通訊」，隨時報導國內（外）各種學術的消息，研究的成果，「論文摘要」的字數不必很多，但需強調該篇論文的基本觀點，以及在某一問題上所獲致的「突出」部分，以便人們在同一問題的研究上，去相互印證、相互比較，以便大家更能掌握問題的尖端，求取更好的成果，如此，大家的研究，才不會在「各不相謀」的情況下去「閉門造車」，彼此的研究，才不會往往停留在同一個問題的同一個層面之內，以致相互「抵消」掉對方的「成果」。

④文史哲學的論文，在傳統上，我們似乎都比較偏重在「功力」的培養方面，而較少強調「智慧」的發揮，對論文的著眼上，似乎也比較偏重了「面」的累積，而較少強調「點」的創發，因此，所畫定的研究「範圍」，有時未免過於廣大，而忽略了「創見」的覓求。也因此，論文的篇幅和字數，便也不免隨之形成水漲船高的膨脹姿態。

⑤學術的研究工作，博碩士們論文的撰寫方向，仍然是隨著「指導教授」的學問專長而轉移，也就是說，在學術的研究中，「人」的因素，仍然是佔著極重要的影響，其實，這也是一種很自然的正常現象：

例如在屈萬里教授的指導下，一系列有關尚書的論文，像「尚書二十八篇集校」、「周書研究」、「太史公尚書說」、「僞古文尚書問題重探」等，便陸續出現。

又如在魯實先教授的指導下，一系列有關曆法的論文，像「魏晉南北朝閏考」、「唐五代朔閏考」、「宋朔閏考」、「遼金元朔閏考」、「明朔閏考」等，便陸續出現。

又如在許世瑛教授的指導下，一系列有關語法的論文，像「老子語法研究」、「列子語法研究」、「尚書語法研究」、「孫子語法研究」、「春秋左氏傳指稱詞探究」、「今文尚書指稱詞探究」、「戰國策稱代詞研究」等，便陸續出現。

又如在藍文徵教授的指導下，一系列有關魏晉南北朝史及隋唐史的論文，像「魏晉南北朝世族範疇試議」、「北魏政治經濟會要」、「范蔚宗的史學」、「隋代佛教史述論」、「唐與西域之關係」等，便陸續出現。

又如在姚從吾教授指導之下，一系列有關遼金元史的論文，像「澶淵盟約對遼朝漢化影響的分析」、「金海陵帝伐宋與采石戰役考實」、「西域人與元初政治」、「柯九思的生平及其對學藝的成就」、「許衡對於元初中統主之治的貢獻」等，便陸續出現。

而當那些「大師」們先後逝世之後，與那些大師們專擅學術有關的論文，雖然尚不致完全絕跡，却也顯得十分地稀少了。學術的研究，自然要薪火相傳，持續不斷，因此，人材的培養，似乎是刻不容緩的問題。

⑥中國文史哲學與國際上所謂的「漢學」，其範疇雖不完全吻合，但也大略相當。在國際漢學界，日本人的研究範圍廣，重點多，學術上每個重要的據點，他們都各有專門的人材，終其一身之心力，專研固守，師弟相傳，發揚光大。反觀我們，從博碩士們文史哲學論文中所反映出來的現象，似乎所重視的、集中研究的，仍然是那些少數的「正統」學問，其他比較冷門的科目，則多以「小道」目之，而不屑一顧，因此，儘管在少數某些學科之中，我們有著充足的人材，但是，在其他許多層面，許多（並非不重要的）重點，許多範疇內，我們的成績便遠落人後，因此，未來有關人材的培養，學科的專注，顧及「面」的發展，加強「分工」的精神，俾使每個學術上的重點據點，都能擁有足夠水準的人材，似乎是我們應該致力留心的方向。

⑦此文之作，只是個人的一種嚐試，其目的，是想藉著該一論文目錄，進行統計分析，希望從中明瞭一些既有的事實和現象，以供參考，從而能夠反省過去，策勵未來。如果此文之作，能夠反映出我們文史哲學研究上的一些方向、潮流和趨勢，進而能夠有所惕勵，有所改進，有所提昇，那就更是個人馨香以禱的願望了。

註釋

註一　在校讐略中，鄭樵曾提出「類例既分，學術自明」的主張，分類層次太少，自然不易反映出學術的情況。至於以「作者」爲敍次論文之根據，「以人類書」之弊。鄭樵在「校讐略」中，也早已論及，筆者近有「評余秉權先生『中國史學論文引得』」一文，刊於國立中興大學文史學報第十一期，對此問題，略有所見，可供參考。

註二　如果「全國博碩士論文分類目錄」記載無誤，則是輔大哲學研究所五十六年度，同時出現兩篇題目相同的論文。

（原刊於書目季刊十五卷四期）

國家圖書館出版品預行編目資料

中國目錄學研究

胡楚生著. – 初版. – 臺北市：臺灣學生，2018.12
面；公分

ISBN 978-957-15-1772-8 (平裝)

1. 目錄學 2. 文集

010.7 107011954

中國目錄學研究

著作者 胡楚生
出版者 臺灣學生書局有限公司
發行人 楊雲龍
發行所 臺灣學生書局有限公司
地址 臺北市和平東路一段 75 巷 11 號
劃撥帳號 00024668
電話 (02)23928185
傳真 (02)23928105
E-mail student.book@msa.hinet.net
網址 www.studentbook.com.tw
登記證字號 行政院新聞局局版北市業字第玖捌壹號
定價 新臺幣五〇〇元
出版日期 二〇一八年十二月初版
ISBN 978-957-15-1772-8

01006